qui vd rend ce billet d'une
affaire qui est d'une grande
consequence a toute sa famille
vtr con frere dirai viens
depouiller ma niette et voulois
employer elle l'agile de conty
mais ie lay assuré que
sit ne fairoit rien à vre
priere tout le resteroit
inutile ne doutant pas dun
R d pere quil n'ait plus de
deference pr vre verta que
pr toutes les grandeurs du
monde qui en effet ne sont
rien deucant dieu nd vd supplion

aussy de n̄ obtenir dela
patience de j̄ c̄ & la divine
grace dont ray fait vn si
mauuais vsage iusque
icy, afin que marchant
auec ferueur dans la penitence
que ie suis obligée de faire
ie nay[e] pas a repondre
au dernier iour sur mes crimes
passes et sur mon infidelité
presente a suiures les lumieres
qui me condennerõt si ie ne
comence a les mettre en œuure
ie suis auec respect mon R̄d p̄ere
en n̄re sḡdr v̄re tres humble et
obeissante fille et seruante
en l'amour dela misericorde &c

# OEUVRES

DE

# ARSÈNE HOUSSAYE

I

TYPOGRAPHIE DE HENRI PLON
IMPRIMEUR DE L'EMPEREUR
Rue Garancière, 8, à Paris.

MADEMOISELLE THEROIGNE

# ARSÈNE HOUSSAYE

## MADEMOISELLE

# DE LA VALLIÈRE

ET

## MADAME

# DE MONTESPAN

ÉTUDES HISTORIQUES

SUR LA COUR DE LOUIS XIV

## PARIS

HENRI PLON, ÉDITEUR

8, RUE GARANCIÈRE

MDCCCLX

# PRÉFACE.

## I.

Au milieu du dix-septième siècle, la figure de mademoiselle de La Vallière apparaît dans tous les mirages de la poésie. C'était plus qu'une femme; c'était la muse des mélancolies amoureuses; c'était la Juliette d'un Roméo solennel qui était plus qu'un homme, car ce qu'elle a aimé dans Louis XIV, ce n'était pas le roi, c'était l'homme et le demi-dieu.

Elle est toute la passion d'un demi-siècle, c'est un amour qui commence en Louis XIV et qui finit en Dieu. Dieu et le roi ont toujours pris et repris ce cœur débordant : quand mademoiselle de La Vallière n'aimait que le roi, elle aimait encore Dieu; quand elle n'aimait plus que Dieu, elle aimait encore le roi.

L'historien passionné de madame de Longueville sacrifie un peu mademoiselle de La Vallière à sa duchesse vaillante. Est-elle donc plus femme? est-elle donc plus belle? est-elle donc plus divine? L'altière Anne de Bourbon ne craint pas de soulever le monde

1

aux secousses de son cœur; il y a un héros dans
cette héroïne; mais il y a une muse dans mademoiselle
de La Vallière qui, sublime et résignée, ne sait que
mourir mille fois, mourir pour Dieu, mourir pour le
monde, mourir pour elle, puis mourir encore, puis
mourir toujours, parce qu'elle n'aura jamais assez
oublié. Madame de Longueville « rentre dans l'ombre,
se voue à la solitude à trente-cinq ans, dans toute sa
beauté, ne retrouvant du passé de sa vie que le souvenir de ses fautes ». Mademoiselle de La Vallière est bien
plus jeune atteinte mortellement. Elle ne se voue à la
solitude qu'après s'être humiliée sept années devant
sa rivale. Elle entre aux Carmélites avec le souvenir de
ses fautes, mais elle garde aussi sans le pouvoir arracher de son âme le souvenir de son royal amour. Il lui
est impossible de demeurer dans sa cellule. Elle va,
elle vient, elle cherche le martyre, elle demande à
l'hiver de la frapper et de l'ensevelir sous les neiges
éternelles; elle court la nuit à la chapelle, elle fuit
jusqu'au pied de la croix l'image de son amant; elle
glace son sein au marbre de l'autel. C'est une femme
enterrée toute vive, qui se retourne dans son tombeau
sans pouvoir trouver une place pour sa tête brisée;
elle est tourmentée par les battements de son cœur,
de ce cœur qui marque les heures du temps passé,
comme une horloge dont l'aiguille marche en arrière.

Madame de Longueville, c'est la passion au vent,
la passion à la guerre, la passion dans les tourbillons
du monde. Mademoiselle de La Vallière, c'est la pas-

sion en face d'elle-même, avec un Dieu jaloux pour
confident, avec le cilice qui rappelle les étreintes de
l'amour profane.

Mais M. Victor Cousin, après avoir donné le pas à
celle qui pour lui symbolise le dix-septième siècle par
sa beauté et son héroïsme, sa coquetterie hautaine et
son humilité devant Dieu, la remet en face de mademoiselle de La Vallière pour reconnaître que l'amante
de Louis XIV est plus grande par son amour que
l'amante de La Rochefoucauld. « Les amours de mademoiselle de La Vallière sont bien autrement tou-
chantes. Louis XIV, d'ailleurs, était bien plus fait pour
plaire que La Rochefoucauld. Il était beaucoup plus
jeune et plus beau. Il était ou paraissait un grand
homme ou un héros. Il adora mademoiselle de La Vallière à la fois avec l'ardeur la plus vive et avec la tendresse la plus délicate, et sa passion dura longtemps.
Mademoiselle de La Vallière aima le roi comme elle
aurait fait un simple gentilhomme : voilà ce qui lui
donne un rang à part parmi les maîtresses de Louis XIV,
et la met au-dessus de madame de Montespan et surtout de madame de Maintenon. On ne peut nier que
madame de Longueville n'ait aimé avec le même dé-
sintéressement et le même abandon; mais elle plaça
mal son affection, mais elle y mêla du bel esprit et de
la vanité, mais elle eut plus tard un triste retour de
légèreté et de coquetterie. » Après avoir rendu à La
Vallière ce qui appartient à La Vallière, l'historien
se hâte trop de sacrifier encore la maîtresse du roi :

«Madame de Longueville était incomparablement plus
belle. » Qui vous a si bien renseigné ? Je sais que vous
avez réuni, avec la religion de l'art et de l'histoire, les
plus sérieuses et les plus rares gravures du dix-septième
siècle. Mais moi aussi, j'ai la passion des portraits. Il
faut bien revoir ses amis des siècles perdus. Or mes
portraits peints et gravés de mademoiselle de La Vallière ne pâlissent pas et ne s'humilient pas devant
ceux de madame de Longueville. Si ce n'est pas la
même fierté de lignes, la même désinvolture hautaine,
la même bouche à la fois charmante et dédaigneuse,
c'est mieux peut-être : c'est le charme adorable, pénétrant, infini; c'est la beauté recueillie, doucement
illuminée des rayonnements de l'âme; « c'est la grâce
plus belle encore, » c'est la jeunesse qui se retient à
la vertu, c'est la candeur qui s'abandonne à l'amour.
L'héroïne blonde a, comme l'héroïne brune, la pureté
du contour. Si le profil de la première rappelle un
masque de Michel-Ange, le profil de la seconde rappelle une madone de Léonard de Vinci; ou, pour ne
pas aller au delà des Alpes, si madame de Longueville est un portrait de Le Brun, mademoiselle de La
Vallière est un portrait de Mignard. Je ne parle pas du
Mignard mignardisant, mais du peintre du Val-de-
Grâce.

On les a représentées, ces deux sœurs qui se sont
comprises, en Diane chasseresse. Diane-Longueville
est la Diane des forêts et des enfers, toute vêtue de
pourpre pour cacher le sang des chasses furieuses.

Elle tend l'arc d'une main sûre, et frappe mortellement à travers la forêt, jusqu'à ce que le trait se
retourne contre elle-même. Diane-La Vallière est celle
qui fuit toute blanche sous la ramée ténébreuse, avec
le souvenir d'Endymion. Son arc est au repos; son
lévrier la regarde et pleure de son amour.

## II.

Voltaire a dit après avoir écrit les pages familières
du *Siècle de Louis XIV :* « Je croirais que ces intrigues
de cour, étrangères à l'État, ne devraient point entrer
dans l'histoire, si le nom de Louis XIV ne rendait tout
intéressant. » Ne peut-on pas dire de mademoiselle
de La Vallière ce que Voltaire a dit de Louis XIV?
Mademoiselle de La Vallière a sanctifié son amour
par sa pénitence. L'historien le plus sévère peut
s'arrêter gravement devant cette figure à jamais consacrée.

Dans mes portraits du dix-huitième siècle, j'ai toujours recherché la vérité avec une ardente sollicitude.
On a dit que je faisais ressemblant, mais en répandant
sur les figures, comme les peintres anglais de l'école
de Van Dyck, certains airs romanesques. Je n'ai pas
voulu être romanesque. J'ai saisi la vérité à l'heure où
la lumière répand l'auréole, où l'âme s'épanouit, où
la passion marque son accent. Mais je n'ai jamais sa-

crifié l'histoire à la poésie; la bonne fortune de la
phrase, si elle m'est venue, ne m'a pas entraîné au
delà des marges du chemin consacré; l'imagination,
quels que fussent ses prismes, ne m'a pas détourné de
l'étude sévère. J'ai peut-être abusé de la palette, j'ai
peut-être accentué ou adouci le caractère, selon les
hasards du contour, mais j'ai maintenu le caractère.
Là où les traces étaient effacées, j'ai interprété, mais
avec beaucoup de réserve. Qui dira que mes portraits
de Watteau, de Dufresny, de Coustou, de Chamfort,
de mademoiselle Gaussin, de Buffon, pour indiquer
les plus variés de style, ne sont pas vrais? On s'est
étonné de me voir conter la jeunesse de Voltaire,
qu'on n'avait pas vu jeune. Qui vous a dit tout cela?
m'a-t-on demandé. Mais Voltaire lui-même, mais toutes
les gazettes de Hollande, mais tous les mémoires du
dix-huitième siècle plus ou moins imprimés, mais trois
mille lettres qui sont en mes mains ou qui ont passé
par mes mains. Un bibliophile historien, qui sait tout
(j'ai nommé M. Feuillet de Conches), qui a dans sa
merveilleuse bibliothèque d'autographes tous les secrets du siècle de Louis XIV et de Louis XV, a dit
que j'avais vu de très-près toutes ces figures illustres
ou charmantes. Les Anglais qui me font l'honneur de
me traduire et de me discuter, les Anglais qui savent
un peu mieux notre histoire que nous-mêmes, m'ont
reconnu, à travers un certain esprit d'aventure, une
science très-intime du dix-huitième siècle. Si j'avais
pris les grands airs de l'historien, si je ne m'étais un

peu trop attardé à l'Opéra avec mademoiselle Guimard,
à la Comédie avec mademoiselle Clairon, au café Pro-
cope avec Piron, si je n'avais abordé que les figures
aux lignes sévères, on m'eût un peu moins lu en
France, mais on n'eût pas mis en doute la vérité de
mes portraits.

Aujourd'hui j'entr'ouvre la porte d'un autre siècle,
pour y peindre cette belle figure toute de poésie et
d'amour qui s'appelle mademoiselle de La Vallière \*.
Que si on crie au romanesque, je répondrai : J'ai tout
lu et tout étudié, hormis le roman de madame de
Genlis. Il n'y a pas une page, pas une lettre, pas un
portrait que je n'aie interrogés. Pour la mieux peindre
dans sa lumière et dans son horizon, j'ai tenté de ra-
nimer pour une heure toutes les figures de la cour de
Louis XIV. J'ai réuni tout ce qui est elle et tout ce qui
dévoile son âme. J'ai peint l'amoureuse et la sainte. J'ai
pris conseil, pour la juger, de mademoiselle de Montpensier comme de Bossuet, de madame de Sévigné
comme de Racine, de Quinault comme de Lulli. J'ai
pénétré dans la familiarité de Le Brun et de Mignard.
A Versailles, j'ai couru le jardin comme le Musée.

---

\* Je veux remercier ici MM. de La Saussaye, Feuillet de Conches, Théophile Lavallée, de L'Escalopier, de Chambry, tous
ceux qui ont, les uns par des lettres inédites, les autres par des
livres introuvables, éclairé plus d'une fois les heures nocturnes
de l'historien. Je remercie aussi une princesse illustre qui sait le
siècle de Louis XIV mieux que M. de Voltaire, et qui souvent
dans ses causeries du lundi a prouvé à son cercle que, pour bien
juger les femmes, il fallait demander leur secret à une femme.

J'ai appris la vie du grand siècle dans les œuvres du grand siècle.

J'ai secoué la poussière de trois cents volumes. Je ne méprise pas les bibliothèques, mais l'histoire y est habillée de si beaux mensonges qu'on ne l'y reconnaît pas toujours : on lui fait dire tant de choses contraires, qu'on ne puise en sa compagnie qu'un doute inquiet *. La meilleure bibliothèque est la conscience

---

* Jusqu'ici le premier historien digne de foi de mademoiselle de La Vallière, c'est mademoiselle de La Vallière. Ne s'est-elle pas révélée dans ses lettres et dans ses *Réflexions sur la miséricorde de Dieu,* qui sont les confessions d'une pécheresse ? Mais si les *Réflexions sur la miséricorde de Dieu* n'étaient pas d'elle ? J'étudierai plus loin cette question. Et les lettres ? Qui sait si elles n'ont pas été retouchées par l'abbé Claude Lequeulx, le second historien digne de foi.

L'abbé Lequeulx avait eu le premier la bonne fortune de retrouver les lettres de mademoiselle de La Vallière au maréchal de Bellefonds. « Ces lettres sont toutes adressées à un ami digne de sa confiance et de son estime, à qui elle se croyoit redevable, après Dieu, de la délivrance de son ame, et qui paroît en effet lui avoir rendu les plus importans services, pour l'aider à sortir du profond abyme où Dieu avoit permis qu'elle tombât, afin de la rendre ensuite un signe prodigieux à la face de l'Église et du monde. »

L'historien dit qu'il écrit la vie de l'illustre pénitente sur des mémoires authentiques. Quels mémoires ? que sont-ils devenus ? Et les lettres, où les retrouver ?

Je ne puis me défendre d'un doute qui persiste en mon esprit, c'est que l'abbé Lequeulx a mis la main dans les lettres de mademoiselle de La Vallière. Sans doute on y retrouve l'expression de l'âme de celle qui se tourna vers Dieu, mais on y trouve aussi le style imagé de l'abbé Lequeulx. J'ai lu et relu vingt autographes de mademoiselle de La Vallière, sans y reconnaître

de l'historien; ce sont les lettres intimes, imprimées ou
non; ce sont les musées où sont écrites toutes les batailles et toutes les fêtes, où sont représentées toutes
les figures qui ont joué le drame ou la comédie de
leur temps. Où l'histoire de France est-elle mieux
écrite qu'au musée de Versailles? C'est là que sont
toutes nos iliades et toutes nos odyssées. C'est là
qu'on voit courir le sang, c'est là que revivent l'am-

l'éloquence des lettres imprimées. L'abbé Lequeulx aimait trop
le beau style. Lisez cette page où il peint avec une touche voluptueuse la vertu aux abois de la maîtresse du roi : « Vertueuse s'il étoit possible dans le sein même du crime, elle n'oublia jamais qu'elle faisoit mal, gémit toujours de sa foiblesse,
et conserva le désir et l'espérance de rentrer dans le bon
chemin. Elle méconnut souvent son devoir, mais elle respecta
toujours la sagesse. Les nouvelles fautes lui coustoient autant
que la première foiblesse. Loin de se faire au crime, son cœur
sembloit le détester tous les jours davantage. La pudeur la
suivoit jusque dans l'enyvrement du péché, et si elle n'étoit pas
fidèle aux cris de sa conscience, elle n'en méprisoit pas les aver-
tissements, loin de leur imposer silence. Les préférences que le
Roi lui donnoit sur la Reine la blessoient elle-même peut-être
autant que l'épouse, et elle se plaignoit sans cesse d'être trop
aimée, tandis qu'elle ne croyoit jamais aimer assez. »
    C'est bien dit; or cette habitude de bien dire n'a-t-elle pas
entraîné l'abbé Lequeulx à faire bien parler mademoiselle de
La Vallière, là où elle avait oublié sa rhétorique?
    Cette autre page — une belle page encore — de l'abbé Lequeulx
me donnera-t-elle plus de foi en lui :
    « Aussitôt que la sœur Louise de la Miséricorde eut pris l'habit,
on remarqua en elle un renouvellement sensible de toutes les
vertus chrétiennes et religieuses. Consumée d'un désir insatiable des humiliations et des souffrances, les pénitences de la
règle ne suffisoient pas à son zèle : mais l'obéissance ne lui per-

bition, l'héroïsme, la grandeur, la poésie. Quel est
l'historien qui ne connaîtra pas Richelieu après avoir
interrogé sa pâleur, Turenne après avoir vu son regard, Louis XIV après avoir vu ses grands airs, Voltaire
après avoir vu son ironie souriante? Les historiens ne
recueillent trop souvent, avec une piété digne d'un
meilleur culte, que les ossements de l'histoire.

Je sais qu'on me reprochera de vouloir importer la
poésie et la peinture dans l'histoire, de trop rechercher le caractère épique, trop peindre de portraits. Je
pense que l'humanité, quoi qu'elle fasse, doit toujours
être vue à travers l'idée de Dieu, ce qui la relève et ce
qui éclaire ses actions. Je pense aussi que Plutarque
est un grand historien qui, tout en écrivant la vie des

---

mettant pas de s'y livrer en liberté et de s'en rapporter à son
inclination, elle se dédommagea par la *piété intérieure* de ce
qu'elle ne pouvoit pas pratiquer d'*exercices extérieurs,* qui ne
servent quelquefois qu'à mortifier le corps, sans sacrifier le
cœur et les affections spirituelles. Elle prit pour modèle la pécheresse pénitente de l'Évangile. Elle pleuroit comme elle aux
pieds de Jésus-Christ son Sauveur, et s'immoloit sans cesse à ses
yeux par un tendre et vif regret de ne l'avoir pas toujours aimé,
et de ne le pas encore aimer assez. On la trouvoit souvent dans
des lieux retirés prosternée contre terre et toute baignée de larmes. La vue de ses péchés la tenoit dans un abaissement continuel sans la décourager. Les dispositions les plus intimes de son
âme sur ce point sont peintes avec une naïveté si admirable dans
presque toutes les lettres que nous publions, que nous ne pouvons qu'y renvoyer les lecteurs, comme à des tableaux vraiment
originaux, plus capables de la faire connoître que tout ce que
l'on en pourroit dire. »

hommes illustres, écrivait l'histoire universelle de son
temps, car il croyait qu'un grand homme en résume
toujours cent mille. On a dit que la parole avait été
donnée à l'homme pour déguiser sa pensée; mais sa
figure est sa pensée elle-même. La figure est faite à
l'image de Dieu, la pensée universelle. Les yeux sont
les fenêtres de l'âme. Voilà pourquoi, pour peindre
des siècles, je peins des portraits.

Le fil d'Ariane de l'histoire, qui se casse aux mains
les plus patientes, m'égarera çà et là dans le labyrinthe
de la jeunesse de mademoiselle de La Vallière. Je serai
comme le chasseur qui suit sur la neige la trace de
l'oiseau : la jeunesse est un oiseau qui vole et qui
marche; quand elle marche, elle imprime son pied;
mais quand elle s'envole, comment la suivre, même
en ramassant les plumes qui tombent de ses ailes? Le
romancier n'est jamais en peine, il renoue les chaînes
brisées, — les fils de la Vierge — avec les lianes fleuries
de son imagination; mais l'historien s'arrête à chaque
pas, interrogeant la tradition qui se souvient mal, la
légende qui est souvent un conte, le livre qui a ses
systèmes et ses passions. Tous les écueils sont pour
l'historien : si le récit est romanesque, on crie au roman; s'il est ennuyeux, on ne lit pas son livre; c'est
en vain qu'il mettra au creuset les trois cents volumes
qui parlent de son héros ou de son héroïne, pour avoir
l'or pur de la vérité : on signalera de l'alliage. Il mé-
ditera devant les portraits; mais ces portraits sont-ils
authentiques? S'ils sont authentiques, sont-ils ressem-

blants? Le peintre a-t-il bien saisi le moment où l'âme
illuminait la figure, où le caractère se révélait sur le
front, où le sentiment se trahissait sur la bouche?

Il m'a été impossible d'écrire l'histoire de la jeunesse de mademoiselle de La Vallière avec ces belles
transitions que recommande le style et que dédaignait
La Bruyère. J'ai questionné les bibliothèques, j'ai questionné Versailles et Fontainebleau, j'ai questionné le
dernier pan de mur du château de La Vallière; j'ai
interrogé le couvent des Carmélites; j'ai touché avec
respect les lettres de sœur Louise de la Miséricorde;
mais nulle part je n'ai trouvé le mot à mot de l'histoire
de sa jeunesse. Qu'importe? L'histoire de mademoiselle
de La Vallière dédaigne les notes et les commentaires :
c'est la légende éternelle de l'amour.

# I.

## LA COUR DU JEUNE ROI.

---

### LE SOLEIL LEVANT A FONTAINEBLEAU.

---

### I.

Avant de mettre en scène cette blanche et douce héroïne qui a gravi les alpes de la passion pour tomber à jamais dans les neiges expiatoires de la pénitence, j'essayerai de peindre le théâtre de ses aspirations et de ses défaillances; les figures et les figurants qui ont joué avec elle cette tragédie plus romanesque encore que la *Bérénice* de Racine; en un mot, je peindrai la cour de Louis XIV à l'aurore du règne, quand le roi-soleil va sortir de son nuage d'or.

Louis XIV vint au monde le 5 septembre 1638, après vingt-deux ans de stérilité d'Anne d'Autriche.

2

Et encore, selon la chronique, ce fut la faute de madame de La Fayette ; mais j'aime mieux dire, avec toute la France de 1638 : LOUIS-DIEUDONNÉ.

Louis-Dieudonné, Louis le Grand depuis la mort de Mazarin jusqu'à l'avénement de madame de Maintenon, cet autre ministre absolu qui arrêta si fatalement le soleil dans sa course.

Règne merveilleux jusqu'à l'heure des décadences ! C'est la royale épopée. C'est le quatrième depuis qu'on les compte, les siècles d'or ! Ce beau siècle, Dieu le domine par Bossuet, par Pascal, par Malebranche ; Louis XIV, par ses victoires rapides* et ses magnificences féeriques ; Condé, Turenne, Villars, Duquesne, par leur héroïsme ; Corneille, Molière, la Fontaine, Racine, par les grands caractères de leur œuvre ; Poussin, Lesueur, Le Brun, par la force, la science et l'éclat de leur génie. Mansart lui élève des palais ; Perrault lui dresse les colonnes du Louvre ; Girardon, Puget, Sarrazin, Coysevox, Coustou, chantent sa gloire dans des strophes de marbre ; de merveilleux graveurs l'incisent sur les cuivres et les médailles. Le Nôtre discipline la nature et La Quintinie aide le soleil. Tous les sublimes ouvriers sont à l'œuvre pour faire un grand siècle ; La Bruyère a beau le juger du haut de sa sévérité et de sa misanthropie, Boileau du haut de sa satire qui fait trembler Quinault et qui étonne le roi lui-même, les ouvriers

---

\*      *Una dies Lotharos, Burgundos hebdomas una,*
     *Una domat Batavos luna : quid annus erit !*

ne perdent pas courage : devant toute grande œuvre il
faut bien que la critique vienne profiler son ombre.
Ne voilà-t-il pas d'ailleurs Lulli qui étouffe les voix
décourageantes par ses divines symphonies? C'est lui
qui, le violon à la main, comme Apollon au milieu
des Muses, conduit victorieusement ce vaillant groupe
de héros, d'artistes et de poëtes.

C'est comme une autre création du monde; l'esprit
humain va sortir de ses langes : Descartes fonde la
raison. Pendant que Boileau rime la législation du
Parnasse, Vauban dicte les lois de la guerre. Corneille
et Molière créent le théâtre. Louis XIV, prenant d'une
main celle de Lulli et de l'autre celle de Quinault,
crée l'opéra. Les bibliothèques ouvrent leurs portes à
la Vérité. Elle s'y cache, mais on la trouvera à l'heure
où les ténèbres envahiront les âmes. Les lettres, les
sciences et les arts ont chacune leur académie. Les
héros anonymes que la victoire nous ramène invalides
vont avoir, eux aussi, leur palais, car Louis XIV n'oublie pas ses soldats mutilés.

La France étend ses frontières, peuple ses ports et
imprime son pied dans les colonies. L'Océan et la
Méditerranée se donnent la main par le génie de
Ricquier. Louis XIV crée l'Observatoire, institue une
imprimerie au Louvre, fonde l'École de Rome et
pensionne les savants étrangers. Toutes les nations
s'accoutument à regarder le matin vers Paris, comme
on consulte le ciel pour pressentir le beau temps
ou l'orage.

2.

Ce n'est pas avec madame de La Fayette que j'étudie
la cour de Louis XIV, je ne suis pas si romanesque;
quelles que soient mes aspirations vers l'idéal, je me
retiens de toutes mes forces à la vérité. Madame de
La Fayette, qui, comme toutes les femmes, voyait juste,
peignait avec un prisme sous les yeux. Sous sa plume,
le roi, plus beau qu'Apollon, n'avait autour de lui que
des Achille, des Renaud, des Roland, des Hélène, des
Armide et des Bradamante. La nature s'était épuisée
pour enfanter de telles merveilles. Mais Saint-Simon,
par contraste, peignait la cour un jour de pluie, ne
croyant plus à rien qu'à Dieu; aussi, un peu plus, en
accentuant encore sa violence de touche, il arriverait
à ne faire que la caricature de cette cour, qui fut
olympienne et qui restera olympienne. Certes je ne
défends pas la beauté de Marie-Thérèse : ne touchons
pas à la reine; mais toutes ses dames d'honneur sont
belles; mais Henriette d'Angleterre, qu'on s'avise aujourd'hui de faire bossue, est une adorable créature
de la plus poétique expression. J'en dirai autant de
mademoiselle de La Vallière à ceux qui me la veulent
représenter boiteuse : elle boitait si peu que les femmes seules s'en apercevaient, tant c'était aux yeux des
hommes une grâce de plus. Me dira-t-on que madame
de Montespan et ses deux sœurs n'étaient pas belles?
On me les montre à table s'enivrant toutes les trois en
joyeuse compagnie; mais est-ce donc une déchéance
que de s'oublier une fois l'an à un souper de carnaval?
Et la princesse de Soubise, et madame du Lude, et

mademoiselle de Fontanges, et toutes les dames du
palais, et toutes les filles d'honneur qui ont peuplé
tour à tour les Tuileries et Versailles, qui osera les
défigurer malgré l'histoire * ?

On a dit aussi que les fêtes de Louis XIV n'étaient
que des décorations d'opéra. Oui, avec Versailles pour
théâtre. Le théâtre est debout. On peut étudier encore
les décorations de Le Brun et de Girardon. On peut y
évoquer les librettistes ordinaires de ces opéras : Corneille, Molière, Racine, Quinault, avec Lulli pour
musicien !

## II.

Le règne de Louis XIV se divise en trois périodes
dominées par trois influences, — trois étoiles, —
trois femmes.

La première est l'époque de la galanterie semi-
espagnole, semi-française. Elle se personnifie dans
mademoiselle de La Vallière. Cette royale passion est
un roman de cœur avec le cloître pour dénoûment. On
était encore dans l'âge de la chevalerie, on renouvelait
avec éclat la poésie héroïque du moyen âge. Le point

---

* Je n'étudie pas non plus la cour de Louis XIV dans ce
tableau si connu qui représente toute la famille du roi travestie
en dieux et déesses de l'Olympe : une mascarade majestueuse,
où le peintre s'est plus préoccupé de faire beau que de faire
ressemblant.

d'honneur, les cours d'amour, les aventures de cape
et d'épée, avaient laissé des traditions qui n'étaient
point perdues. Les sentiments quintessenciés parfu-
maient encore les volumineux romans de mademoiselle de Scudéri. Bérénice devint l'écho suave et
harmonieux du temps ; le Cid en était l'exemple mâle
et coloré. C'était la jeunesse, c'était l'aurore.

La seconde période du règne se représente par
madame de Montespan, une folle et vaillante femme,
qui monte hardiment à cheval, qui accouche en riant,
et qui se réjouit d'être reine par la grâce de l'Amour.
Avec elle s'ouvre l'épopée militaire, l'ère de la conquête. Le jour incline vers le matérialisme du cœur,
vers le paganisme des sentiments. Bossuet a beau
tonner du haut de la chaire chrétienne : sa grande
voix applaudie ne saurait arrêter le grand siècle qui
court éperdu vers la gloire à travers les aventures
galantes. C'est l'âge de l'action, de la maturité, de la
force : tout cède au roi victorieux, les citadelles et les
femmes.

La troisième et la dernière partie du règne se
résume dans madame de Maintenon. Le mysticisme
sensuel a remplacé les pompes et les œuvres de l'ancienne cour. Le siècle vieux se fait ermite ; la gloire
prend le voile. Tout s'assombrit, tout décline. Louis XIV,
ce roi sur lequel règne une femme, se courbe lentement vers la tombe. Bossuet a l'air de triompher :
l'orthodoxie a brisé l'influence de Fénelon et de madame Guyon, dont la piété trop tendre et trop indé-

pendante ne convient point au caractère de la favorite, devenue secrètement la femme légitime du roi.
Madame de Maintenon est la main par laquelle l'Église
gallicane domine la vieillesse de Louis XIV. Le quié-
tisme ne saurait plaire à cette femme habile, intrigante
et forte, qui porte, non sans dignité, le poids de la
couronne, sous le fardeau des événements et des années. Cette reine — moins le titre — donne son tour,
comme on disait alors, à la fin du règne. Madame de
Montespan court de solitude en solitude ; Racine abandonne le théâtre ; La Fontaine expie sous le cilice le
péché mortel ou immortel de ses Contes. Tout prend
le masque de la dévotion. La tragédie elle-même fait
ses Pâques à Saint-Cyr.


## III.


La figure de Louis XIV a traversé le dix-huitième
siècle comme un rayon de lumière ; la Révolution elle-
même, tout en brisant la statue de bronze aux pieds de
laquelle le maréchal de La Feuillade avait voulu, dans
son idolâtrie, qu'on représentât les nations enchaînées,
a honoré les victoires, la langue, la littérature et les
arts de ce règne comme un monument impérissable
du génie français. Elle a déterré le souverain dans sa
tombe, secoué la poussière du linceul royal, violé la
double majesté de la gloire et de la mort ; mais, tout

en vouant aux gémonies la mémoire du despote, elle a suivi les traces du gouvernement de Louis XIV, dans les deux grandes voies du système : la centralisation et les armées permanentes. Cette physionomie historique est donc une de celles qui, bon gré, mal gré, s'imposent aux âges; on peut les troubler dans leur formidable sommeil; on peut les couvrir de blâme et de vengeance : les effacer, jamais.

Comme les divinités de la Fable, dont la mythologie du règne aimait à l'entourer dans les groupes de marbre et les peintures, Louis XIV est une personnalité composite. Enfant, il nous apparaît sur es genoux d'Anne d'Autriche et derrière la robe rouge de Mazarin : le roi règne et ne gouverne pas; bientôt il saisit d'une main vigoureuse la direction des affaires, dont il laisse le poids à Colbert; enfin, vieux, il supporte entre Letellier et madame de Maintenon les adversités de ce long règne frappé de mort avant lui.

Louis XIII, je me trompe, Richelieu avait haché la noblesse de France : mal tuée, elle renaît sous le ministère de Mazarin. La faction des Importants que le cardinal-duc avait écrasée, mais non détruite, veut ressaisir le roi, dominer le gouvernement, effacer les cicatrices que la hache de Richelieu avait laissées sur l'arbre de l'aristocratie. A cette nouvelle et dernière entreprise de la chevalerie, Mazarin oppose son intrigue italienne, l'épée de Condé, la force d'une volonté qui brise tout. Cependant les temps sont rudes pour la monarchie : la reine couche à Saint-Germain sur la

paille *. La Fronde était un anachronisme : la guerre
civile finit par des chansons; ses principaux chefs sont
des personnages de comédie : la *Satire Ménippée* fait
justice de leurs fanfaronnades. Les Parisiens apprennent
à élever des barricades qu'ils défendent contre le
canon; mais ils se battent en étourdis. Des deux côtés
on crie : Vive le Roi ! Pour que la révolte devînt une
révolution, il faudrait un principe, un droit à conquérir : la Fronde n'a rien de tout cela. Cette folle équipée
s'évanouit comme un nuage de poudre. A tout mouvement il faut un chef. Qui sera le chef des frondeurs?
Le cardinal de Retz? un grand orateur et un écrivain
éminent; mais le bout du poignard que je vois luire à
travers sa ceinture n'est qu'une arme de théâtre, une
figure de rhétorique. Quant aux parlements, qui leur
a donné le droit de parler au nom du peuple? ils ne
sont qu'une tribu de légistes hargneux : toute leur foi
politique se résume dans un sentiment d'orgueil froissé :

---

* « Elle s'enfuit de Paris avec ses enfants, son ministre, le
duc d'Orléans, frère de Louis XIII, le grand Condé lui-même,
et alla à Saint-Germain; on fut obligé de mettre en gage chez des
usuriers les pierreries de la couronne. Le roi manqua souvent du
nécessaire. Les pages de sa chambre furent congédiés, parce
qu'on n'avait pas de quoi les nourrir. En ce temps-là même la
tante de Louis XIV, fille de Henri le Grand, femme du roi d'Angleterre, réfugiée à Paris, y était réduite aux extrémités de la
pauvreté; et sa fille, depuis mariée au frère de Louis XIV, restait
au lit, n'ayant pas de quoi se chauffer, sans que le peuple de
Paris, enivré de ses fureurs, fît seulement attention aux afflic-
tions de tant de personnes royales. » Voltaire.

la robe est envieuse de l'épée. Vienne une sérieuse
représentation nationale, qui se souviendra des parlements? Rogues et souples, ils me font l'effet d'un
enfant qui agite la surface de la mer avec un bâton.
Que le vent souffle, le vrai vent de l'opinion publique,
et ils fuiront à toutes jambes devant la tempête qu'ils
ont eu l'air de provoquer.

Les Parisiens se lassent bien vite de cette guerre
d'épigrammes et de chansons : ils redemandent le
roi. Mazarin triomphe. Il ne s'exile que pour être
plus près. Au milieu de tout cela, Louis XIV n'est
encore qu'un enfant; mais son génie a grandi dans
la lutte : la prérogative royale sort comme l'arche
des grandes eaux de l'abîme, et vient échouer majes-
tueusement sur les hauteurs. Mazarin meurt. Harlay
de Chanvallon, président de l'assemblée du clergé,
s'approche du roi et lui demande à qui il doit maintenant s'adresser pour les affaires de l'État : « A moi-
même », répond Louis XIV[*].

---

[*] Louis XIV porta le deuil du cardinal, et ne l'imita pas. Dom
Louis de Haro disait de Mazarin : « Il a un grand défaut en politique, c'est qu'il veut toujours tromper. » Louis XIV voulut vivre
à visage découvert; il triompha toujours de face.

## IV.

Tout se métamorphose sous le commandement du souverain. Le palais de Versailles est bientôt un Olympe dont
Louis XIV devient le Jupiter. Tout y retracera la figure
du grand roi, le dessein du règne, la volonté du maître
tout-puissant. Regardez les bassins : ici Latone change
en grenouilles le groupe d'hommes qui l'assiégent :
c'est la royauté qui triomphe des frondeurs ; là, des
monstres puissants, énormes, mais domptés, portent
sur leur dos un enfant qui les guide avec la main : ce
sont les forces aveugles de l'anarchie que domine une
idée nouvelle et courageuse. Et ces eaux qui s'élèvent
en gerbes vers le ciel pour retomber en pluie et en
rosée, quelle image de la monarchie qui monte jusqu'à Dieu, pour redescendre en fécondité sur la terre !
Ce parc est un poëme dans lequel on lit à chaque page
le rêve de Louis XIV : « L'État, c'est moi. » Ces arbres à
perruque vénérable, qui s'inclinent, eux si fiers et si
robustes, sous la majesté du vent ; ce palais trop grand
pour les pas d'un autre homme ; ces larges rues qui
se sont voilées d'herbe pour couvrir leur désolation à
la chute de la monarchie : Versailles nous dit mieux
que toutes les histoires du temps la grandeur symé-
trique de cette cour qui ne s'éleva si haut que pour
appeler la lutte des géants : seulement cette fois ce

furent les géants — j'entends les philosophes et les
encyclopédistes — qui foudroyèrent Jupiter.

Le règne de Louis XIV fut le triomphe de la volonté.
A Versailles il dit : « Que l'eau soit! » et elle fut.
A Paris il dit : « Que la lumière soit! » et le soleil des
arts et des lettres se leva tout resplendissant.

Louis XIV fut l'artiste du pouvoir absolu.

Le trait le plus accusé de ce caractère, c'est la
passion du commandement. Louis XIV était fait pour
gouverner, comme d'autres pour chanter les merveilles de son règne. Il montrait son inclination dans
les petites comme dans les grandes choses. S'il n'est
pas le créateur de l'étiquette royale, on peut dire
qu'il fit la cour. Avant lui, le roi de France logeait
dans un château fort. C'était, même après François Ier,
un haut baron, retranché derrière ses créneaux, ses
bons murs, ses fossés profonds. On voyait l'ombre
morose du monarque errer de fenêtre en fenêtre
dans ces grandes salles du château de Blois, isolée,
froide, emprisonnée, inquiète. Des espions, des gardes, des arquebusiers, des cours où retentissait le
pas des sentinelles; des escaliers secrets par lesquels
montaient et descendaient des hommes chargés de
missions occultes: tout annonçait une majesté ombra-
geuse, veillant la main sur la garde de son épée, épiant
tout, partageant la crainte qu'elle inspirait aux autres.
Sous Louis XIV tout change : les escaliers s'élargis-
sent, l'air circule avec la lumière dans la demeure
royale, les fêtes ont remplacé les sombres réceptions

officielles, les courtisans succèdent aux soldats. Cette
fois, la royauté est sûre de sa victoire. Elle marche sur
les lauriers, comme un demi-siècle plus tard elle mar-
chera sur les roses, sans se douter que ces lauriers et
ces roses recouvrent un échafaud.

Et comment l'aurait-elle pu croire? Aucun nuage
dans le ciel : Versailles est doré d'amour et de soleil;
là-bas, c'est-à-dire à quatre lieues de Versailles, four-
mille une population humble, servile, ignorante, heureuse souvent, qui dit LE ROI, comme elle dirait DIEU!

Que Louis XIV se soit enivré de sa gloire, qu'il ait
bu à longs traits la coupe des prospérités royales, qu'il
se soit cru éternel, lui et ses descendants, le moyen
de s'en étonner? D'autres n'ont-ils pas cru à l'impérissable durée de grandeurs bien moins solides et bien
moins éclatantes? Au milieu de cette puissance sans
bornes, incontestée, incontestable, Louis XIV s'abandonna sans crainte à sa passion dominante : il régna,
il gouverna. Maître de son peuple, de sa maison, des
consciences qui l'entouraient, comparé au soleil par
tous les rimeurs du temps, il dut croire que toute la
lumière de son siècle venait de sa pensée, de son
regard, de sa volonté. Les voix ne manquaient pas
pour lui dire qu'il avait commandé aux éléments; les
eaux sagement tumultueuses de Versailles le lui répé-
taient; le canal des Deux-Mers le racontait aux popu-
lations du Midi; Dunkerque le criait à l'Angleterre.

Il fut grand de sa grandeur et de la grandeur des
hommes qui l'entouraient. Il fit avec l'aristocratie de

l'intelligence comme il avait fait avec l'aristocratie de
race, il s'attacha les littérateurs. Nul plus que lui
n'eut l'art de s'assimiler les hommes. Louis XIV com-
posa ainsi de son vivant l'épopée de son règne, sachant
bien que protéger les lettres, c'était protéger sa mémoire. Qui osera, se disait-il, démentir la voix de
Bossuet? Quand Boileau aura chanté le passage du
Rhin, qui croira les historiens futurs, si ceux-ci s'a-
visent de contester la grandeur de ce fait d'armes?
Quand Molière aura dit : « Nous vivons sous un maître
ennemi de la fraude », qui sera bienvenu à mettre
en doute la loyauté de sa politique?

Le cardinal Mazarin, qui voulait régner sur le roi,
avait eu soin d'entretenir sa jeunesse dans une vie de
dissipation et d'oisiveté. Mais, en vertu de cette fiction
que tout en France appartenait au souverain, Louis XIV
s'appropria les lumières de son siècle. Tout ce qui
pensait dans le royaume pensait pour le roi. La France
absorbée se regardait vivre, agir, rayonner, dans la
personne de Louis XIV. Cette incarnation visible d'un
grand peuple, cette unité majestueuse sous la forme
d'une couronne, ce soleil immobile qui, dans le système planétaire de la monarchie, attirait à lui les autres
astres, tout cela isolait la royauté dans les hauteurs
imaginaires de la Fable. Louis XIV fut un roi mythologique.

Ce qu'il fit pour illustrer son règne était une consé-
quence de son caractère pompeux. Il avait compris
l'autorité comme un pontificat. Tout ce qui pouvait

frapper les peuples d'étonnement, d'admiration et de
crainte religieuse pour la prérogative royale, il le
réunit autour de sa personne. Le prestige des arts, la
magie de la grandeur, la solennité des séances royales,
les fêtes et les carrousels, rien ne fut oublié pour donner
la magnificence au pouvoir qu'on voulait consacrer.
Toutes les formes du beau se prêtèrent à cette apothéose
de la grandeur souveraine.

Ces grandes figures olympiennes, Alexandre, Auguste, Léon X, Louis XIV, Napoléon, nous apparaissent à travers le rayonnement de la poésie et des
arts : de là cette sérénité majestueuse de la gloire qui
défie les orages et les caprices de l'opinion.

## V.

Je ne dirai pas ce que tout le monde sait. Je n'écris
pas l'histoire de Louis XIV. Maintenant que j'ai tenté
de peindre à grands traits l'homme de l'histoire, je
veux peindre à fresque autour de mademoiselle de
La Vallière les fêtes et les féeries de la jeune cour, les
cavalcades, les chasses, les carrousels. C'était le beau
temps du règne : le roi n'allait à la guerre que pour
gagner des batailles ; il ne courait les fêtes que pour
gagner des cœurs : vaillant sur tous les théâtres, brave
à l'armée, brave au parlement, brave au jeu de l'a-
mour. Il avait vingt ans, et tout le monde avait vingt

ans autour de lui. (Quand il eut soixante-quinze ans,
autour de lui tout le monde eut soixante-quinze ans.)
Quelle gerbe de jeunesse épanouie! la reine et ses
filles d'honneur; Madame et ses filles d'honneur. Le
surintendant Fouquet, cet autre roi, avait un harem
éblouissant; le vieux Mazarin lui-même marchait dans
le cortége de ses nièces. On ne perdait pas les belles
heures de cette jeunesse : les jours avaient quelquefois
vingt-quatre heures, tant on s'oubliait la nuit.

Louis XIV n'était pas grand, mais il était mieux que
cela : il paraissait grand. Bien jeune encore, il avait
pris un air de domination qui dépassait tout le monde;
aussi n'avait-il pas besoin d'être assis sur un trône ou
de marcher le premier pour dire : JE SUIS LE ROI. Tout
le monde le reconnaissait, tout le monde le croyait
grand.

Louis XIV se savait beau, c'est aussi ce qui lui
donna l'air grand. Il avait dans ses lectures noté lui-
même les conditions de la beauté chez les anciens :
la tête élevée, le front martial, les sourcils rapprochés,
comme on les voit dans la plupart des empereurs,
mais surtout dans les figures d'Auguste; les doigts élé-
gants et souples, le pied petit*, la chevelure abon-
dante, ce qui explique ses perruques à cascades.
Enfant, il ne voulait jamais permettre qu'on lui coupât

---

* J'ai vu à Venise un soulier de Louis XIV, qui donne la
mesure d'un pied de prince et non d'un pied de roi. Ce soulier,
peint par Rigault, manque au *Musée des Souverains*.

les cheveux. Dans les gravures qui nous le représentent à quinze ans, ses cheveux ruissellent sur son cou,
souples et blonds.

C'était le temps des blonds et des blondes : le comte
de Guiche était blond, le duc de Lauzun était blond,
— blondasse, dit Saint-Simon — Henriette d'Angleterre était blonde, blonde était mademoiselle de La
Vallière, très-blonde madame de Montespan, blonde
mademoiselle de Fontanges. — Je ne parle pas des
rousses ; c'était comme à Venise dans le siècle d'or.

Non-seulement le roi avait le pied petit, mais il
avait la jambe bien faite ; aussi la montrait-il avec
quelque complaisance, même quand il se drapait dans
le manteau royal : voyez plutôt le majestueux portrait
de Rigaut. Et comme il se drapait bien ! comme il
était artiste dans l'art de se sculpter soi-même. On
voyait bien qu'il avait fréquenté les peintres et les
sculpteurs, mais d'un autre côté on voyait bien que
les peintres et les sculpteurs avaient fréquenté le
roi.

On ne disait pas de Louis XIV : « beau comme un roi »,
mais : « beau comme un Dieu » ; aussi mademoiselle de
La Vallière n'aima pas le roi parce qu'il était le roi,
mais parce qu'il avait l'air d'être le roi.

Louis XIV a aimé mademoiselle de La Vallière comme
la force aime la grâce. Il lui avait paru doux d'étreindre
dans ses bras déjà victorieux cette jeune fille blanche
et blonde, nonchalante et pudique qui contrastait avec
les nièces de Mazarin, mais surtout avec ses premières

3

héroïnes*. C'était comme un sourire du ciel qui pénétrait dans l'âme du roi. Certes, Louis XIV ne tombait pas aux genoux de la jeune fille pour faire ses dévotions à la Vierge, mais mademoiselle de La Vallière était si pure, que le roi, quel que fût l'orage de son cœur, se trouvait à côté d'elle comme emparadisé, tant elle répandait sur ses pas une divine atmosphère. Plus tard Bossuet aurait pu lui dire : Sainte Louise de la Miséricorde, vous n'aviez pas besoin d'aller aux Carmélites pour retrouver Dieu ; Dieu était resté en vous et autour de vous ; l'ange gardien avait préservé votre âme de toute complicité corporelle ; pendant que vos bras coupables s'enchaînaient aux bras du roi, votre âme s'envolait par les fenêtres du palais.

Et pourtant, Bossuet se fût trompé : l'âme était toujours chrétienne, mais elle avait ses égarements; elle ne retournait à Dieu avec tant d'effusion que parce qu'elle s'était donnée au roi avec trop d'amour. Ses combats de chaque jour, ses déchirements de chaque nuit avivaient jusqu'à la violence cet amour immortel de mademoiselle de La Vallière. Jamais on n'avait tant aimé la terre et le ciel.

* Selon la Palatine, duchesse d'Orléans, « le feu roi a été très-galant assurément; mais il est souvent allé jusqu'à la débauche. Tout lui était bon à vingt ans : paysannes, filles de jardinier, servantes, femmes de chambre, femmes de qualité, pourvu qu'elles fissent semblant de l'aimer. »

## VI.

Louis XIII avait dansé une fois dans un ballet, Louis XIV ne pensa pas descendre de sa grandeur en dansant aussi ; mais il dansa toujours avec majesté, comme s'il eût dansé dans l'Olympe. Il ne dansa d'ailleurs que les dieux ou les demi-dieux *.

On a, dans ces dernières années, beaucoup trop jugé Louis XIV comme danseur de ballets. Alexandre, dans un festin, avait touché le luth avec la grâce d'Orphée : « N'es-tu pas honteux de jouer si bien ? » lui dit Philippe. Ce beau mot de Philippe ne supprime

---

* Non-seulement Louis XIV dansait dans les ballets, mais il jouait la comédie. Il aimait beaucoup *les Visionnaires* de Jean Desmarests. « Dans sa jeunesse, le roi avait joué la comédie des *Visionnaires ;* il la savait fort bien, et il la jouait mieux que les comédiens ». Il joua tour à tour Artabaze, le Capitan et Filidan. Quand il jouait Artabaze, il était fort comique en déclamant ces premiers vers :

> Je suis l'amour du ciel et l'effroi de la terre ;
> L'ennemi de la paix, le foudre de la guerre ;
> Des dames le désir, des maris la terreur ;
> Et je traîne avec moi le carnage et l'horreur.
> Le dieu Mars m'engendra d'une fière Amazone ;
> Et je suçai le lait d'une affreuse lionne.
> On parle des travaux d'Hercule encore enfant,
> Qu'il fut de deux serpents au berceau triomphant :
> Mais me fut-il égal, puisque par un caprice,
> Étant las de teter, j'étranglai ma nourrice ?

3.

pas un rayon à la gloire d'Alexandre. De même l'historien a beau s'irriter contre la danse de Louis XIV, il ne peut supprimer une seule de ses conquêtes. Ne soyons pas tout à fait de l'opinion d'Antisthène, qui disait, après avoir entendu un beau joueur de flûte : « Isménias est un jeune homme de rien, sinon ce ne serait pas un excellent joueur de flûte. » Soyons un peu moins Spartiates, nous qui sommes des Parisiens d'Athènes.

Ce fut au mariage du roi que l'opéra fut introduit en France par le cardinal Mazarin. Comme le remarque Voltaire, puisqu'un cardinal avait introduit la comédie, il fallait bien qu'un cardinal introduisît l'opéra. Le roi et la reine dansèrent ensemble au Louvre, et ravirent les spectateurs : le roi par son grand air, ses allures solennelles, sa beauté rayonnante ; la reine par ses grâces légères et malgré sa laideur. Mais une reine est toujours belle.

Quoi que fît le roi, qu'il dansât, qu'il assiégeât une ville, qu'il courût la bague, qu'il entrât au parlement, il était toujours le roi. Comme a si bien dit Racine dans *Bérénice* :

> En quelque obscurité que le ciel l'eût fait naître,
> Le monde en le voyant eût reconnut son maître*.

De toutes ces fêtes, le peuple avait les miettes de la table. S'il y avait disette, la disette ne durait qu'un

---

* « Il conservait en jouant au billard l'air du maître du monde. » M^lle DE SCUDÉRI.

jour; le blé venait de l'étranger comme par magie.
S'il y avait misère, la misère était allégée par la remise
des tailles. Qui donc se fût indigné de voir danser un
roi qui venait de donner Dunkerque à la France, et
qui menaçait l'Europe tout entière? Un grand roi,
quoi qu'il fasse, est toujours la fortune de son pays.

## VII.

Et qui donc aujourd'hui, en voyant ce beau poëme
qui s'appelle Versailles*, aurait le courage de reprocher à Louis XIV les millions qu'il a dispersés dans le
palais et dans le jardin? Il faut donner aux nations
l'idée du bien, mais il faut leur donner aussi l'idée du
beau. Qui n'est fier de hanter cette iliade et cette
odyssée? Et nous aussi, nous avons eu nos dieux; et
nous aussi, nous avons eu nos grands jours; et nous
aussi, nous avons été la poésie en action.

Jamais les poëtes, jamais les artistes n'eurent si
beau jeu; il semblait qu'on fût à l'épanouissement du
génie humain; chaque jour donnait son chef-d'œuvre.
Vous dites que ce sont les grands hommes qui ont fait
le grand roi? mais le grand roi n'a-t-il pas fait un peu
les grands hommes? n'a-t-il pas donné le marbre,

---

* « Versailles, temple de la royauté absolue, qui devait, avant
que le temps eût noirci ses marbres, en être le tombeau; » selon
l'expression de M. Théophile Lavallée.

n'a-t-il pas doré le pinceau? Il était magnifique en
tout, même en éloges. Il ne s'offensait pas de s'entendre dire qu'il était le roi des artistes-rois; il ne
dédaignait pas de leur écrire de sa main. Il y avait
deux conseils à Versailles, le conseil des ministres et
le conseil des artistes, Coibert d'un côté, Mansart de
l'autre. Mais des deux côtés, c'était le roi qui donnait
son idée. S'il savait bien la géographie naturelle de la
France et ses aspirations politiques, il savait bien aussi
comment on bâtit un palais, comment on sculpte un
groupe, comment on peint un tableau. Il n'était pas
aveuglé par les théories, il voyait par l'œil simple, il
reconnaissait le style dès que le style y était; il le cherchait et le voulait s'il n'y était pas; aussi dans tous
les monuments de son règne il y a le style. On n'a
pas besoin d'y voir son chiffre pour lire *Louis le Grand.*
Il avait trop d'esprit pour ne pas s'incliner quelquefois
devant l'esprit des autres. Un jour, au petit lever,
devant le balustre royal : « Quel est le plus grand
poëte de mon temps? demandait-il à Boileau. — Sire,
répondit le critique, c'est Molière. — Je ne le pensais
pas, mais M. Despréaux se connaît mieux en vers
que moi*. »

---

* « Si Corneille avait dit dans la chambre du cardinal de Richelieu à quelqu'un des courtisans : « Dites à monsieur le cardinal
que je me connais mieux en vers que lui », jamais ce ministre ne
lui eût pardonné. C'est pourtant ce que Despréaux dit tout haut
du roi dans une dispute qui s'éleva sur quelques vers que le roi
trouvait bons, et que Despréaux condamnait. « Il a raison, dit le
roi, il s'y connaît mieux que moi. » VOLTAIRE.

Avant de reconnaître la suprématie de Boileau, il avait déjà bien voulu accepter un conseil de Racine. Comme il y avait un peu longtemps qu'il dansait dans les ballets, les esprits sévères commençaient à lui reprocher ce qu'ils appelaient une atteinte à sa majesté. Racine y songea-t-il quand il écrivit ces quatre vers de *Britannicus* :

> Pour mérite premier, pour vertu singulière,
> Il excelle à traîner un char dans la carrière,
> A disputer des prix indignes de ses mains,
> A se donner lui-même en spectacle aux Romains.

Or quand on représenta cette tragédie à Saint-Germain, le roi fut frappé de ce dernier vers et se promit de ne plus se donner en spectacle aux Français. Voltaire, qu'il faut toujours citer quand on parle du siècle de Louis XIV, dit que ce fut le poëte qui réforma le monarque. Racine y gagna peut-être son titre d'historiographe de France, mais Lulli et Quinault perdirent beaucoup de leur prestige. Le roi ne voulant plus danser, toute la cour refusa de danser; on laissa cela aux comédiens.

Lulli et Quinault! un musicien-poëte et un poëte-musicien, qui devaient beaucoup de leur génie à Louis XIV, car le roi était souvent avec eux quand ils remuaient le ciel, la terre et les enfers. S'il éperonnait l'imagination de Quinault, il donnait à Lulli le thème de ses plus galantes inspirations *.

---

* « Il ne connaissait aucune note de musique, dit la duchesse

Lulli et Quinault, comme Molière et Racine, comme
Le Brun et Mignard, comme Mansart et Le Nôtre, ont
tenu beaucoup de place à la cour de Louis XIV. Si une
cour sans femmes est un printemps sans roses, une
cour sans poëtes ou sans artistes est une saison sans
soleil. Madame de Thianges osait dire au roi qu'elle
était d'une meilleure noblesse que lui, plus ancienne,
plus glorieuse; le roi lui répondait qu'il ne la reconnaissait noble que par sa beauté et par son esprit.
Pour le roi, Lulli, qui avait été moitié laquais et moitié
page, Quinault, qui était fils d'un boulanger, ne devaient
pas céder le pas au comte de Guiche ou au marquis de
Vardes, ses courtisans ordinaires. Ils étaient, comme
eux, de la plus familière intimité. Lulli avait de bonne
heure pris ses coudées franches, en se moquant de tout;
Quinault, qui avait l'air d'un marquis dans sa jeunesse,
entrait à la cour comme dans son pays natal. « Son
père l'avait pétri de haute pâte. » On verra bientôt qu'il
y donnait le ton, avec le duc de Saint-Aignan et Benserade, à tous les jeux de poésie.

Au milieu de toutes ces fêtes, le roi étudiait sans
relâche : il étudiait les hommes, il étudiait les choses,
il étudiait la vie en vivant; tout ce qu'on savait autour
de lui, il le savait bientôt et il le savait mieux. Il
apprenait la grandeur dans Corneille, le sentiment
dans Racine, l'esprit dans Benserade, je me trompe,

d'Orléans, mais il avait l'oreille juste et il jouait de la guitare
mieux qu'un maitre, arrangeant sur cet instrument tout ce qu'il
voulait. »

dans la conversation des femmes de la cour. Il ne
parlait jamais pour ne rien dire, il parlait comme Saint-
Simon écrivait, dans le grand style qui dédaigne les
poétiques. Combien de mots de lui qui sont restés,
comme celui-ci : « Il n'y a plus de Pyrénées. » N'a-t-il pas
peint le duc d'Orléans d'un seul mot : « Mon neveu est
un fanfaron de vices. » Quelles belles paroles au grand
Condé au retour d'une bataille contre Guillaume III !
Le roi l'attendait au haut du grand escalier ; le prince,
qui avait de la peine à monter à cause de sa goutte,
s'écria : « Sire, je demande pardon à Votre Majesté
si je la fais attendre. — Mon cousin, lui répondit le
roi, ne vous pressez pas ; on ne saurait marcher bien
vite quand on est aussi chargé de lauriers que vous
l'êtes. » Mazarin disait au maréchal de Grammont : « Il
y a de l'étoffe en lui pour faire quatre rois et un honnête homme* ; » mais le ministre n'avait pas songé
à développer ces rares aptitudes. Près de Mazarin
comme auprès de Richelieu, il ne faut qu'un roi fai-
néant. Heureusement, Mazarin mourut à temps pour
faire vivre Louis XIV.

---

* Mais Mazarin estimait qu'un bon ministre doit avoir l'étoffe
de quatre rois. Il ne parlait pas de l'honnête homme.

## VIII.

Le Brun a été le poëte plutôt que l'historien de Louis XIV ; c'est le Boileau de la peinture. Ce n'est pas dans *les Batailles d'Alexandre*, non plus que dans *le Passage du Rhin*, qu'il faut chercher le grand roi. L'allégorie l'étouffe. J'aime mieux Van der Meulen, qui ne voit pas de si haut, mais qui voit de plus près : grâce à lui, nous retrouvons aujourd'hui Louis XIV dans toutes ses actions, qu'il soit roi ou qu'il soit homme, à la guerre comme à la chasse. Mais si Van der Meulen est plus familier, plus intime, plus pénétrant, Le Brun a pourtant ses grandes pages officielles qui sont, pour ainsi dire, les ordres du jour du règne. Si Van der Meulen nous conduit à Marly ou à Saint-Germain dans les carrosses à six chevaux où les dames sourient aux cavalcades, Le Brun nous conduit à l'Académie des sciences ou aux Gobelins. Le plus souvent Le Brun remplit la partie officielle du *Moniteur* de Louis XIV ; Van der Meulen n'en est que le feuilleton. Mais le feuilleton ne domine-t-il pas quelquefois la partie officielle ?

Tout, jusqu'au costume, répandait l'éclat à la cour. Voyez-vous d'ici ces casaques bleues brodées d'or et d'argent ? On n'avait droit de les porter que par une faveur royale ; « on les demandait presque comme le collier de l'ordre. » Aussi tout le monde les portait.

Voyez-vous ces baudriers éclatants et ces épées étince-
lantes? Comme ce rabat en point d'Alençon contraste
avec ces somptueuses perruques! Ces nœuds de rubans
s'épanouissent comme des éclats de rire. Et ces plumes
au vent! comme tout cela flamboie aux yeux! On
voit bien de prime abord que cette belle et vaillante
jeunesse qui tourbillonne autour de Louis XIV tirera
bravement son épée le jour des guerres de Flandre;
mais en attendant elle inaugure l'ère des conquêtes en
prenant les femmes d'assaut.

Le sang est trop généreux, il bouillonne au cœur, il
monte à la tête : Louis XIV est bon compagnon d'a-
ventures, mais il sera souvent forcé de châtier les
insolences de ses gentilshommes. Il exile le comte de
Guiche, il chasse le marquis de Vardes, il jette à la
Bastille Bussy-Rabutin.

Louis XIV n'aimait pas la chasse quand ses femmes
restaient au palais *. Il fallait pour son plaisir braver
le vent, la pluie et la neige, tantôt à cheval, tantôt
en calèche. Van der Meulen a représenté les belles
cavalcades de la chasse royale dans la forêt de Fontainebleau. Louis XIV est à cheval entre sa meute et ses
femmes. Mademoiselle de La Vallière et madame de
Montespan sont obligées de le suivre bride abattue à
travers les ramées, sautant comme lui les fossés, les
bancs de sable, les buissons et les rochers, entraînées

---

* François Ier avait institué les chasses en compagnie des femmes
de la cour : on disait *la petite bande des dames*.

comme au combat par les joyeuses fanfares. Il ne fallait
pas être paresseuse pour être maîtresse du roi ! On se
levait matin, on ne se couchait jamais qu'après minuit. Au retour de la chasse on soupait, on dansait,
on jouait à tous les jeux.

Parmi toutes ces belles femmes amoureuses, il y
avait bien quelques femmes savantes, mais non pas
comme Molière les a peintes. Il les fallait punir en
les fouettant avec des roses et non avec les branches
de houx d'une satire vengeresse par la main rude de
Toinette. La vraie lumière sur le front de ces femmes-
là, qui l'a mieux répandue que M. Philarète Chasles ?
« N'avez-vous pas quelquefois vécu par la pensée au
milieu de ces femmes du siècle de Louis XIV, si amoureuses de la gloire, de la dévotion et du génie ; si
entières dans leur foi, si patientes à lire des romans en
dix volumes in-quarto, si enthousiastes des grands coups
d'épée de Clélie et de la *carte de Tendre?* Quel beau
développement de l'âme féminine ! Qu'il est complet,
même dans ses écarts et dans ses folies? La femme, à
cette époque, ne se vante pas de ses qualités artistes ;
elle conserve (voyez plutôt madame de Sévigné) un
fonds de sévérité à demi patriarcale, de vie réglée et
sédentaire, d'amour pour la famille, de respect aveugle
pour sa religion. Et sur ce tissu grave et antique vient
se jouer une éclatante broderie d'imagination, de
jouissances spirituelles, de galanterie raffinée, de
souvenirs espagnols, d'aspirations philosophiques,
d'exaltation ascétique, de vivacité ingénieuse, qui ne

s'arrête pas toujours aux limites du goût, et qui va, je l'avoue, quelquefois jusqu'au ridicule de la *préciosité*. L'hôtel de Rambouillet avait donné le signal ; Ninon de Lenclos, Madame, mademoiselle de Montpensier, la duchesse de Longueville, mesdames de La Fayette, de Sévigné, de Coulanges, de La Sablière, suivirent cet exemple, ouvrirent leurs salons et donnèrent l'essor à la sociabilité française. Que d'admiration pour tout ce qui est intellectuel ! Quel culte sincère de l'esprit, de la pensée, même dans ses futilités ! Quand on se moque des *Précieuses*, de madame de Scudéri, des folies romanesques, si bien raillées par Boileau et Molière, on oublie que c'est à cette civilisation féminine que se rattachent et Racine, et Pascal, et Molière. »

## IX.

Après avoir questionné tous les historiens officiels, on s'étonne de retrouver la vraie lumière dans *le Siècle de Louis XIV,* avec ce Voltaire si dédaigné des grimauds et des pédants. Comme il est national devant le grand roi, mais comme il est reconnaissant devant le grand règne ! Son style peint à vif : tout est portrait, tout est tableau. Il est si éloquent hors l'éloquence !

Un des historiens, sans le savoir, de la jeune cour de Louis XIV fut le petit de Beauchâteau, qui, à l'âge de onze ans, se fit peindre par Hans et se fit graver

par Frosne, après avoir mis la dernière main à son
œuvre. En effet, le petit de Beauchâteau, qui commença à écrire ses vers à sept ans, disparut à onze
ans du théâtre de sa gloire *.

Le très-rarissime volume qui a pour titre : *la
Lyre du jeune Apollon, ou la Muse naissante du petit
de Beauchâteau,* un in-quarto imprimé avec le luxe
des plus beaux livres du temps, renferme vingt-six
portraits gravés, sans parler de celui de l'auteur, qui est
drapé à l'antique dans le meilleur style. On y trouve
Louis XIV à vingt ans, en perruque à peine bouclée,
avec un rabat à la Louis XIII, en fine guipure; on y
trouve le surintendant Fouquet, ce Louis XIV avant
Louis XIV par ses magnificences, dans le sévère costume de procureur général; on y trouve toutes les
étoiles du monde, la reine de Suède comme le pape
Alexandre, le cardinal de Richelieu à côté du cardinal
Mazarin, le duc d'Orléans et mademoiselle de Montpensier. Mais là où le graveur manque, le poëte vient
graver lui-même, en taille un peu douce, toutes les
physionomies sévères ou souriantes de la jeune cour.
On ne saurait trop indiquer l'étude de ce livre à ceux
qui aiment l'histoire; c'est un autre livre héraldique
en vers. Le petit de Beauchâteau n'était pas si enfant

---

\* Il alla en Angleterre avec un prêtre apostat; il amusa beaucoup Cromwell, et partit pour les Indes, d'où il n'est jamais
revenu :

Quand ils ont tant d'esprit, les enfants vivent peu.

qu'il en avait l'air\*. La reine mère, le roi, le cardinal
Mazarin, mesdemoiselles de Mancini, l'appelaient tous
les jours à leurs fêtes, à leurs goûters sur l'herbe, à
leurs chasses, à leurs courses de bague, ou plutôt il
ne quittait pas la cour, rimant un sonnet, un madrigal, une épigramme. Comme il connaissait déjà bien
Louis XIV! Il lui lit des sonnets prophétiques où il lui
dit que tout s'éclipsera devant son soleil. Quand le roi
court la bague, s'il lui demande un impromptu, sans
chercher beaucoup, le petit de Beauchâteau s'écrie
avec emphase :

> Ne croyez pas, faibles esprits,
> Que mon roi, dont l'adresse est partout sans seconde,
> Coure pour disputer un prix.
> S'il court, c'est à dessein de conquérir le monde.

S'il n'était pas *plus grand que l'Amour,* le petit de
Beauchâteau n'avait pas un bandeau sur les yeux. Il
vit très-bien les larmes d'Olympe de Mancini, quand

---

\* Sous le frontispice de son livre, qui représente Apollon et les
Muses, on a inscrit ces quatre vers :

> Ce jeune auteur que l'on admire,
> Avecque ses beaux vers charme toute la cour :
> Déjà comme Apollon il sait toucher la lyre,
> Et n'est pas plus grand que l'Amour.

Tous les poëtes du temps ont chanté ce miracle, Maynard
comme Brébœuf, Boisrobert comme Scarron, Colletet père comme
Colletet fils, sans compter mademoiselle Colletet. On le loua en
prose et en vers, en français, en italien, en grec; ce fut la
fureur d'un jour.

elle fut forcée de rabattre ses rêves sur le comte de
Soissons, après avoir espéré devenir reine de France.
Elle pleurait beaucoup, elle voulait mourir; le petit
de Beauchâteau raconte avec beaucoup d'esprit comment elle se consola.

Mais qui mieux que Molière a peint de face ou par
allégorie la cour de Louis XIV! quel joli tableau que
son Lever du roi! Ce fut en 1663 que, pour remercier
Louis XIV de la pension « dont il venait d'être honoré »,
Molière ordonna à sa muse d'aller à la cour, mais non
pas sous la figure d'une muse :

> Un air de muse est choquant dans ces lieux ;
> On y veut des objets à réjouir les yeux :
>     Vous en devez être avertie ;
>     Et vous ferez votre cour beaucoup mieux
> Lorsqu'en marquis vous serez travestie.
> Vous savez ce qu'il faut pour paraître marquis :
>     N'oubliez rien de l'air, ni des habits ;
> Arborez un chapeau chargé de trente plumes
>     Sur une perruque de prix ;
>     Que le rabat soit des plus grands volumes,
>     Et le pourpoint des plus petits ;
>     Mais surtout je vous recommande
> Le manteau d'un ruban sur le dos retroussé.

Voici l'ajustement, maintenant voyons les courtisans à l'œuvre. Molière, après avoir recommandé à sa
muse le ton de familiarité, ajoute :

> Grattez du peigne à la porte
> De la chambre du roi ;
> Ou si, comme je prévois,
> La presse s'y trouve trop forte,

Montrez de loin votre chapeau,
Pour faire voir votre museau.
Jetez-vous dans la foule et tranchez du notable,
Coudoyez un chacun, point du tout de quartier,
Pressez, poussez, faites le diable,
Pour vous mettre le premier.

C'est plaisir à voir comme Molière recommande à sa muse de ne point céder le pas, de braver les huissiers, de braver les courtisans, de tenir haut la tête, de se jeter au passage du roi, ou plutôt d'entrer dans la chambre à coucher et d'assiéger la chaise à porteur où le roi vient de monter pour tenir à distance les effusions de ces enthousiastes.

Mais plus d'une fois en ce livre nous retrouverons Molière historien de la cour de Louis XIV; pareillement nous trouverons La Fontaine tour à tour en vers et en prose; pareillement nous trouverons Racine et Boileau, mais ceux-ci n'étaient-ils pas historiographes du roi?

## X.

De tous les éloges, de toutes les injures que l'enthousiasme et la haine — ou le paradoxe — ont amoncelés devant la statue de Louis XIV, il ne reste guère aujourd'hui pour la vérité que le livre de Voltaire. Saint-Simon, le grand peintre passionné et passionnant, a vu l'original de trop près : il a merveilleuse-

4

ment rendu les détails, il n'a pas vu l'ensemble ; il a peint le Louis XIV d'un jour et n'a pas vu le Louis XIV d'un siècle.

Je sais qu'on va sourire et me demander d'où je viens. Je réponds que je viens d'étudier Louis XIV. Saint-Simon a dit qu'il aimait la vérité jusque contre lui-même, mais il l'aima jusqu'à la défigurer sous ses embrassements, jusqu'à l'étouffer sous ses étreintes. Saint-Simon, né en 1675, n'a connu Louis XIV que déjà loin de sa gloire. Il ne l'a vu que vieux, taciturne, ennuyé, revenu depuis longtemps des passions et des victoires. Il a jugé le soleil par le nuage, le tonnerre par l'écho. « Né avec un esprit au-dessous du médiocre, mais un esprit capable de se former, de se limer, de se raffiner, d'emprunter d'autrui, sans imitation et sans gêne, il profita infiniment d'avoir toute sa vie vécu avec les personnes du monde qui toutes en avaient le plus, et des plus différentes sortes, en hommes et en femmes de tout âge, de tout genre et de tout personnage. Il aima la gloire, il voulut l'ordre et la règle ; il est né sage, modéré, secret, maître de ses mouvements et de sa langue ; le croira-t-on ? il était né bon et juste, et Dieu lui avait donné assez pour être un bon roi, et peut-être même un assez grand roi. Tout le mal lui vint d'ailleurs. Sa première éducation fut tellement abandonnée, que personne n'osait approcher de son appartement. Dans la suite, sa dépendance fut extrême. A peine lui apprit-on à lire et à écrire, et il demeura tellement ignorant, que les choses les plus connues d'histoire, d'événements, de fortune, de conduite, de naissance, de lois, il n'en sut jamais un mot. Il tomba par ce défaut, et quelquefois en public, dans les absurdités les plus grossières *. Ses ministres, ses généraux, ses maîtresses, ses courtisans s'aperçurent bientôt, après qu'il fut le maître, de son faible plutôt que de son goût pour la gloire. Ils le louèrent à l'envi et le gâtèrent. Les louanges, disons mieux, la flatterie lui plaisait à tel point, que les plus grossières étaient bien reçues, les plus basses encore mieux savourées **. C'est ce qui donna tant d'autorité à ses ministres, par les occasions continuelles qu'ils avaient de l'encenser, surtout de lui attribuer toutes choses, et de les avoir apprises de lui. Ce poison ne fit que s'étendre. Sans avoir ni voix, ni musique, il chantait dans ses parti-

---

* Madame de Motteville, qui n'était pas comme Saint-Simon en fureur de vérité, disait naïvement ce qu'elle voyait. Or, voici comment elle représente Louis XIV : « Son grand sens et ses bonnes intentions firent connaître les semences d'une science universelle, qui avaient été cachées à ceux qui ne le voyaient pas bien ; car il parut tout d'un coup politique dans les affaires de l'État, théologien dans celles de l'Église, exact en celles de finance, parlant juste, prenant toujours le bon parti dans les conseils, sensible aux intérêts des particuliers ; mais ennemi de l'intrigue et de la flatterie, et sévère envers les grands de son royaume qu'il soupçonnait avoir envie de le gouverner. Il était aimable de sa personne, honnête et de facile accès à tout le monde, mais avec un air grand et sérieux qui imprimait le respect et la crainte dans le public. »

** Louis XIV a écrit une trop belle page sur les flatteurs pour ne pas apprécier le danger de la flatterie.

4.

culiers les endroits les plus à sa louange des prologues
des opéras. On l'y voyait baigné. C'est donc avec
grande raison qu'on doit déplorer avec larmes l'horreur d'une éducation uniquement dressée pour étouffer
l'esprit et le cœur de ce prince, le poison abominable
de la flatterie la plus insigne qui le déifia dans le sein
même du christianisme. Il se serait fait adorer, et
aurait trouvé des adorateurs, témoin entre autres ces
monuments si outrés, pour en parler même sobre-
ment, sa statue de la place des Victoires, et sa païenne
dédicace où j'étais, où il prit un plaisir si exquis, et
cet orgueil en tout le reste qui le perdit, dont on a vu
tant d'effets funestes *. »

Ce portrait est d'un ennemi et non d'un historien.
Ce n'est pas le cri de la vérité, c'est le cri de la vengeance. La Bruyère s'indignerait dans son tombeau,
lui qui a mieux vu le grand roi.

Louis XIV se prenait un peu trop au grave, ou plutôt
affectait trop les airs majestueux ; mais il avait raison
de ne jouer que les grands rôles sur le théâtre de sa
souveraineté : comme a dit si justement La Bruyère,

---

* Le roi n'était pour rien dans « cette païenne dédicace ». Tous
les contemporains lui parlaient d'ailleurs avec adoration.

Grand roi, cesse de vaincre, ou je cesse d'écrire,

chantait la poésie. Fléchier lui disait que l'Académie, après avoir
cultivé avec tant de peine l'art de bien parler, ne trouvait point
de paroles dignes des actions de son roi, et qu'elle était réduite
à l'honorer par sa confusion et son silence. C'était une pensée de
Quintilien plus éloquente que la statue de la place des Victoires.

le caractère des Français demande du sérieux dans le
souverain. Dans son portrait de Louis XIV, La Bruyère
a constaté que ses ministres, quelque rapprochés,
de lui, n'étaient que ses ministres, et ses généraux,
quelque éloignés de lui, n'étaient que ses lieutenants.

Mais pourquoi ne pas opposer ce portrait de
Louis XIV signé La Bruyère à celui que Saint-Simon
a peint d'une main agitée par le ressentiment. « Que
de dons du ciel ne faut-il pas pour bien régner!
une naissance auguste, un air d'empire et d'autorité,
un visage qui remplisse la curiosité des peuples em-
pressés de voir le prince, et qui conserve le respect
dans le courtisan; une parfaite égalité d'humeur; ne
faire jamais ni menaces ni reproches, ne point céder
à la colère, et être toujours obéi; l'esprit facile, insi-
nuant; le cœur ouvert, et dont on croit voir le fond :
être secret toutefois, profond et impénétrable dans ses
motifs et dans ses projets : du sérieux et de la gravité
dans le public; de la brièveté, jointe à beaucoup de
justesse et de dignité; une manière de faire des grâces
qui est comme un second bienfait; le discernement
des esprits et des talents, une profonde sagesse qui
sait déclarer la guerre, qui sait vaincre et user de la
victoire, qui sait faire la paix, qui sait la rompre;
qui sait quelquefois, et selon les divers intérêts, contraindre les ennemis à la recevoir; qui donne des
règles à une vaste ambition, et sait jusqu'où l'on doit
conquérir : au milieu d'ennemis couverts ou déclarés,
se procurer le loisir des jeux, des fêtes, des spectacles;

cultiver les arts et les sciences, former et exécuter des
projets d'édifices surprenants : un génie enfin supérieur et puissant qui se fait aimer et révérer des siens,
craindre des étrangers ; qui fait d'une cour, et même
de tout un royaume, comme une sainte famille unie
parfaitement sous un même chef, dont l'union et la
bonne intelligence est redoutable au reste du monde.
Ces admirables vertus me semblent renfermées dans
l'idée du souverain. Il est vrai qu'il est rare de les
voir réunies dans un même sujet ; il faut que trop de
choses concourent à la fois, l'esprit, le cœur, les dehors, le tempérament ; et il me paraît qu'un monarque
qui les rassemble toutes en sa personne est bien digne
du nom de Grand. »

Oui, Louis le Grand, puisqu'il a légué un grand
siècle au monde.

## XI.

Plusieurs esprits chagrins ont dit que Louis XIV ne
rayonnait que des rayons versés sur lui par tous les
génies de son temps. Sans doute il n'était ni poète
comme Molière, ni sculpteur comme Girardon, ni
musicien comme Lulli, ni soldat comme Condé ; mais
n'est-ce donc rien que d'avoir été le tout-puissant chef
d'orchestre de cette symphonie éclatante ?

Louis XIV était le plus beau parleur de sa cour, mais
un beau parleur qui ne s'écoutait pas. Selon Voltaire, il

s'exprimait toujours noblement et avec précision ; selon
Chateaubriand, « il avait la netteté de pensée, la noblesse
d'élocution et la finesse de l'oreille ». Il était familier
aux grâces du langage ; Monschenay raconte que devant mesdames de Montespan et de Thianges, deux
juges sévères, il lut un jour le *Passage du Rhin*, de
Boileau, « avec des sons si enchanteurs », que sa maîtresse lui arracha l'épître des mains en s'écriant : « Il
y a là quelque chose de surnaturel ; je n'ai jamais rien
entendu de pareil ! » Boileau disait du langage de
Louis XIV : « Il ne parle jamais sans avoir pensé. Il
construit admirablement tout ce qu'il dit ; ses moindres reparties sentent le souverain ; et quand il est
dans son domestique, il semble recevoir la loi plutôt
que de la donner. »

Quoique Voltaire défende contre Saint-Simon l'esprit du roi, il dit que la mauvaise éducation de
Louis XIV l'a privé des leçons de l'histoire. Quand on
étudie avec Chateaubriand les mémoires de ce prince,
ses réflexions sur le métier de roi, ses instructions à
Philippe V, ses lettres enfin, on reconnaît avec ce grand
écrivain que Louis XIV avait des idées étendues sur
l'histoire et qu'il avait médité celle de son pays : « il
raisonne en politique avec une sagacité surprenante ;
il fait parfaitement sentir, à propos de Charles II, roi
d'Angleterre, le vice de ces États qui sont gouvernés
par des corps délibérants ; il parle des désordres de
l'anarchie comme un prince qui en avait été témoin
dans sa jeunesse ; il savait fort bien ce qui manquait à

la France, ce qu'elle pouvait obtenir, quel rang elle devait occuper parmi les nations. »

C'est la mode aujourd'hui de faire la caricature de Louis XIV, ou tout au moins de le regarder avec dédain du haut du dix-neuvième siècle.

Le comte de Grammont arriva un soir au jeu du roi pour prononcer un jugement à la Salomon. Le coup semblait douteux, et on disputait. Le roi, voyant venir le comte de Grammont, lui dit : « Jugez-nous ! — Sire, c'est vous qui avez tort. — Et comment pouvez-vous me donner le tort avant de savoir le coup? — Eh, Sire, ne voyez-vous pas que, pour peu que la chose eût été seulement douteuse, tous ces messieurs vous auraient donné gain de cause? »

Aujourd'hui c'est toujours le roi qui a tort, même quand le coup est pour lui.


## XII.


Je ne veux pas peindre toute la galerie des maîtresses du roi; je ne veux étudier avec sollicitude que les deux figures de La Vallière et de Montespan : la poésie et la magnificence, la grâce et la beauté, le charme et l'esprit de ce règne éclatant.

Pourtant je donnerai un profil fuyant des femmes qui ont précédé mademoiselle de La Vallière, et de celles qui ont traversé le règne de madame de Montespan.

Louis chercha d'abord l'amour là où l'amour n'était
plus. Il débuta, comme tant d'enfants prodigues, avec
la femme de chambre de sa mère, Catherine-Henriette
Belier, femme de Pierre de Beauvais. Elle avait quarante-cinq ans. Anne d'Autriche l'avait surnommée
Cataut. Elle avait tant d'expérience, que le roi lui
trouva de l'esprit. Elle secoua donc pour lui l'arbre
de la science. S'il faut en croire l'abbé de Choisi
quelques années après : « Le roi jetait encore des
regards sur cet autel où il avait fait ses premiers sacrifices. » La Palatine la peint en vieille créature borgne
et affirme qu'elle a eu beaucoup d'élèves avant et
après Louis XIV.

Quand le roi eut mangé de cette pomme mûre, il
se tourna bien vite vers les pommes vertes. Il montra
sa science à mademoiselle d'Argencourt, de la maison
de Conti, fille d'honneur de la reine mère. Il dansa
avec elle un ballet à Fontainebleau, et jura de ne la
jamais quitter si elle voulait l'aimer. Le mot jamais
n'est pas français en amour. Selon La Fare, « cette
demoiselle fut trahie par son confident*, Chamarante,
premier valet de chambre du roi, émissaire du cardinal Mazarin, qui, sachant par lui tout ce que le roi
disait à cette fille, le redisait à Sa Majesté un moment
après, comme le sachant par d'autres voies, et lui
faisait comprendre qu'il fallait qu'elle eût un autre

---

* Son amant, disent quelques libellistes contemporains, mais
La Fare est plus digne de foi.

commerce. Et effectivement, voyant que le roi s'éloignait d'elle, elle se prit d'une violente passion pour
le marquis de Richelieu, qui épousa dans la suite
mademoiselle de Beauvais, et cette passion la conduit
enfin dans le couvent de Sainte-Marie de Chaillot,
où elle a passé sa vie, sans être religieuse, et après
avoir donné à ce couvent vingt mille écus venant
du roi. »

Première maîtresse, premier couvent, car c'est
toujours au couvent que finissent les amoureuses
du roi.

Louis rencontrait souvent chez sa mère les nièces de
Mazarin. Il se passionna bientôt pour la plus belle,
Olympe de Mancini, une Italienne blonde et grande
comme une Écossaise, avec des yeux bleus, une bouche
spirituelle, un accent passionné, une fille étrange, née
pour la domination plutôt que pour l'amour, une reine
plutôt qu'une maîtresse. Anne d'Autriche et Mazarin
coupèrent dans la fleur cet amour du roi en mariant
Olympe au comte de Soissons.

Quand le petit Beauchâteau rimait ce sixain, était-il
inspiré par Olympe de Mancini, qui le caressait beaucoup :

> Belle et charmante Mancini,
> Vous avez dans les yeux un éclat infini,
> Qui va jusques au cœur, et n'épargne personne ;
> Moi-même en vous voyant, je sens je ne sais quoy ;
>     Et sans mentir, si j'étais roy,
>     Vous partageriez ma couronne.

C'était l'opinion de Louis XIV, mais le roi n'était pas encore le maître *.

Cependant Louis lisait des romans avec la jeune Marie de Mancini. Celle-ci était si laide ** et ressemblait si peu à une amoureuse, que la reine n'y prit pas garde. Elle apprenait l'italien au roi. Elle lui parlait de tout comme une fille curieuse qui avait tout étudié à vol d'oiseau dans la bibliothèque de son oncle. Louis, qui ne savait rien, était ravi d'aller à cette école où l'on faisait, j'imagine, l'école buissonnière. Ce qui est certain, c'est qu'on ne perdait pas son temps. L'amour jette sur l'histoire et sur la science les plus vives lumières. Mais Anne d'Autriche découvrit que son fils devenait trop savant : elle voulut l'éloigner de

---

* Le poëte de dix ans chante ainsi quelques mois après l'hyménée du comte de Soissons et d'Olympe Mancini :

« Ne craignez rien du sort qui trouble toutes choses,
Ni qu'il vienne mêler quelque épine à vos roses,
Ni qu'une longue nuict accompagne vos jours ;
        Il est vray, vous en aurez une,
        Mais qui, loin de vous être importune,
Vous va faire cueillir les fruits de votre amour. »

« Il semble que ce Dieu qui donne la lumière,
Pour haster cette nuict, avance sa carrière ;
Il plonge dans les eaux sa divine splendeur,
        Il visite les Néréides
        Jusques dans leurs palais humides,
Afin de seconder votre amoureuse ardeur. »

** « Laide, grosse, petite et l'air d'une cabaretière, mais de l'esprit comme un ange, ce qui faisait qu'en l'entendant on oubliait qu'elle était laide. » *Histoire amoureuse des Gaules.*

son maître, — j'allais dire de sa maîtresse. Louis
promit à sa mère de ne plus étudier ; mais le même
jour, — ô serment des cœurs de vingt ans ! — il jura
à Marie de Mancini qu'il l'aimerait à la vie, à la mort.
Marie fut si belle dans les larmes, que Louis lui jura
qu'elle serait reine de France, ou qu'il y perdrait
plutôt la couronne. Toute cette page d'amour est de
l'histoire de France : Mazarin sacrifia son orgueil à son
devoir. Il exila sa nièce : Louis eut beau le supplier,
se jeter à ses genoux, pleurer sur ses mains et l'appeler mon père ; le cardinal lui dit : « C'est parce que je
suis votre père que Marie de Mancini va partir pour
jamais. » Elle partit. On sait quelles furent ses paroles
d'adieu au roi. « Vous êtes roi, vous pleurez, et je
pars ! »

Elle partit. Ce fut la jeunesse la plus orageuse du
dix-septième siècle. Elle courut le monde. Elle épousa
le prince Colonna, connétable de Naples. Elle se déguisa
en homme pour revenir en France, mais le roi, qui
était maître de l'aimer, n'avait plus d'amour pour elle :
il lui donna l'ordre de s'enfermer à l'abbaye de Lys.
Elle s'échappa, retrouva son mari, divorça bientôt,
et, sur le soir de sa vie, se jeta pour mourir dans un
couvent de Madrid. Cette femme, qui n'avait pu se
donner « ni à Dieu ni au diable », revint encore en
France, où personne ne la voulut voir, la croyant folle.
D'ailleurs qui donc peut revenir à la cour après vingt
ans d'absence ? Elle retourna en Espagne, ne pouvant
vivre ni mourir.

Louis XIV l'avait bercée d'un rêve impossible :
Épouser le plus beau et le plus grand! En courant le
monde elle n'avait pu retrouver son cœur ni achever
son rêve.

Cependant le roi avait épousé Marie-Thérèse, une
reine qui n'avait ni esprit ni beauté. Il n'y avait que le
roi qui se fût marié, l'homme était toujours libre et
cherchait une femme. Il rencontra une jeune fille
qui l'aimait sans le vouloir, une jeune fille qui avait
la beauté, la grâce et le charme, — toute la poésie
des vingt ans.

Cette jeune fille se nommait mademoiselle de La
Vallière.

# II.

## LES PORTRAITS

### DE

# MADEMOISELLE DE LA VALLIÈRE.

### I.

J'ai fait un pèlerinage aux Carmélites pour mieux évoquer sœur Louise de la Miséricorde. — Sainte Louise de la Miséricorde! — Tout passe, les rois et les nations; tout passe, même Louis XIV, même sa dynastie; Dieu seul reste debout, quoi qu'on fasse les jours d'aveuglement ou de colère. En vain les révolutionnaires, qui croyaient que Dieu ne protége pas ceux qui souffrent et qui brisent leurs chaînes, se sont rués comme un tourbillon sur ces saintes filles de la rue Saint-Jacques, qui s'étaient réfugiées à l'ombre du Val-de-Grâce. Ils ont jeté par les fenêtres les images de Dieu, les tableaux, les portraits des religieuses; ils ont saccagé l'église, ils ont violé les tombeaux, comme pour jeter l'effroi jusque dans la mort. Aujourd'hui que l'orage a passé, sur les ruines mêmes du couvent où mourut en Dieu mademoiselle de La Vallière, un autre couvent a été rebâti qui abrite les mêmes aspirations.

Quelle que soit la préoccupation de l'esprit, on ne franchit pas le seuil de cette blanche maison des filles de Dieu sans être saisi d'une émotion profonde *. Un mur, moins qu'un mur, une grille de fer sépare celles qui vivent pour le monde et celles qui vivent pour le ciel : il n'y a qu'un pas à faire pour franchir l'abîme. Ici, le bruit, la comédie des vanités, le drame des passions; là, le silence, l'humilité devant l'autel, la paix du cœur. Des deux côtés la beauté, la jeunesse, l'amour; mais quel contraste! Ici, la beauté qui s'encadre dans les opulentes chevelures, dans les grappes de fleurs, dans les étoffes somptueuses; ici la beauté qui s'illumine à tous les feux du diamant, quand là elle pâlit et s'éteint découronnée sous le voile noir.

Ce contraste, je l'ai vu du même regard dans le portrait de mademoiselle de La Vallière, qu'une religieuse m'a montré à travers les grilles du parloir.

---

* Cette émotion m'a pris quand une religieuse est venue, de la voix la plus fraîche et la plus pudique — ces voix qui n'ont parlé qu'à Dieu — répondre à mes questions sur sœur Louise de la Miséricorde, et me refuser d'abord dans un langage tout mystique de me montrer le portrait de mademoiselle de La Vallière, comme si c'eût été mademoiselle de La Vallière elle-même.

Ce portrait, qui rappelle la palette de Mignard, représente mademoiselle de La Vallière toute jeune encore ; à peine si la passion de Louis XIV a fait pâlir sa jeunesse. L'œil est doux et brûlant, la lèvre est rouge, l'expression est toute profane. C'est une femme de cour qui ne s'inquiète pas si l'horizon est chargé de nuages. Dieu ne l'a pas abandonnée, mais elle a quitté Dieu.

Or, cette adorable figure, qui sans doute était peinte dans la robe des fêtes, montrant sans y penser son bras et son cou, son sein peut-être comme aux bals de la cour, a été revêtue longtemps après par un autre peintre du sévère habit des carmélites. Le peintre a été impitoyable comme sœur Louise de la Miséricorde elle-même : il a sacrifié cette belle chevelure, coupable des baisers de Louis XIV ; il a jeté le voile pudique et jaloux tout autour de cette tête si vivante jusque dans la mort du cloître.

Les deux femmes sont là : la Diane des chasses de Fontainebleau et la religieuse qui brûle son voile de ses larmes, la rivale de madame de Montespan amoureuse et la rivale de madame de Longueville pénitente, la duchesse de La Vallière et sœur Louise de la Miséricorde !

Ce portrait est d'un grand enseignement. Pendant que je l'étudiais, la carmélite qui, voilée des pieds à la tête, daignait le soutenir sur un escabeau, faisait sans doute cette réflexion, qu'on a beau monter les degrés du trône, on ne retrouve son cœur que sur les

degrés de l'autel; qu'on a beau dorer et pavoiser la
barque royale qui prend la mer un jour de soleil, on
regrette bien vite de s'être embarqué pour n'étreindre
que la tempête, le vent et les flots, quand on retourne
la tête vers la paix du rivage.

Ce n'est pas seulement dans son portrait qu'on retrouve aux Carmélites sœur Louise de la Miséricorde :
son souvenir parfume le cloître et la chapelle, comme
celui de Madame Louise de France, fille de Louis XV,
comme celui de madame de Longueville, de mademoiselle d'Épernon, de tant d'illustres religieuses; les
unes priant encore pour leurs péchés, les autres priant
toujours pour celles qui ont péché.

## II.

Mademoiselle de La Vallière fut la poésie du dix-
septième siècle. Ce n'est pas une héroïne de roman.
C'est la dixième Muse. Les anciens n'en avaient que
neuf; le sentiment moderne nous a donné la dixième.
Nulle figure ne représente plus fidèlement la mélancolie amoureuse, les combats du cœur, les aspirations
de l'âme, la passion couronnée d'idéal que cette adorable fille de Dieu qui resta fille d'honneur en devenant maîtresse du roi. Il est impossible de lui trouver
une sœur dans l'antiquité, non plus que dans les siècles modernes. C'est une nouvelle figure pour l'art,

5

belle comme les plus belles nées de l'imagination des
poëtes ou tombées de la palette des peintres. Racine et
Quinault, ses contemporains, la voyaient ainsi. Ils
savaient qu'elle appartenait par sa figure et par sa passion à l'immortelle galerie où se confondent les créations de Dieu et celles des poëtes. Les peintres et les
sculpteurs du temps : Le Brun, Mignard, Girardon,
Coysevox, l'ont peinte et sculptée bien moins pour
Louis XIV que pour eux-mêmes, comme si cette adorable vision prédestinée à travers les siècles devait leur
donner une part d'immortalité. Ils voulaient tous
cueillir une palme à la poésie de leur temps.

Mais ni les sculpteurs ni les peintres, ni les poëtes,
n'ont compris le caractère de cette nouvelle Muse. Ils
l'ont représentée en Diane chasseresse et en Madeleine
repentie, en Hébé et en Aurore ; il la fallait peindre
et sculpter en La Vallière, avec sa belle chevelure
en cascades ombrageant à demi son œil rêveur, avec
sa bouche si chaste et si voluptueuse à la fois, avec ce
profil sévère adouci par les airs sympathiques, ce sein
un peu fuyant peut-être, mais d'un dessin irrépro-
chable, ce cou mollement incliné qui rappelle les cy-
gnes fuyant l'orage, cette main si éloquente pour ceux
qui cherchent l'âme jusque dans la main.

Girardon et Coysevox ont pris son air de tête dans
une Diane et une Daphné, mais ils se sont contentés de
l'air de tête, jugeant par les bras et par les épaules
qu'elle était sainte plutôt que déesse. Le Brun et Mignard, qui l'ont peinte en Madeleine pénitente, n'ont

pas bien compris le caractère de cette figure ; mademoiselle de La Vallière n'a jamais été Madeleine repentie. Madeleine avait traversé les passions furieuses, tombant d'Hérode à Lazare, égayant le souper de l'enfant prodigue, se donnant à tous, se donnant encore même quand elle se fuyait. Mademoiselle de La Vallière n'était pas la pécheresse inassouvie qui se console d'une première chute par une seconde chute, et qui ainsi de chute en chute cherche toujours à se consoler et n'est jamais consolée. Son corps, pudique même aux jours des voluptés, avait pu être le festin de l'amour, mais non pas des amours. Sa chute avait été profonde, mais elle n'avait fait qu'une chute. C'était donc une faute de la peindre en Madeleine repentie, il fallait la peindre en La Vallière repentie. Il fallait montrer l'ange cachant le démon, la pudeur révoltée contre l'amour, la vestale rallumant le feu divin au feu de son âme.

A vingt ans, mademoiselle de La Vallière était une âme plutôt qu'un corps. Elle ployait comme un roseau au moindre choc de sa passion. Ses grands yeux semblaient s'ouvrir dans le ciel ; elle était belle, non pas de la beauté opulente et épanouie : elle était belle comme une vision qui ne touche pas à la terre, belle de la beauté des anges et des madones.

La beauté de mademoiselle de La Vallière, c'était le charme. Si un sculpteur n'eût pas osé tailler le marbre pour la trouver belle, un peintre pouvait exprimer cette beauté insoumise et fuyante par la limpidité de

5.

ses yeux couleur du ciel, par la fraîcheur pénétrante
de son sourire, par la blancheur diaphane de son teint,
par la couleur virginale de sa chevelure corrégienne.
C'était le charme, c'était la grâce. C'est en la voyant
que La Fontaine a trouvé tout fait ce vers immortel :

Et la grâce, plus belle encor que la beauté!

Mademoiselle de La Vallière boitait ; mais c'était une
grâce de plus. On pouvait dire comme je ne sais quel
poëte de l'antiquité : « Tu ne boites pas, tu te penches
vers l'amour. » Elle ne marchait pas avec la désinvolture d'Olympe de Mancini, mais elle dansait plus
légèrement que mademoiselle de Fontanges. Comme
Shakspeare et Byron se fussent consolés de boiter en
la regardant passer !

## III.

J'ai souvent reconnu que les portraitistes sont les
meilleurs historiens. Je ne connais bien Charles Ier
que par Van Dyck, et le cardinal de Richelieu que par
Philippe de Champagne. Mais il est impossible de bien
voir mademoiselle de La Vallière dans les portraits de
Le Brun, de Mignard, de Lely et de Verdier.

Étudions d'abord les portraits contradictoires des
historiens.

Saint-Simon n'a parlé de mademoiselle de La Vallière

que pour faire l'éloge de sa vertu. Madame de La Fayette
l'a peinte en trois mots : « Fort jolie, fort douce et fort
naïve. »

L'abbé de Choisy avait passé son enfance avec mademoiselle de La Vallière : « Mon père étoit chancelier
de feu Monsieur et sa mère étoit femme du premier
maître d'hôtel de feu Madame. Nous avons joué ensemble plus de cent fois à colin-maillard et à la cligne-
musette. Mais depuis qu'elle eut tâté des amours du
roi, elle ne voulut plus voir ses anciens amis, ni même
en entendre parler, uniquement occupée de sa passion
qui lui tenoit lieu de tout. Le roi n'exigeoit point d'elle
cette grande retraite, il n'étoit pas fait à être jaloux,
et encore moins à être trompé. Enfin, elle vouloit
toujours voir son amant, ou songer à lui, sans être
distraite par des compagnies indifférentes. »

L'abbé de Choisy avait donc vu de très-près mademoiselle de La Vallière; on peut espérer qu'il va faire
un portrait ressemblant : « Elle n'étoit pas de ces
beautés toutes parfaites qu'on admire souvent sans les
aimer. Elle avoit le teint beau, les cheveux blonds, le
sourire agréable, les yeux bleus, le regard si tendre
et en même temps si modeste, qu'il gagnoit le cœur
et l'estime au même moment. Au reste *assez peu
d'esprit,* qu'elle ne laissoit pas d'orner tous les jours
par une lecture continuelle. Point d'ambition, point
de vues; plus attentive à songer à ce qu'elle aimoit
qu'à lui plaire; toute renfermée en elle-même et dans
sa passion, qui a été la seule de sa vie. Préférant

l'honneur à toutes choses, et s'exposant plus d'une
fois à mourir plutôt qu'à laisser soupçonner sa fragilité. L'humeur douce, libérale, timide, n'ayant jamais
oublié qu'elle faisoit mal, espérant toujours rentrer
dans le chemin; sentiment chrétien, qui a attiré sur
elle tous les trésors de la miséricorde, en lui faisant
passer une longue vie dans une joie solide, et même
sensible, d'une pénitence austère. »

Le comte de Bussy-Rabutin va changer les yeux
bleus en yeux bruns et le peu d'esprit en esprit
brillant. Voici le portrait, car s'il est dans le récit
de Sandraz, il lui fut ébauché par Bussy : « Le roi
aime plus que jamais on n'a aimé : c'est mademoiselle de La Vallière, fille d'honneur de la maison de
Madame. Quoiqu'elle ne soit pas selon l'ordre de Mel-
chisédech, vous me dispenserez de raconter sa généa-
logie, n'ayant rien de si illustre que sa personne :
je dirai seulement en passant que le duc de Montbazon
avoit promis au père de cette fille de lui faire donner
sa noblesse; mais il mourut avant que M. de Montbazon
eût exécuté sa parole : sa veuve épousa M. de Saint-
Remi. Enfin, tout ce qu'on en peut dire, c'est que
La Vallière, qui n'étoit pas demoiselle il y a cinq ans,
est présentement noble comme le roi. Il faut un peu
dire comment est faite une personne qui a si fortement
pris le cœur d'un roi fier et superbe. Elle est d'une
taille médiocre, fort menue; elle ne marche pas
de bon air, à cause qu'elle boite; elle est blonde et
blanche, marquée de petite vérole, les yeux bruns;

les regards en sont languissants, et quelquefois aussi
sont-ils pleins de feu, de joie et d'esprit; la bouche
grande, assez vermeille, les dents pas belles, point de
gorge, les bras plats, qui font assez mal juger du reste
de son corps; son esprit est brillant, beaucoup de vivacité et de feu. Elle dit les choses plaisamment, elle
a beaucoup de solidité et même du savoir, sachant
presque toutes les histoires du monde, aussi a-t-elle le
temps de les lire : elle a le cœur grand, ferme et généreux, désintéressé et tendre, et sans doute qui veut
que son corps aime quelque chose. Elle est sincère et
fidèle, éloignée de toute coquetterie, et plus capable
que personne du monde d'un grand engagement; elle
aime ses amis avec une ardeur inconcevable, et il est
certain qu'elle aima le roi par inclination plus d'un an
avant qu'il la connût, et qu'elle disoit souvent à une
amie qu'elle voudroit qu'il ne fût pas d'un rang si
élevé. Chacun sait que la plaisanterie que l'on en fit
donna la curiosité au roi de la connoître; et, comme
il est naturel à un cœur généreux d'aimer ceux qui
l'aiment, le roi l'aima dès lors. Ce n'est pas que sa
personne lui plût. Car, comme il n'eut que de la reconnoissance, il dit au comte de Guiche qu'il la vouloit
marier à un marquis qu'il lui nomma, et qui étoit des
amis du comte, ce qui lui fit repartir au roi que son
ami aimoit les belles femmes. « Eh! bon Dieu! dit le
roi, il est vrai qu'elle n'est pas belle, mais je lui ferai
assez de bien pour la faire souhaiter. »

Il y a aussi le fameux cantique de l'*Histoire amou-*

*reuse des Gaules*, où mademoiselle de La Vallière est peinte avec une fort jolie bouche :

> Que Déodatus est heureux
> De baiser ce bec amoureux,
> Qui d'une oreille à l'autre va,
> Alleluia !

Jolis vers d'improvisateur ! Mais le comte de Bussy-Rabutin apprit à l'école de la Bastille le danger d'être poëte à la cour, même après souper. C'était la mode des petites bouches, une mode de lèse-beauté. Le roi ne pardonna pas au railleur.

Voici maintenant le portrait, pris en passant, par mademoiselle de Montpensier, qui ne pardonnait pas à mademoiselle de La Vallière d'avoir paru belle à Lauzun, mais qui aimait la vérité : « Mademoiselle de La Vallière étoit bien jolie, fort aimable de sa figure ; quoiqu'elle fût un peu boiteuse, elle dansoit bien, étoit de fort bonne grâce à cheval ; l'habit lui en seyoit fort bien ; les justaucorps lui cachoient la gorge, et les cravates la faisoient paroître plus grasse. Elle faisoit des mines fort spirituelles, et les connoisseurs disent qu'elle avoit peu d'esprit. »

Madame de Motteville aussi aimait la vérité : elle peignait comme elle voyait, sans parti pris : « Mademoiselle de La Vallière étoit aimable, et sa beauté avoit de grands agréments par l'éclat de la blancheur et de l'incarnat de son teint, par le bleu de ses yeux qui avoient beaucoup de douceur, et par la beauté de ses cheveux argentés, qui augmentoit celle de son visage. »

Madame de Sévigné qui n'était pas enthousiaste contre la vérité, s'écrie à la prise de voile : « Elle fit cette action, cette belle, comme toutes les autres, c'est-à-dire d'une manière charmante. Elle est d'une beauté qui surprit tout le monde [*]. »

Et le portrait de mademoiselle de La Vallière par madame de Montespan :

> Soyez boiteuse, ayez quinze ans :
> Point de gorge, fort peu de sens,
> Des parents, Dieu le sait! faites, en fille neuve,
> Dans l'antichambre vos enfants :
> Sur ma foi! vous aurez le premier des amants :
> Et La Vallière en est la preuve.

Charmant portrait de cour par la main d'une amie qui sera demain une rivale.

---

[*] Les romanciers sont quelquefois des historiens : M. Alexandre Dumas en est-il un quand il peint ainsi mademoiselle de La Vallière, par la bouche de M. de Saint-Aignan, dans le *Vicomte de Bragelonne* :

« Blanche comme le lait, dorée comme les épis, elle secoue dans l'air les parfums de sa blonde chevelure. Alors, on se demande si ce n'est point cette belle Europe qui donna de l'amour à Jupiter, lorsqu'elle se jouait avec ses compagnes dans les prés en fleurs. De ses yeux, bleus comme l'azur du ciel dans les plus beaux jours d'été, tombe une douce flamme : la rêverie l'alimente, l'amour la dispense. Quand elle fronce le sourcil ou qu'elle penche son front vers la terre, le soleil se voile en signe de deuil. Lorsqu'elle sourit, au contraire, toute la nature reprend sa joie, et les oiseaux, un moment muets, recommencent leurs chants au sein des arbres. Celle-là surtout est digne des adorations du monde, et si jamais son cœur se donne, heureux le mortel dont son amour virginal consentira à faire un dieu! »

## IV.

Voyons maintenant les portraits peints. J'ai parlé du portrait des Carmélites, celui de Mignard conservé par madame la duchesse d'Uzès le rappelle, plutôt encore parce qu'il est du même peintre, que par la traduction mot à mot des traits et de l'expression. Ce n'est plus le même rayon lumineux, la ligne est moins pure, le sentiment est plus profond. Le voile des carmélites n'est pas un si bon cadre à la beauté que cette chevelure en rébellion.

J'ai deux portraits peints de mademoiselle de La Vallière, un pastel douteux et beaucoup de portraits gravés. Les portraits gravés se défont les uns les autres. Tous portent le nom de mademoiselle de La Vallière, mais lequel donne sa figure? Ce sont les mensonges de la vérité. Les graveurs, quoique contemporains, n'ont pas vu la maîtresse de Louis XIV; ils ont étudié qui Lely, qui Verdier, qui Mignard, qui Le Brun, peut-être tous ces maîtres ensemble. Mais le type n'est pas sorti lumineusement de ces figures incertaines. On n'osait pas d'ailleurs la graver au grand jour, même avant sa retraite. Ne voulait-elle pas vivre oubliée à la cour, celle-là qui n'a jamais posé pour l'art non plus que pour l'amour? Madame de Montespan, par contraste, eût permis à Mignard de la peindre en Vénus ou en

Ève. Les graveurs qui sont venus après n'ont pas ressaisi la vérité. Ceux qui tentent aujourd'hui cette œuvre périlleuse font une femme quelconque sans même pénétrer le cœur de celle qu'ils croient représenter.

Des deux portraits peints, le premier est une La Vallière en Madeleine, par Mignard. Elle est fort jolie avec ses deux perles dans les yeux et ses cheveux ruisselants de larmes. Mais cette Madeleine qui a été retouchée trait par trait a perdu sous ces pâtes successives le charme et le sentiment primitifs.

Le second portrait, peint par Lely, a un accent de vérité qui me saisit. C'est bien cette chaste volupté, ce charme pénétrant, cette grâce fondante ; mais pourquoi les cheveux sont-ils brunis ? Beaucoup m'ont dit : *C'est elle !* Son nom est inscrit sur la toile par une ancienne écriture. Elle est vivante ; il ne lui manque que la parole pour parler de Louis XIV, car elle a vingt-cinq ans à peine ; mais j'ai peur de me tromper et je cherche ailleurs la vérité.

Le musée de Versailles, qui renferme de si précieuses pages d'histoire, semble muet sur mademoiselle de La Vallière. On y compte jusqu'à cinq portraits de la maîtresse de Louis XIV, mais dans ces cinq portraits, je ne vois pas une seule fois mademoiselle de La Vallière. Par exemple, cette blonde, et blanche, et fraîche, et grasse jeune femme en robe bleue (n° 4173), n'a jamais représenté cette pâle, rêveuse et douce héroïne ; ce portrait, ce n'est pas une femme, c'est un hortensia.

Le n° 3445 représente, s'il faut en croire le livret du musée, une La Vallière en chasseresse. Quoi! cette grande femme osseuse, terne, éteinte, mal drapée, serait celle qui, selon Benserade, aurait pu représenter toutes les déesses de l'Olympe! Non. Cette chasseresse est quelque châtelaine ennuyée qui s'est fait peindre en Diane pour imiter les dames de la cour. S'il fallait voir mademoiselle de La Vallière dans cette triste figure, il ne faudrait plus s'étonner de toutes les larmes qu'elle a répandues.

Le portrait qui est à côté (3446) est une copie qui n'a jamais été faite d'après un portrait original.

Il y a encore une copie (3448), c'est une La Vallière coiffée avec des perles : elle a des yeux bruns que l'amour n'a jamais brûlés, et une petite bouche qui n'a jamais bien souri. Une petite bouche à cette charmante figure, mais c'était là une des beautés de mademoiselle de La Vallière d'avoir la bouche grande, non pas précisément le « bec amoureux » chanté par le comte de Bussy-Rabutin, « qui d'une oreille à l'autre va, » non pas l'arpent de gueule que raille Montfleury dans ses comédies; mais cette bouche à peine entr'ouverte que le sourire des rêves et des amours a faite plus grande que la nature *.

A l'*Entrée du Roi à Arras,* de Van der Meulen, on croit que la figure blonde., vaguement accusée par le

---

* Le n° 3447 indique encore une La Vallière, mais j'aimerais mieux reconnaître son portrait dans l'épagneul de Madame qui est près de là, et qui est au moins coiffé à la La Vallière.

peintre, est mademoiselle de La Vallière. Mais ce n'est
pas là un portrait, car j'y retrouve tout aussi bien
madame de Montespan.

A Versailles je ne reconnais qu'un vrai portrait de
mademoiselle de la Vallière, c'est celui de mademoiselle de Blois (n° 3553), sa fille, peint par Vignon.
Elle est représentée avec mademoiselle de Nantes, —
toujours La Vallière et Montespan. — Un nègre leur
offre des fleurs dans une corbeille en porcelaine. Mademoiselle de Blois est tout enguirlandée de roses; par
malheur, elle est coiffée comme la duchesse de Bourgogne : chevelure échafaudée qui gâte les plus charmantes physionomies. Quoi! ces beaux cheveux qui
tombaient en cascades, qui répandaient amoureuse-
ment leurs ondes sur le front et sur les joues, qui voi-
laient les yeux comme pour leur donner plus d'éclat
encore, vous vous en êtes dépouillée pour vous en
faire une crête de coq! Horrible mode! vous avez beau
y mettre des perles, des roses, des papillons! En dépit
de sa coiffure, mademoiselle de Blois est fort jolie,
parce qu'elle a la bouche expressive et les yeux voluptueux. Avant d'avoir lu le nom de la fille, j'avais
reconnu la mère.

Il y a l'émail de Petitot, qui est un chef-d'œuvre.
Parmi les portraitistes, Petitot est un historien; mais
a-t-il bien saisi le sentiment profond et la poésie
voilée de cette femme passionnée et mystique qui
voudrait emporter son amant jusqu'à Dieu?

De tous ces portraits que j'ai étudiés moins avec la

sollicitude de l'historien qu'avec la passion du poëte,
j'aime surtout celui qui la représente, cette femme
tout amour, en simple fille d'Ève, cheveux au vent,
à peine habillée, sans un collier, les yeux perdus à
l'horizon de l'infini, déjà appelée au rivage par les
divines aspirations, mais retenue dans toutes les
amères délices de la traversée, si on en juge bien par
sa pâleur *.

J'ai promené devant vos yeux toute la galerie de
portraits de mademoiselle de La Vallière, les portraits
peints et les portraits à la plume : quel est le plus ressemblant? Presque tous ont un accent de vérité; d'où
vient qu'on est tenté de ne pas reconnaître la même
figure en les étudiant l'un après l'autre? Il y a surtout
un point qui jette le doute dans l'esprit : aux Carmélites,
dans le portrait de Mignard, elle a les yeux noirs; dans
le portrait de Mignard que j'ai sous les yeux, elle a
les yeux bleus, d'un bleu profond il est vrai. Selon
Bussy-Rabutin, elle avait les yeux noirs; selon l'abbé
de Choisy, elle avait les yeux bleus. Faut-il admettre
que si de près les yeux semblaient bleus, de loin ils
semblaient noirs? Que si le jour ils étaient, comme a
dit le poëte, le miroir du ciel, le soir aux lumières ils
prenaient l'éclat et la volupté des yeux noirs? Il y a

---

* Ce portrait, qui est allé de la galerie du Palais-Royal dans
le cabinet de M. de Kaszyc, n'a pu être gravé pour cette édition,
parce qu'il n'y a pas de graveurs en Russie. M. Léopold Flameng
a dû graver celui qui est en tête de ce volume d'après l'émail de
Petitot.

d'ailleurs des yeux qui ne sont ni noirs ni bleus; j'ai
vu dans un théâtre disputer dix personnes sur la couleur des yeux d'une comédienne; bleus, disaient les
uns; noirs, disaient les autres. On paria, les dix
parieurs connaissaient beaucoup la comédienne, elle
fut juge du pari : elle décida que ni les uns ni les autres
n'avaient perdu. Elle avait les yeux verts. Je ne veux
pas dire par là que mademoiselle de La Vallière eût
les yeux verts; j'essaye seulement de faire comprendre
que ses contemporains n'ont pu préciser la couleur
de ces beaux yeux, qui s'étaient ouverts bleus aux
rêveries de l'amour et qui avaient bruni aux feux des
passions.

Pendant tout le dix-septième siècle, il fut reconnu
dans le monde des arts et dans le monde de la cour
que la *Madeleine* de Le Brun, que M. Le Canut avait
commandée au peintre de Louis XIV pour les Carmélites, était le portrait symbolique de mademoiselle de
La Vallière. Aujourd'hui nul ne veut la reconnaître
dans cette figure plus théâtrale que religieuse; je crois
sans peine que Le Brun, qui avait vu souvent mademoiselle de La Vallière, a pensé à elle en peignant sa
Madeleine, mais sans vouloir faire un portrait. Cette
Madeleine blonde et désespérée, ce n'est pas la Madeleine au désert, c'est la Madeleine qui s'arrache aux
fêtes du monde. L'orage est au ciel et menace le palais
du roi, elle tombe à genoux tout éplorée et toute
repentante. Le crucifix n'est pas encore là. Le miroir
dressé devant elle lui montre toujours sa beauté, mais

elle va briser le miroir; la boîte aux parfums sera tout
à l'heure la divine cassolette où brûlera l'encens; la
boîte aux bijoux sera tout à l'heure la boîte aux cha-
pelets et aux scapulaires. Elle est vêtue comme les
reines de la Bible; mais tout à l'heure sa ceinture
dorée ne sera plus qu'un cilice; ses bracelets de
pierres fines vont s'armer de pointes de fer; sa chevelure tout étoilée de perles et de diamants va tomber
à ses pieds : toute une gerbe d'or fauchée avant la
moisson * !

* Dans la gravure d'Édelinck je retrouve plutôt mademoiselle
de La Vallière que dans le tableau; non pas que le graveur ait
féminisé ce corps robuste qui ne rappelle guère ce roseau pleu-
reur battu par les vents, mais la tête est bien plus dans le
caractère.

# III.

## LE ROMAN

DE

# MADEMOISELLE DE LA VALLIÈRE.

### I.

Le roman de mademoiselle de La Vallière, c'est une histoire. C'est de l'histoire de France.

Elle s'appelait Louise de La Vallière*, deux noms immortels : le premier, par l'amour de Dieu, qui a sanctifié sœur Louise de la Miséricorde ; le second,

---

* Quand mademoiselle de La Vallière fut nommée duchesse de Vaujour, on mit en doute sa noblesse ancienne, parce qu'on avait vu autour d'elle toute une famille pauvre, parce que son oncle, l'évêque de Nantes, était sorti d'un moulin pour entrer dans les ordres ; ce qui avait inspiré un méchant couplet sur le blanc et le noir. Toutefois cette famille pouvait avoir sa page

6

par l'amour du roi, qui a fait avec elle le plus beau
roman du dix-septième siècle. Elle était née le
6 août 1644, dans le pays d'Agnès Sorel, non loin de
ce Chambord où François Iᵉʳ, lui aussi, créait des du-

dans le grand-livre héraldique, quoique son origine ne fût pas
ancienne ?

Faut-il la faire remonter jusqu'à Perrin de La Beaume Le
Blanc, qui avait commandé en 1425 l'arrière-ban du Bour-
bonnais ? Les La Vallière ont revendiqué cette origine, mais on
n'a pas pu trouver jusque-là les racines de leur arbre généa-
logique. Il y a deux siècles d'intervalle, il y a deux provinces qui
les séparent.

Le premier La Vallière dont le nom ait retenti dans l'histoire
fut tué au siège d'Ostende, d'où son nom revint avec quelque
gloire.

Son fils, François de La Beaume Le Blanc de La Vallière,
fut tué, au siège de Lérida, lieutenant général des armées du
roi. Il n'avait que vingt-six ans lorsqu'il fut baptisé du nom de
héros par le maréchal de Grammont. C'était une bravoure rai-
sonnée : sous le héros, il y avait un penseur. Il publia *le Général
d'armée* et *les Maximes de la guerre,* deux livres que Louis XIV
eut longtemps sur la table de son cabinet, sans doute pour
prouver que les La Vallière étaient bons à connaître, et pour
mieux faire respecter ce nom, un peu nouveau à la cour.

Gilles de La Beaume Le Blanc de La Vallière, qui devint évêque
de Nantes, était né en 1616 au château de La Vallière. Ce château
de La Vallière n'était pas précisément un château royal, ni un
château fort, mais une simple maison rustique avec un moulin,
où les gens et les bêtes vivaient un peu en communauté. En ce
plantureux et luxuriant dix-septième siècle, les familles n'étaient
pas représentées comme aujourd'hui par de rares et pâles enfants ; rien n'était plus commun que de voir à la table du
bisaïeul cinquante, cent, même cent cinquante enfants et petits-
enfants : ce qui explique un peu la rusticité de la maison ; ce qui

chesses par la grâce de l'amour. *Souvent femme varie*, écrivait François Ier avec un diamant, — vraie plume de roi. — Mademoiselle de La Vallière fit mentir cette vérité. Elle ne semblait guère destinée à cette haute

explique aussi comment, dans la même famille, il y avait des héros, des seigneurs et des paysans. L'évêque de Nantes, qui n'était pas né héros, s'attarda d'abord au vieux moulin du château. Mais on le retrouve bientôt chanoine de Tours, où la faveur de Louis XIV le vint trouver pour le conduire à l'évêché de Nantes. Il vécut presque un siècle. On a plusieurs fois imprimé un petit livre de lui, sous ce titre : *la Lumière du chrétien*.

Le père de mademoiselle de La Vallière, Laurent de La Beaume Le Blanc, frère de celui qui fut tué au siége de Lérida, mourut avec le titre de marquis de La Vallière, gouverneur d'Amboise, ce qui me paraît un titre fort régulier. Il est vrai que cet obstiné Bussy, par la plume de Sandraz, affirmait que le marquis de La Vallière n'était pas marquis, et que le gouverneur d'Amboise n'avait gouverné que les laquais du château.

Le marquis de La Vallière avait épousé mademoiselle Françoise Le Prévost *, dont on n'a pas recherché l'origine. Il était mort jeune, laissant un fils et une fille : le marquis de La Vallière, que nous retrouverons bientôt à la cour, et Louise de La Vallière, qui devint duchesse de La Vallière et sœur Louise de la Miséricorde. Françoise Le Prévost courut des fortunes diverses ; elle se maria pour la troisième fois à Jacques de Courtavel, marquis de Saint-Remy, premier maître d'hôtel de Monsieur, plus connu sous le nom de sa femme, Henriette d'Angleterre.

Il existe encore de belles ruines du vieux château de Vaujour, mais le château de La Vallière a disparu. La terre ou, pour mieux dire, la forêt de La Vallière appartient aujourd'hui à madame la comtesse de Marnezia.

* Françoise Le Prévost, fille de Jean Le Prévost, seigneur de la Coutelaye, était veuve, en 1640, de son premier mari, Pierre Bénard, seigneur de Rosay, conseiller au parlement.

6.

fortune, qui fut pour elle une grande douleur. N'eût-
elle pas été plus heureuse, si sa vie se fût écoulée loin
du soleil de la cour, dans un étroit horizon, dans
le dédale élégiaque d'un amour de province *?

Si Marie de Mancini apprit l'histoire à Louis XIV,
mademoiselle de La Vallière, la veille d'être jeune
fille, apprit la géographie à Bragelonne. Ils se voyaient
en voisins et en écoliers. Il apprit si bien la géographie de l'amour, quoiqu'il eût à peine treize ans,
qu'il arriva un soir par l'escalier dérobé et se cacha
dans la ruelle du lit de sa maîtresse d'école. Cris d'effroi de la jeune fille, fureur de madame de Saint-Remy,
sermon du marquis de Bragelonne à son fils. Moralité :
une autre école avec des grilles et des maîtres moins
aimables.

Mais c'est une autre histoire que je vais dire.

Comme Sémélé rêvant de Jupiter, mademoiselle de
La Vallière s'éblouissait à Blois des royales splen-
deurs de Saint-Germain, où elle devait bientôt arriver
par un de ces hasards qui sont la loi de toutes les
existences romanesques. Voici comment madame de
La Fayette introduit mademoiselle de La Vallière à

---

* Mais n'aima-t-elle pas M. de Bragelonne? « Mademoiselle de
Montalais avoit été confidente de La Vallière pendant qu'elle étoit
à Blois, où un nommé Bragelonne en avoit été amoureux. Il y
avoit eu quelques lettres; madame de Saint-Remy s'en étoit
aperçue, enfin ce n'étoit pas une chose qui eût été loin. Cependant le roi en prit de grandes jalousies. » — *Madame* DE LA
FAYETTE. — Il a fallu à M. Dumas dix-huit volumes pour prouver
qu'elle n'a pas aimé son héros.

la cour : « La fortune de cette fille étoit médiocre :
sa mère s'étoit remariée à Saint-Remy, premier
maître d'hôtel de M. le duc d'Orléans; ainsi, elle
avoit presque toujours été à Orléans ou à Blois. Elle
se trouvoit très-heureuse d'être auprès de Madame.
Tout le monde la trouvoit jolie ; plusieurs jeunes gens
avoient pensé à s'en faire aimer : le comte de Guiche
s'y étoit attaché plus que les autres. Il y paroissoit
encore tout occupé, lorsque le roi la choisit pour
une de celles dont il vouloit éblouir le public. De
concert avec Madame, il commença non-seulement à
faire l'amoureux d'une des trois qu'ils avoient choisies, mais de toutes les trois ensemble. »

Le roi était amoureux, ce qui est une chose dangereuse pour un roi et pour son royaume, surtout
quand le roi s'appelle Louis XIV et qu'il n'est pas
amoureux de la reine. Le roi était amoureux ce jour-là
de sa belle-sœur, Henriette d'Angleterre, qui était
alors, selon lui, la plus belle femme de France.

Bossuet a enseveli pieusement Henriette d'Angleterre dans les grands plis de son éloquence. Depuis
Bossuet, cette fraîche et charmante figure de la jeune
cour a été caressée par tous les stylistes et tous les
historiens. Voici comment Molière peint la fille de
Charles I<sup>er</sup> en lui dédiant un chef-d'œuvre, l'*École des
femmes :* « On n'est pas en peine, sans doute, comment
il faut faire pour vous louer : la matière, Madame, ne
saute que trop aux yeux, et, de quelque côté qu'on
vous regarde, on rencontre gloire sur gloire, et qua-

lités sur qualités. Vous en avez, Madame, du côté du
rang et de la naissance, qui vous font respecter de
toute la terre. Vous en avez du côté des grâces et de
l'esprit et du corps, qui vous font admirer de toutes
les personnes qui vous voient. Vous en avez du côté de
l'âme, qui, si l'on ose parler ainsi, vous font aimer
de tous ceux qui ont l'honneur d'approcher de vous :
je veux dire cette douceur pleine de charmes dont
vous daignez tempérer la fierté des grands titres que
vous portez, cette beauté tout obligeante, cette affabi-
lité généreuse que vous faites paraître pour tout le
monde *. »

La jeune cour romanesque continuait au palais de
Fontainebleau ou au château de Saint-Germain les
imaginations du Tasse, de l'Arioste et de Boccace.
Selon madame de La Fayette, « Madame disposoit de
toutes les parties de divertissement; elles se faisoient
toutes pour elle, et il paroissoit que le roi n'y avoit de
plaisir que par celui qu'elle en recevoit. C'étoit dans
le milieu de l'été : Madame s'alloit baigner tous les
jours; elle partoit en carrosse, à cause de la chaleur, et revenoit à cheval, suivie de toutes les dames,
habillées galamment avec mille plumes sur leur tête,
accompagnées du roi et de la jeunesse de la cour.

---

* Un contemporain a dit poétiquement: « Madame la duchesse
d'Orléans, cette grâce si jeune et si fraîche, cette étoile dans l'aurore de Louis XIV, cette fleur du matin séchée avant le soir et sur
laquelle tombèrent, après le plus grand cri de l'éloquence moderne, les saintes larmes de Bossuet. » ÉDOUARD THIERRY.

Après souper, on montoit dans les calèches, et, au
bruit des violons, on s'alloit promener une partie de
la nuit autour du canal. »

Le roi s'ennuyait avec la reine ; Madame s'ennuyait
avec Monsieur.

Un pas de plus dans la forêt de Fontainebleau, et la
reine et Monsieur n'avaient plus qu'à se regarder en
jetant les bras au ciel. Mais une fille d'honneur de
Madame, mademoiselle de La Vallière, qui avait voulu
avoir sa grâce, ses robes et son esprit, se trouva avoir
son cœur sans y avoir songé : elle adorait Louis XIV !

On commençait à s'émouvoir à la cour de la passion
romanesque ou plutôt de la distraction sentimentale de
Louis XIV pour la femme de son frère. Le roi et Madame Henriette tinrent conseil, et décidèrent qu'il fallait jouer avec l'amour, c'est-à-dire que pour détour-
ner les yeux, le roi ferait semblant d'être tout à coup
épris de quelque jeune fille de la cour. « Par exemple,
dit Madame Henriette, prenez les couleurs de mademoiselle de La Vallière : une violette qui cherche
l'oubli. Puisqu'elle est à moi, vous me verrez par ses
yeux, ou plutôt vous la verrez par mes yeux ; j'aime
mieux cela. — Non, dit le roi en riant, je vais aimer
tout de bon la Chemerault, qui est à la reine, ce qui
fera que la reine m'enverra vers vous pour ne pas être
jalouse *. »

* « Il ne fut pas longtemps sans prendre parti : son cœur se
détermina en faveur de La Vallière ; et quoiqu'il ne laissât pas
de dire des douceurs aux autres, et d'avoir même un commerce

Le roi et Madame, qui croyaient qu'on décide aussi facilement des destinées de son cœur, ne se doutaient pas que le soir même le roi deviendrait amoureux, sans le vouloir, de la seule femme qui ait vraiment rempli son âme, et que le lendemain Madame se laisserait prendre par le comte de Guiche, le seul homme qui la trouvât femme.

Donc, le soir, comme le roi se promenait avec Beringhen, Guiche et Monsieur, dans les jardins de Fontainebleau, ils virent comme dans une vision, ou dans un conte de fée, trois jeunes filles qui allaient trop vite pour se promener et trop lentement pour être attendues. Louis XIV les suivit silencieusement.

Arrivées devant une statue de Diane, l'une des trois jeunes filles arrêta ses compagnes et leur dit en leur montrant la statue, plus blanche encore sous le reflet de la lune : « J'ai toujours aimé Diane, moi. »

Celle qui parlait ainsi, c'était mademoiselle de La Vallière.

assez réglé avec Chemerault, La Vallière eut tous ses soins et toutes ses assiduités. Le comte de Guiche, qui n'étoit pas assez amoureux pour s'opiniâtrer contre un rival si redoutable, l'abandonna et se brouilla avec elle, en lui disant des choses assez désagréables. Madame vit avec quelque chagrin que le roi s'attacha véritablement à La Vallière. Ce n'est peut-être pas qu'elle en eût ce qu'on pourroit appeler de la jalousie, mais elle eût été bien aise qu'il n'eût pas eu de véritable passion, et qu'il eût conservé pour elle une sorte d'attachement qui, sans avoir la violence de l'amour, en eût la complaisance et l'agrément. » *Madame* DE LA FAYETTE.

« Pour moi, dit mademoiselle de Chemerault, j'aime mieux Endymion. — Vous êtes deux folles, dit mademoiselle de Pons, vous aimez dans la fable, moi j'aime dans la vérité. — Qui aimez-vous? demanda mademoiselle de Chemerault. — Cherchez bien, » dit mademoiselle de Pons.

Les jeunes filles s'étaient assises devant la statue sans avoir entendu venir à elles Louis XIV et sa suite. À ce mot : Qui aimez-vous? Louis XIV avait fait signe à ses compagnons de l'attendre dans l'avenue, et il s'était aventuré jusque dans le massif qui abritait pour ainsi dire les secrets de ces trois jeunes cœurs.

Mademoiselle de Pons et mademoiselle de Chemerault passèrent en revue toute la cour, exaltant la beauté, l'esprit, le bel air, la grâce à danser des jeunes seigneurs

Mademoiselle de La Vallière ne disait pas un mot et regardait les étoiles.

« Moi, dit mademoiselle de Pons, si j'aimais quelqu'un, j'aimerais M. de Candale. — Alors vous l'aimez, s'écria mademoiselle de Chemerault. Moi, je n'aime pas; mais le marquis d'Alincourt est fort de mon goût; c'est lui qui danse le mieux. — Mademoiselle de La Vallière ne dit rien, mais si elle pensait tout haut, elle nous parlerait du comte de Guiche. »

Mademoiselle de La Vallière gardait toujours le silence; seulement, à ce nom du comte de Guiche, le roi crut remarquer sur sa pâle figure un dédaigneux sourire.

Cependant les deux jeunes filles lui voulaient arracher son secret. « Son secret, je le connais, dit mademoiselle de Pons; d'ailleurs, elle en dit beaucoup plus par son silence que nous n'en avons dit nous-mêmes en parlant beaucoup. — Je n'ai rien dit par mon silence, dit mademoiselle de La Vallière; seulement, je ne puis m'empêcher de vous trouver bien folles de faire l'éloge de toute la cour sans parler du roi. Moi, je ferais l'éloge de toute la cour en ne parlant que du roi. Est-il un seul homme qu'on lui puisse comparer, même pour danser dans un ballet? — Je comprends, dit mademoiselle de Chemerault, le roi ne vous plaît tant que parce qu'il est le roi. — Au contraire, dit mademoiselle de La Vallière, la couronne me le gâte un peu, puisqu'elle le supprime du nombre de ceux qu'on peut aimer. Ah! s'il n'était pas le roi.... »

En ce moment, le feuillage s'étant agité, les trois jeunes filles se levèrent et s'enfuirent comme devant un fantôme : c'était l'ombre du roi, c'était le roi lui-même qui voulait se jeter aux pieds de mademoiselle de La Vallière. Mais les oiseaux bleus étaient envolés. « Ah! s'écria Louis XIV, elle ne veut pas aimer le roi, eh bien, elle aimera un amant! »

Il voulut rejoindre Monsieur et les autres; il ne fut pas peu fâché de voir que Beringhen et Guiche étaient dans le massif et avaient écouté tout comme lui. « Eh bien, messieurs, cela vous surprend, cette bonne aventure qui m'arrive, d'être aimé comme le premier venu? Quelle est donc cette jeune fille? — Je ne l'ai pas remarquée, dit Beringhen. — Je ne la connais pas, » dit Guiche pour cacher sa fureur.

Quelque temps après, le roi dit à Guiche : « Mon cher comte, vous ne la connaissiez pas, mais vous l'aimiez. »

Ce soir-là, le roi alla chez la reine. Il était très-ému. Il espérait reconnaître, par le son de la voix, celle qui avait si bien parlé dans une des filles d'honneur. Elles parlèrent toutes : son cœur ne le trompa point; il alla chez Madame. Mademoiselle de La Vallière venait de rentrer et feuilletait l'*Astrée*. « C'est elle! » dit le roi.

Il demeura près de Madame jusqu'à plus de minuit. Mademoiselle de La Vallière voyant le roi prendre un fauteuil, avait voulu se retirer, mais Madame, sur la prière du roi, lui ordonna de rester pour leur lire je ne sais quel roman de mademoiselle de Scudery. Elle se mit à lire avec sa belle voix émue et pénétrante. Le roi ne comprit pas un mot, mais il avoua depuis que c'était le seul roman qu'il eût entendu avec joie *.

---

* « Trois jours après, le roi fut chez Madame au Palais-Royal, qui étoit malade, et s'arrêta dans l'antichambre avec La Vallière, à laquelle il parla longtemps. Le roi fut si charmé de son esprit, que, dès ce moment, sa reconnoissance devint amour : il ne fut qu'un moment avec Madame; il y retourna le jour suivant et un mois de suite, ce qui fit dire à tout le monde qu'il étoit amoureux de Madame, et l'obligea même de le croire; mais, comme le roi chercha l'occasion de découvrir son amour, parce qu'il en étoit fort pressé, il la trouva. Tout lui auroit été bien facile s'il n'eût considéré que sa qualité de roi, mais il regardoit bien autrement

## II.

Le croira-t-on? ce grand roi, qui ne doutait de rien, pas même de sa divinité, celui qui devait soumettre le monde, celui qui était entré déjà au parlement éperonné et cravache en main, Louis XIV se conduisit avec mademoiselle de La Vallière en vrai héros de roman.

Durant tout un mois, il n'osa lui parler que par ses yeux, et encore il ne permettait à ses yeux de montrer que la moitié de son cœur. Il était plus que jamais assidu auprès de Madame, qui, comme il arrive toujours, fut la dernière à savoir qu'elle n'avait plus le cœur du roi. En lui conseillant naguère de faire sem-

---

celle d'amant. En effet, il parut si timide, qu'il toucha plus que jamais un cœur qu'il avoit déjà assez blessé. Ce fut à Versailles, dans le parc, qu'il se plaignit que, depuis dix ou douze jours, sa santé n'étoit pas bonne. Mademoiselle de La Vallière parut affligée et le lui témoigna avec beaucoup de tendresse. « Hélas! que vous êtes bonne, mademoiselle, lui dit-il, de vous intéresser à la santé d'un misérable prince qui n'auroit pas mérité une seule de vos plaintes s'il n'étoit autant qu'il est à vous. Oui, mademoiselle, continua-t-il avec un trouble qui charma la belle, vous êtes maîtresse absolue de ma vie, de ma mort et de mon repos, et vous pouvez tout pour ma fortune. » La Vallière rougit et fut si interdite, qu'elle en demeura muette. » *Les Amours des Gaules.*

blant d'aimer mademoiselle de La Vallière, elle était
bien loin de penser qu'il viendrait l'aimer chez elle
en secret. Elle ne croyait pas que cette jeune fille,
encore un peu provinciale quoique à si bonne école,
pût inspirer une passion profonde; elle la comparait
à un pastel dont le roi soleil ne devait faire qu'une
bouchée. Madame, qui voyait tout à la cour, moins ce
qu'elle devait voir, n'avait pas bien regardé les yeux
de mademoiselle de La Vallière, ces beaux yeux om-
bragés de longs cils, humides de pudeur, mais aussi
de volupté, bleus comme le ciel, mais comme le ciel
de Naples et de Séville.

Il fallait pourtant bien que le roi se déclarât. Le
ciel sembla se mettre de son parti. Un jour qu'on se
promenait dans le parc de Vincennes, un orage éclate
soudainement et disperse toute la cour. C'est à qui
trouvera plus vite un abri sous les ramées, dans les
grottes, au château même; mais on était loin du château. Deux personnes furent mouillées et virent de
près les éclairs. C'étaient mademoiselle de La Vallière,
qui boitait, et Louis XIV, qui voulait boiter du même
pas. Il s'approcha d'elle le chapeau à la main et lui
offrit galamment le bras. Mademoiselle de La Vallière
posa sa main nue sur le velours et se laissa conduire.
Le roi lui dit : « Nous allons au château. » Mais presque
au même instant il prit un chemin qui s'éloignait
encore du château. La pluie ne tombait plus guère,
mais le vent venait par secousses secouer sur leur
front les ondées recueillies par les branches.  « Mon

cœur attendait cet orage, dit le roi en pâlissant. Ne
savez-vous donc pas que je vous aime, Madame?
— Chut, je pourrais vous entendre, » dit mademoiselle de La Vallière en rougissant.

Le roi, heureux de cette première attaque, voulut
continuer la campagne; par un mouvement rapide du
bras, il fit tomber sur sa main la main de mademoiselle de La Vallière. Le tonnerre les eût frappés tous
les deux sans les émouvoir davantage. Mademoiselle
de La Vallière retira sa main, mais le regard du roi fut
si suppliant qu'elle la replaça sur le velours. Comment
ne pas obéir à Louis XIV, quand Louis XIV a son chapeau à la main? Le roi osa confier à la jeune fille tous
ses battements de cœur, tous ses rêves de roi et de
berger, toutes ses pâleurs subites depuis ce soir où
il avait surpris le secret de Diane *. « Sire, dit tout
à coup mademoiselle de La Vallière, nous nous sommes
trompés de chemin. — Non, dit le roi, je vais où je
veux aller. — Mais Votre Majesté ne voit donc pas
que je suis toute mouillée? — Comptez les gouttes de
pluie, dit le roi, je jure de vous donner autant de
perles. »

Cette belle équipée à travers l'orage dura toute une
heure. « Je ne suis surpris que d'une chose, disait
plus tard Beringhen, c'est de ne pas avoir retrouvé
les deux amoureux métamorphosés en Triton et en

---

* On a longtemps dit à la cour le *secret de Diane,* pour parler
du secret de mademoiselle de La Vallière, rappelant ainsi qu'elle
avait parlé devant la statue de Diane.

Naïade. » Le duc de Saint-Aignan, qui savait par cœur
le quatrième livre de l'*Enéide*, disait : « C'était Énéas
et Didon. »

### III.

La pluie ayant cessé, toute la cour reparut. C'en
était fait, Jupiter était sorti du nuage. Mademoiselle
de La Vallière alla cacher son amour dans les groupes
rieurs.

Dès que le roi fut au milieu de tout le monde, il
s'aperçut qu'il était seul ; mais l'orage n'allait pas
recommencer : comment le roi ferait-il désormais
pour se tromper de chemin avec mademoiselle de La
Vallière ? La reine, jalouse, se plaignait ; Madame,
jalouse, pleurait. Comment se cacher à toutes les
deux ? Louis XIV écrivit, et choisit Beringhen pour son
ambassadeur vers mademoiselle de La Vallière. La première lettre fut romanesque ; la deuxième fut tendre ;
la troisième fut désespérée. Mademoiselle de La Vallière
n'avait pas voulu recevoir la première, mais Beringhen la lui avait lue. Elle cacha la seconde dans son
sein (où il y avait de la place, disait mademoiselle de
Chemerault, pour indiquer que mademoiselle de La
Vallière n'avait pas un sein aussi fier que le sien).
L'amoureuse du roi répondit à la troisième lettre,
mais comment ?

Elle passa toute une nuit à se demander ce qu'elle dirait. Le lendemain, le poëte Benserade, qui avait en quelque sorte remplacé le fou du roi, et qui en cette qualité avait ses entrées partout, ce dont il abusait, surprit mademoiselle de La Vallière les cheveux épars, la gorge soulevée, les yeux pleins de larmes. « Est-ce que vous allez jouer la tragédie? lui demanda-t-il. — Ah! monsieur de Benserade, je suis bien malheureuse; on est amoureux de moi, ce qui me ravit; on m'écrit qu'on meurt d'amour, et je ne sais comment répondre qu'il faut vivre en ne m'aimant pas. — C'est pourtant bien simple, dit le poëte. — Pas si simple, puisque je cherche depuis hier. Répondez pour moi; vous aurez l'art de dire non, comme si vous disiez oui. »

Benserade s'imagina qu'il s'agissait d'une de ces coquetteries de femmes qui nous enchaînent en nous disant : Vous êtes libres. Il fit séance tenante une réponse où il y avait de tout, excepté de la passion. Mais quand mademoiselle de La Vallière fut seule, elle recopia la lettre et y mit, peut-être à son insu, ce que Benserade avait oublié d'y mettre.

Tout fut romanesque en cette aventure. Le lendemain, le roi fit appeler Benserade et lui dit que, pensant donner une fête à une dame de la cour, il voulait l'en avertir par des vers; il passe ses idées au poëte, le poëte parfile la rime, et le soir même, mademoiselle de La Vallière, qui a écrit au roi la prose de Benserade, reçoit du roi les vers de Benserade. Ce n'est pas tout, mademoiselle de La Vallière, qui voit passer Benserade sous sa fenêtre, lui fait signe de venir d'un air mystérieux. Voilà Benserade, qui avait eu des bonnes fortunes, convaincu qu'il a séduit mademoiselle de La Vallière. Le roi ne lui avait pas dit que mademoiselle de La Vallière fût la personne pour qui il donnait une fête; mademoiselle de la Vallière n'avait pas non plus dit à Benserade que l'amoureux à qui il lui fallait répondre fût Louis XIV. Mademoiselle de La Vallière vient lui ouvrir la porte avec ce charmant sourire « qui troublait les hommes et les dieux », il ne doute pas de son bonheur, il se jette à ses pieds, lui saisit la main et lui débite quelques lambeaux de sonnets et de rondeaux ayant déjà beaucoup servi.

Elle éclate de rire. « Ce n'est pas cela, lui dit-elle. Reprenez vos rimes et vos hémistiches; il s'agit d'une autre réponse, car on m'a encore écrit *. »

Benserade, confondu, a toutes les peines du monde à prendre la chose gaiement. « Eh bien, dit-il en

---

* On pourrait crier au roman ou à la comédie. C'est de l'histoire. Tous les mémoires du temps l'ont produite. Anquetil l'a mise dans ses chroniques : « A la naissance des amours de Louis XIV et de La Vallière, cette demoiselle avoit eu recours à la muse de Benserade, et l'avoit prié de passer chez elle, sans le prévenir de son dessein. Ce poëte étoit aimable et avantageux; en se rendant chez la nouvelle favorite, il croit aller à un rendez-vous. Pénétré de son bonheur, il se jette en entrant à ses genoux; ce bonheur est si grand, qu'il a peine à le croire. « Eh non, ce n'est pas cela, lui dit mademoiselle de La Vallière en le relevant, il s'agit d'une réponse; » et elle lui montra la lettre du roi, qu'elle venoit de recevoir. »

prenant son parti, montrez-moi la lettre qu'on vous a écrite, et j'y vais répondre. »

Mademoiselle de La Vallière lui montra les vers qu'il avait écrits le matin. Benserade, en homme de cour, se garda bien de dire que les vers étaient de lui. Il se mit à l'œuvre et répondit au roi pour mademoiselle de La Vallière, comme si Benserade n'existait pas.

## IV.

Fouquet osa, peut-être sur la prière de la reine mère, traverser cette aurore amoureuse.

Fouquet croyait connaître les femmes parce qu'il connaissait beaucoup de femmes; il affirmait d'un air dégagé : « Toutes les femmes sont la même. » Il affirmait aussi qu'il n'y a pas de ceinture qu'on ne puisse dénouer. Il s'en vint cavalièrement un matin dire à mademoiselle de La Vallière qu'il savait le prix de sa vertu. « Je ne comprends pas, murmura-t-elle ingénument. — Je veux dire que j'estime toutes les vertus des filles d'honneur à cinquante mille livres, mais j'estime la vôtre à cinquante mille écus. »

Et après un silence, car mademoiselle de La Vallière était trop indignée pour répondre : « Je mets à vos pieds ces cinquante mille écus. »

La jeune fille le regarda avec mépris, lui montra sa rougeur, et lui défendit de jamais lever les yeux sur elle.

Fouquet ne conta pas l'histoire, non plus que mademoiselle de La Vallière. Pourtant le roi la sut, et ne pardonna pas au surintendant.

C'était quelques jours avant cette fête de Vaux qui a été le prologue des fêtes de Versailles. Peut-être Fouquet voulait-il éblouir mademoiselle de La Vallière autant qu'il voulait émerveiller Louis XIV. Car le surintendant n'obéissait qu'aux passions de son cœur; la femme était son gouvernail sur la mer orageuse qu'il voulait braver. Il n'avait pas perdu sa journée quand il attachait une femme de plus au mât du navire. « Il y en avoit peu à la Cour, dit Madame de Motteville, qui n'eût sacrifié au veau d'or. Il fut par là révélé que bien des filles et des femmes qui passoient pour sages ne l'étoient pas. Et on vit que ce ne sont pas toujours les hommes les plus aimables qui ont les meilleures fortunes, et que c'est avec raison que les poëtes ont fait la fable de Danaé et de la pluie d'or. »

Quand Fouquet et Lauzun furent devenus philosophes sous le portique de la prison de Pignerol, le surintendant confessa que mademoiselle de La Vallière lui avait résisté. « Jusqu'à quel prix? demanda Lauzun. — Jusqu'à cinquante mille écus. Ah! si je lui eusse offert cent mille écus! »

Fouquet se trompait. Toutes les femmes ne sont pas la même.

7

## V.

Louis XIV, qui voulait toujours éblouir et surprendre mademoiselle de La Vallière, donna à Saint-Germain une splendide mascarade. Le roi était déguisé
en Jupiter, et mademoiselle de La Vallière en Étoile.
Jupiter découvrit l'Étoile dans les tourbillons et lui tint
ce langage : ( C'était toujours la poésie de Benserade. )

> Chacun dans son état a sa mélancolie :
> Ne cachez point la vôtre ; elle est visible à tous.
> Être étoile, pourtant, c'est un poste assez doux,
> Et la condition me semble fort jolie :
> Vous la deviez garder. Ce goût trop délicat
> A votre feu, si vif et si rempli d'éclat,
> Mêle quelque pensée et sert comme d'obstacle.
> Les étoiles, vos sœurs, vous diront qu'autrefois
> Une étoile a suffi pour produire un miracle
> Et pour faire bien voir du pays à des rois.

Et après lui avoir parlé d'elle, le roi parla pour lui :

> Je ne fais point de geste et ne fais point de pas
> Qui ne soit de mon nom la preuve suffisante.
> Le monde représente ici ce qu'il n'est pas ;
> Moi, je suis en effet ce que je représente.
>
> Il n'est rien de si grand dans toute la nature,
> Selon l'âme et le cœur, au point où je me vois.
> De la terre et de moi qui prendra la mesure,
> Trouvera que la terre est moins grande que moi.

Je cède toutefois, vaincu par de beaux yeux :
· Et la fragilité des héros que nous sommes
Est telle, qu'après tout le plus petit des dieux
Est plus à redouter que le plus grand des hommes.

L'univers a tremblé du bruit de mon tonnerre,
Et la postérité ne s'en taira jamais.
Avec beaucoup d'éclat j'ai partout fait la guerre ;
J'ai bien plus fait encor, même j'ai fait la paix.

Mais ce m'est un trésor si doux et si touchant
Que celle qui sur moi remporte la victoire,
Que je crois que l'Amour n'en est pas bon marchand,
Si pour la lui payer il suffit de ma gloire *.

* Dans une autre fête, le roi, représentant le Soleil, dit à
mademoiselle de La Vallière : « Voilà des vers anonymes où l'on
se moque de moi, roi-soleil. » Et il lui lut ces strophes :

À SA MAJESTÉ, REPRÉSENTANT LE SOLEIL.

Soleil de qui la gloire accompagne le cours,
        Et qu'on m'a vu louer toujours
Avec assez d'éclat, quand votre éclat fut moindre,
L'art ne peut plus traiter ce sujet comme il faut ;
        Et vous êtes monté si haut,
Que l'éloge et l'encens ne vous sauroient plus joindre.

Vous marchez d'un grand air sur la tête des rois,
        Et de vos rayons autrefois
L'atteinte n'étoit pas si ferme et si profonde :
Maintenant je les vois d'un tel feu s'allumer,
        Qu'on ne sauroit en exprimer,
Non plus qu'en soutenir la force sans seconde.

Je doute qu'on le prenne avec vous sur le ton
        De Daphné, ni de Phaéton :
Lui trop ambitieux, elle trop inhumaine.
Il n'est point là de piége où vous puissiez donner.
        Le moyen de s'imaginer
Qu'une femme vous fuie et qu'un homme vous mène !

Cette fête n'était que la préface du célèbre carrousel qui retentit par toute la France ; selon Voltaire : « Tous les divertissemens publics que le roi donnait, étaient autant d'hommages à sa maîtresse. On fit en 1662 un carrousel vis-à-vis les Tuileries, dans une vaste enceinte, qui en a retenu le nom de la place du Carrousel. Il y eut cinq quadrilles. Le roi était à la tête des Romains : son frère, des Persans ; le prince de Condé, des Turcs ; le duc d'Enghien son fils, des Indiens ; le duc de Guise, des Américains. »

C'est d'Ouvrier l'antiquaire qui, à ce carrousel, imagina cet emblème qui a tant offensé les ennemis de Louis XIV : le soleil dardant ses rayons sur un globe avec ces mots : *Nec pluribus impar.* C'était ce jour-là une simple devise de chevalier pour le carrousel, mais tous les courtisans la trouvèrent si bien appliquée que le roi l'accepta comme un présage et la prit dans ses armoiries. De ses armoiries elle passa rapidement sur les palais, les meubles, les tapisseries, les cadres de la couronne.

L'abbé de Choisy, qui était des mascarades et des carrousels, peignit plus tard les belles aurores de cet amour romanesque : « Il y avoit souvent des parties de chasse l'après-dînée, et le bal le soir. On donna le ballet des Saisons, où le Roi représentoit le Printemps, accompagné des Jeux, des Ris, de la Joie et de l'Abondance. Il y dansa avec cette grâce qui accompagnoit toutes ses actions et cet air de maître qui, même sous le masque, le faisoit remarquer entre les courtisans les mieux faits. Le comte d'Armagnac et le marquis de Villeroi ne lui faisoient point de tort. Il étoit alors fort amoureux de mademoiselle de La Vallière, et d'autant plus touché, qu'il en faisoit encore un mystère presque impénétrable. »

Mademoiselle de La Vallière prêchait toujours au roi les solitudes à deux. Elle lui écrivait :

« Que nous nous ressemblons peu en une chose, » puisque je voudrois cacher à l'univers un amant qui » feroit l'orgueil de mille autres, et que vous avouez » hautement celle que personne ne daigneroit vous » envier ! De grâce, Sire, prenez plus de soin de votre » gloire, et souffrez un peu qu'on vous aime en » secret. »

Le roi cherchait les heures mystérieuses et ne les trouvait pas. Sa couronne rayonnait jusque dans la nuit. Il eût tout donné pour devenir durant un jour le plus humble de ses sujets *.

## VI.

Louis XIV et mademoiselle de la Vallière ont commencé à s'aimer en Dieu. Je m'explique. Quand leur passion était encore un mystère, ils avaient toutes les

---

* « A la promenade du soir, il sortoit de la calèche de Madame et s'alloit mettre près de celle de La Vallière, dont la portière étoit abattue ; et comme c'étoit dans l'obscurité de la nuit, il lui parloit avec beaucoup de commodité. » *Madame* DE LA FAYETTE.

peines du monde à se retrouver, pour ne point se trahir. Quand la cour était à Fontainebleau, à Compiègne
ou à Saint-Germain, il n'y avait plus la distance des
Tuileries au Palais-Royal, puisque Henriette d'Angleterre était de tous les voyages. Mais le matin, quel
prétexte pour se rencontrer, sinon la chapelle? Aussi
jamais le roi ne fit-il mieux ses dévotions. Quelque fût
le sentiment religieux de toutes ces jeunes âmes, la
cour allait gaiement à la messe; les hommes s'age-
nouillaient fort dévotement, mais regardaient beaucoup les femmes, dont bien peu avaient abdiqué la
coquetterie en franchissant le seuil sacré. Le soir, au
salut, les dames allaient toutes à la chapelle une
bougie à la main, « pour lire les Psaumes », disaient-
elles. N'était-ce pas pour se montrer au roi et aux
autres? Quand la messe était finie, après quelques
instants de profond silence, il semblait que tout le
monde se réveillât à la vie. Même avant de sortir de
la chapelle, les hommes allaient saluer les femmes;
on parlait bas d'abord, puis un peu plus haut, bientôt
tout haut. M. de Guiche débitait une galanterie à mademoiselle d'Artigny; M. de Saint-Aignan impro-
visait un distique sur la beauté du roi; M. de Vardes
passait un billet brûlant à la comtesse de Soissons.
Après le salut c'était bien mieux encore : toute cette folle
jeunesse éclatait dans sa joie; seule peut-être, mademoiselle de La Vallière n'avait pas si vite oublié Dieu *.

* On se croirait au bal en voyant une gravure qui représente
le vestibule de la chapelle de Versailles à la sortie de la messe.

Mademoiselle de La Vallière, plus femme que femme de cour, recherchait la solitude plus que le roi lui-même : « Nous autres faibles créatures, nous cherchons les solitudes; mais en même temps nous connaissons que ceux à qui la force est donnée pour combattre dans le monde ont une belle couronne à espérer. » Selon l'abbé de Choisy, « elle ne vouloit point voir ses anciens amis, ni même en entendre parler, uniquement occupée de sa passion, qui lui tenoit lieu de tout. »

Ce n'était qu'à son corps défendant qu'elle se parait des bijoux du roi, disant qu'on la voyait déjà trop sans l'éclat des diamants. « Un soir, dit madame de Motteville, comme j'avois l'honneur d'être auprès de la reine à la ruelle de son lit, elle me fit signe de l'œil, et m'ayant montré mademoiselle de La Vallière, qui passoit par sa chambre pour aller souper chez la comtesse de Soissons, elle me dit en espagnol : *Esta donzella, con las arracadas de diamante, es esta que el Rei quiere*\*. » Ces pendants d'oreilles, que le roi la forçait à porter toujours, elle les cachait sous les ondes de sa chevelure comme la mer cache les perles.

Dans une autre gravure, Bossuet prêche le carême; le roi est sur son fauteuil, l'assistance est divisée en trois ordres : à droite du roi, en face du prédicateur, sont toutes les dames; à gauche, tous les courtisans; sous la chaire, les cardinaux et les évêques, « ces courtisans de Dieu », disait-on alors pour les flatter.

\* « Cette fille, qui a des pendants d'oreilles de diamant, est celle que le roi aime. »

## VII.

Ce n'était point assez de voir mademoiselle de La Vallière dans les fêtes, au regard de toute la cour. Le roi, en vrai coureur d'aventures de l'école de don Juan, monte une nuit sur les toits, court de lucarne en lucarne, jusqu'à celle de mademoiselle d'Artigny, voisine de mademoiselle de La Vallière. Beringhen avait aplani le chemin. Mademoiselle d'Artigny ouvre au roi; elle voudrait bien qu'il restât en chemin, mais elle se résigne à n'être que confidente. Elle conduit le roi à la porte de mademoiselle de La Vallière, et lui dit : « Je m'en lave les mains. » Le roi ouvre la porte avec amour et avec effroi : mademoiselle de La Vallière songeait à lui. Elle croit encore que c'est un songe. Elle se lève de son fauteuil et elle tombe évanouie. Elle rouvre les yeux et elle voit le roi agenouillé qui lui parle avec passion et avec respect, deux sentiments qui ne font pas longtemps bon ménage ensemble. Elle supplie son royal amoureux de s'en aller; il lui dit cent fois qu'il s'en va, et il reste toujours. Ah! Benserade, comme on se passait de toi cette nuit-là !

Les premières blancheurs de l'aube viennent réveiller les amoureux de leur rêve divin. Où sont-ils? Ils ne le savent plus. « Sire, vous êtes chez moi. — Non, je ne suis pas chez vous, puisque vous ne voulez me donner que votre cœur. — Je ne vous donnerai jamais que mon cœur, mais je ne donnerai rien aux autres. »

Le roi s'en va, heureux et désolé. Vaincre et ne pas saisir la victoire !

Le soir on dansa chez la reine. Le roi, pour jouer son monde, dansa avec mademoiselle de Pons et disparut avec elle. Mademoiselle de La Vallière souffrit mille morts. Elle jura de ne plus voir le roi; mais la nuit suivante, il parut à sa fenêtre à l'heure où elle se déshabillait. Elle jette un cri, le roi se précipite dans la chambre et demande grâce. On le renvoie à mademoiselle de Pons. Il répond qu'il y a deux forces ou deux faiblesses en lui : l'esprit et la bête. L'esprit est tout à mademoiselle de la Vallière; mais la bête ne peut pas être à celle qui est tout esprit. Mademoiselle de La Vallière ne veut pas pour cela faire le sacrifice de sa vertu. Elle ne le fera qu'à une condition, c'est qu'elle mourra en expiation. Le roi refuse le sacrifice.

Mais le lendemain, elle rencontre le roi jouant au jeu de l'amour avec mesdemoiselles de Pons et de La Mothe-Houdancourt.

Le roi, tout amoureux qu'il fût, se prenait à la belle gaieté de mademoiselle de Pons et aux moqueuses coquetteries de mademoiselle de La Mothe-Houdancourt*, une Montespan avant la lettre.

---

* « Je ne sais si elle étoit, dans son cœur, subalterne à mademoiselle de La Vallière, mais elle causa beaucoup de changement à la cour. » *Madame* DE MOTTEVILLE.

## VIII.

La reine pleurait beaucoup de voir le roi lui préférer
ses filles d'honneur ou celles de Madame ; elle se trouvait laide, s'avouait vaincue, et se résignait chrétien-
nement. Tout le monde lui voulait cacher les aventures
du roi, même la reine mère, même la duchesse de
Navailles, qui était du coin de la reine. Mais c'était le
secret de la comédie : le roi avait beau lui revenir
toutes les nuits, elle disait que Louis n'était pas là
même quand il était avec elle. Il arrivait d'ailleurs
que le roi ne lui revenait que le matin. Madame de
Motteville, pareillement du coin de la reine, raconte
ingénument les aventures nocturnes de Sa Majesté :
« Le cœur du roi étoit rempli de ces misères humaines
qui font dans la jeunesse le faux bonheur. Il se laissoit
conduire doucement à ses passions. Il étoit alors à Saint-
Germain, et avoit pris la coutume d'aller à l'appartement des filles de la reine. Comme l'entrée de leur
chambre lui étoit défendue par la sévérité de la dame
d'honneur, il entretenoit souvent mademoiselle de La
Mothe-Houdancourt, par un trou qui étoit à une cloison
d'ais de sapin, qui pouvoit lui en donner le moyen.
Jusque-là, néanmoins, ce grand prince, agissant
comme s'il eût été un particulier, avoit souffert tous ces
obstacles sans faire des coups de maître ; mais sa pas-

sion devenant plus forte, elle avoit aussi augmenté les
inquiétudes de la duchesse de Navailles, qui, avec les
seules forces des lois de l'honneur et de la vertu, avoit
osé lui résister. Elle suivit un jour la reine mère, qui
de Saint-Germain vint au Val-de-Grâce faire ses dévotions, et fit ce voyage à dessein de consulter un des
plus célèbres docteurs qui fût alors dans Paris sur ce
qui se passoit à l'appartement des filles de la reine.
Elle comprenoit qu'il falloit déplaire au roi, et sacrifier entièrement sa fortune à sa conscience, ou la
trahir pour conserver les biens et les dignités qu'elle
et son mari possédoient. À son retour à Saint-Germain,
elle sut par ses espions que des hommes de bonne
mine avoient été vus la nuit sur les gouttières et dans
des cheminées, qui du toit pouvoient conduire les
aventuriers dans la chambre des filles de la reine. Le
zèle de la duchesse de Navailles fut alors si grand, que,
sans se retenir ni chercher les moyens d'empêcher
avec moins de bruit ce qu'elle craignoit, elle fit aussitôt fermer ces passages par de petites grilles de fer
qu'elle y fit mettre, et par cette action elle préféra son
devoir à sa fortune. La comtesse de Soissons n'aimoit
point mademoiselle de La Vallière; il lui sembloit
qu'elle lui avoit dérobé le reste des bonnes grâces du
roi. L'ambition, l'amour, la jalousie, ces trois puissantes passions de l'âme, firent beaucoup de fracas
dans la sienne. Elle avoit voulu exposer mademoiselle
de La Mothe-Houdancourt aux yeux du roi, avec dessein
de reprendre par cette voie quelque part à ses secrets.

Comme elle vouloit embarquer ce prince à cette galanterie, elle ne manqua pas de l'animer contre les
grilles qui avoient été faites, à ce qu'elle disoit, plutôt
pour le contredire et l'offenser que par aucun scrupule de conscience *. »

Mademoiselle de La Vallière, qui avait voulu ne donner que son âme à son amour, se donna tout entière,

---

* Mademoiselle de Montpensier raconte plus cavalièrement
l'histoire des grilles. « Le roi se promenoit souvent pendant l'hiver
avec la reine : il avoit été avec elle deux ou trois fois à Saint-
Germain, et l'on disoit qu'il avoit regardé La Mothe-Houdancourt,
une des filles de la reine, et que La Vallière en étoit jalouse. C'étoit
la comtesse de Soissons qui conduisoit cette affaire, et la reine
haïssoit plus La Mothe que La Vallière ; elle eut plus de penchant à
croire que le roi en étoit amoureux que de voir qu'il l'étoit de
l'autre. Madame de Navailles voulut faire sa cour à la reine mère
ou s'acquérir la réputation d'une grande rigidité. Sur ce qu'on
disoit que le roi alloit parler à la Motte par ses fenêtres, elle fit faire
des barreaux de fer pour la faire griller. Je ne sais comment cela
se passa : ses grilles de fer se trouvèrent dans la cour. Le roi en fit
de grandes railleries : on se moqua de madame de Navailles sur son
zèle indiscret. Le bruit courut que le roi alloit toujours à ses fenêtres
pour parler à La Mothe, et qu'il lui avoit porté un jour des pendants d'oreilles de diamants ; qu'elle les lui avoit jetés au nez et
lui avait dit : « Je ne me soucie ni de vous ni de vos pendants,
puisque vous ne voulez pas quitter La Vallière. » Ceux qui voyaient
le plus clair étoient persuadés que le roi ne s'empressait auprès
de La Mothe que pour cacher la passion qu'il avoit pour La Vallière. La reine se persuada que c'étoit à La Mothe qu'il en vouloit ; elle redoubla son aversion pour elle. Elle a eu toujours le
malheur d'être l'objet de la jalousie de la reine, qui faisoit pitié
par l'aveuglement dans lequel elle étoit sur mademoiselle de La
Vallière, et les imaginations qu'elle avoit sur La Mothe. Cela étoit
dans un tel point, qu'on en rioit avec le roi. »

éperdument, avec jalousie, pour empêcher le roi de frapper une seconde fois à une autre porte.

Madame ne put maîtriser les colères de sa jalousie. « Quoi! s'écria-t-elle, c'est une boiteuse qui a le pas sur moi! La servante l'emporte sur la maîtresse! — Oui, lui dit le roi, vous êtes la maîtresse par la nais-. sance, mais c'est l'amour qui commande, et je suis le serviteur de sa servante.

## IX.

Sandraz, un libelliste très-méprisé des historiens, fut pourtant un chroniqueur bien informé. Il écrivait sur les ébauches du comte de Bussy-Rabutin et sur les récits du comte de Guiche. Bussy aimait à colporter les galantes aventures de la cour; il disait des malices sous le nom de Sandraz, croyant par ce masque échapper à la Bastille, mais on le reconnut à ses malices quand il fut à la Bastille. Le comte de Guiche, exilé en Hollande, continua sans le vouloir, par ses confessions un peu vaniteuses, à faire l'éducation de Sandraz. On peut donc, quoique avec réserve, lire la *France galante*.

Selon le chroniqueur, le roi était malade. Mademoiselle de La Vallière lui écrivit par l'ambassade de Saint-Aignan :

« Si l'on savoit la cause de vos maux, l'on y appor-

» teroit du remède, quand il en devroit coûter la vie;
» mais, mon Dieu! qu'il est inutile de vous dire ce que
» je vous dis! ce n'est pas moi qui donne à Votre
» Majesté ses bons ni ses mauvais jours. »

Quand le duc porta ce billet au roi, « la jeune
reine étoit pour lors sur son lit, et, d'abord qu'il le
vit, il s'écria : « Saint-Agnan, je suis bien foible, et
je le suis plus que vous ne pouvez penser. » La reine
se retira, et le roi relut vingt fois ce billet; il fit admirer
au duc cette manière d'écrire; mais il ne pouvoit souffrir ce cruel terme de *Votre Majesté*. Il en parloit encore
quand mademoiselle de La Vallière entra dans sa chambre
avec madame de Montausier *, à laquelle cette visite
aux flambeaux a valu toute sa faveur; elle se retira par
commodité et par respect au bout de la chambre avec
le duc. Mademoiselle de La Vallière se mit sur le lit du
roi; elle étoit en habillement négligé, et le roi, qui
prend garde à tout, lui en sut bon gré. Elle le regarda
avec une langueur passionnée à lui faire entendre que
son cœur seroit éternellement à lui; le roi fut si trans-
porté, qu'après lui avoir demandé mille pardons, il
baisa un quart d'heure ses mains sans lui rien dire que
ces trois paroles : « Eh! que je serois misérable, mademoiselle, si vous n'aviez pitié de moi! » Enfin ils se
parlèrent, ils se contèrent leurs raisons, et furent cinq
heures à dire : « Que je vous aime! que vous aviez de

* La belle Julie de Rambouillet, fille et héritière de Charles
d'Angennes, marquis de Rambouillet et de Pisani, vidame du
Mans.

tort ! votre cœur est hors de prix ; que nous avons lieu d'être contents ! aimons-nous toujours. » Ils ne s'en tinrent pas aux paroles tendres, et, ma foi, je le crois ; mais je ne sais pas si le roi, qui, le lendemain, se leva pour passer tout le jour avec La Vallière, le passa plus sagement. »

Sandraz conte aussi les jalousies posthumes d'Olympe Mancini : « Madame de Soissons, qui a cru être autrefois aimée, a supporté avec une étrange impatience la faveur de La Vallière ; de sorte que, la voyant un jour passer devant la fille d'un avocat du parlement, duquel madame de Soissons faisoit ses délices, elle dit assez haut à madame de Ventadour : « J'avois toujours bien cru que La Vallière étoit boiteuse, mais je ne savois pas qu'elle fût aveugle. » Le roi fut indigné. Il arracha de son cœur son dernier souvenir pour Olympe Mancini. Dès ce jour, l'exil de la comtesse de Soissons fut résolu. Quand mademoiselle de La Vallière apprit le chagrin du roi, elle lui écrivit ce billet :

« Que je vous aime, et que vous méritez de l'être ! » Mais il me fâche de troubler vos plaisirs par mes » malheurs. Pourquoi appeler malheur ce qui ne l'est » point ? Non, je me reprends : tant que mon cher » prince m'aimera, je n'en aurai jamais : rien ne me » peut affliger que sa perte. Ne craignons point les » autres, ne craignons que nous-mêmes. »

Sandraz, qui ne doute de rien, conte sans hésiter la manière dont Louis XIV rentrait chez lui : « Quinze

8

jours après, le roi, qui avoit passé depuis midi
jusqu'à quatre heures après minuit avec La Vallière,
vint se coucher; il trouva la jeune reine en simple
jupe, auprès du feu, avec madame de Chevreuse.
Comme le roi se sentoit encore mécontent contre elle
pour La Vallière, il lui demanda avec un froid horrible
pourquoi elle n'étoit pas couchée. « Je vous attendois,
lui dit-elle tristement. — Vous avez la mine, lui répondit le roi, de m'attendre bien souvent. — Je le
sais bien, lui répondit la reine, car vous ne vous plaisez
guère avec moi, et vous vous plaisez bien davantage
avec mes ennemies. » Le roi la regardoit avec une fierté
qui approchoit bien du mépris, et lui dit d'un ton
moqueur : « Hélas! madame, qui vous en a tant appris? » Et, en la quittant : « Couchez-vous, madame,
avec vos petites raisons. » La reine fut si vivement touchée, qu'elle alla se jeter aux pieds du roi, qui se
promenoit dans sa chambre. « Eh bien, madame, que
voulez-vous dire? lui dit-il. — Je veux dire, répondit
la reine, que je vous aimerai toujours, quoi que vous
me fassiez. — Et moi, lui dit le roi touché, j'en userai
si bien, que vous n'y aurez aucune peine. »

Louis XIV, se croyant, comme son aïeul Henri, un
diable à quatre, pensait qu'il pouvait aimer deux
femmes.

## X.

Maîtresse du roi ! c'était déjà depuis longtemps un titre officiel, non pas précisément un titre d'honneur, mais d'où tombaient les honneurs. Peu de femmes avaient résisté à jouir du sceptre en guise d'éventail. Il fallait bien prendre sa revanche sur la loi salique. Ce fut peut-être le roi le plus vaillant à l'armée de l'amour — le roi au triple talent — qui rencontra le plus de rebelles. Il est vrai qu'il frappa à plus de portes que les autres. Catherine de Rohan, duchesse de Deux-Ponts, lui dit qu'elle était de trop bonne maison pour être sa maîtresse, et trop pauvre pour être sa femme. Antoinette de Pont, marquise de Guercheville, lui dit qu'elle voulait mourir dans son honneur. Et elle fut si éloquente dans son sermon, que le Béarnais s'écria avec admiration : « Puisque vous êtes véritablement dame d'honneur, vous le serez de la reine ma femme. » Malheureusement pour le grand-livre héraldique, il y eut peu de Catherine de Rohan et d'Antoinette de Pont parmi les dames d'honneur.

Le lendemain de sa chute, cette chute qui eût été un triomphe pour toute autre, mademoiselle de La Vallière ne se réveilla pas sur les marches du trône, jetant la France à ses genoux et les courtisans à ses pieds, fière comme Junon, souveraine comme Diane

8.

de Poitiers. Elle se cacha la figure dans ses mains et
jura de vivre plus que jamais dans le demi-jour.

Elle fut toujours effrayée du rayonnement du roi-
soleil; elle cherchait les nues, elle cherchait les ramées.
Elle aimait la rencontre du roi; mais si le roi n'était pas
seul, elle aimait mieux poursuivre son souvenir que de
voir son image. Le roi, qui recherchait la lumière et
le bruit, l'éclat et le tapage des fêtes, avait un plaisir
cruel à la donner en spectacle, voulant d'ailleurs
savourer l'encens dont on inondait sa beauté.

Mademoiselle de La Vallière, en ces belles années
de la passion du roi, pouvait gouverner le monde;
mais elle ne voulait qu'aimer. Elle s'élevait sur son
trépied d'or pur au-dessus de toutes les diplomaties de
la cour. Elle ne voulait pas toucher aux choses de ce
monde. Toute son ambition était dans son cœur. Que
lui importait que tel ministre fût en faveur ou en disgrâce! Elle ne voulait pas surprendre les secrets d'État.
Le roi disait : L'État, c'est moi; et elle disait : L'État,
c'est son amour. Elle ne voulait pas jouer le rôle
d'Agnès Sorel; elle ne voulait jouer que son rôle sans
souci de sa souveraineté. Le roi pour elle était un
homme jeune et beau qu'elle dépouillait de toute auréole de gloire. « Il s'appelle Louis et je m'appelle
Louise, » disait-elle avec joie.

Elle s'abandonnait indolemment à toutes les ardentes
rêveries des jeunes amoureuses. Elle était si occupée
de penser à son amant, qu'elle oubliait l'heure du
rendez-vous. « Pourquoi ne veniez-vous pas? — Parce

que j'avais peur de vous quitter. » Elle était dominée
par son imagination; le paradis retrouvé lui cachait le
parc de Versailles, son âme s'envolait au delà des mers
sans s'inquiéter de ce beau corps, plus doux à voir et
à toucher que la pêche mûrissante. Plus d'une fois le
roi surprit mademoiselle de La Vallière toute décoiffée,
son peigne à la main, comme si elle sortait du lit,
quoiqu'il fût l'heure de déjeuner. Louis ne lui faisait
pas un crime de ce déshabillé charmant qui lui offrait
un spectacle imprévu. La coquetterie de la beauté et de
la jeunesse, c'est de proscrire toute coquetterie. Mademoiselle de La Vallière était, ces jours-là, coquette sans
le savoir. Louis avait le sentiment de l'ordre, il aimait
que tout fût bien, mais il était trop amoureux pour ne
pas pardonner à sa maîtresse de lui montrer du même
coup un pied chaussé et une jambe nue. Et ces jolis
mouvements de la candeur qui s'effarouche ou de la
frileuse qui s'irrite de ne pas trouver assez d'étoffe. Et
ce charmant embarras de la femme chaste chanté par
un poëte, je me trompe, par un cardinal :

> L'embarras de paraître nue
> Fait l'attrait de la nudité.

Et d'ailleurs le roi était assez artiste pour aimer cette
chevelure qui ruisselait sur le cou, cette gerbe opulente
que les agitations nocturnes avaient tout emmêlée et
toute tordue. Les Giorgion et les Véronèse de sa galerie
lui avaient appris que les chevelures désordonnées en-
cadraient souvent avec bonheur les plus belles figures.

Mademoiselle de La Vallière croyait effacer ses péchés
par le repentir, même avant de songer aux Carmélites ;
sa vertu immolée se relevait toute blanche dès que le
roi était parti, souvent même en face du roi. Qui est-ce
qui a dit que la vertu tombe des montagnes inaccessi-
bles avec la rapidité des cascades, et qu'on ne l'y fait
remonter qu'à force d'écluses ? Mademoiselle de La
Vallière pouvait dire à Louis XIV devant les écluses de
Marly : « Et moi aussi je dompte la nature. Je force
ma vertu à rebrousser chemin, ou plutôt à remonter
les montagnes. » Aussi chaque fois qu'elle se laissait
prendre à la passion du roi, c'était pour lui une conquête et pour elle une chute, — avec les larmes, les
pâleurs, les violences, les désespoirs, — en un mot,
une volupté toute nouvelle pour l'amant de la Beauvais ; car il croyait qu'une femme ne combat une
première fois que pour se mieux donner ensuite. Mademoiselle de La Vallière ne se donnait jamais, même
quand l'amour, même quand la jalousie la voulaient jeter
dans les bras de son amant. Madame de Sévigné disait
d'elle : « *Cette petite violette qui se cachait sous l'herbe.* »
La touffe d'herbe, c'était sa pudeur toujours croissante.
Madame de Sévigné ajoutait : « *Elle était honteuse d'être
maîtresse, d'être mère, d'être duchesse.* » Elle avait
peur du soleil, ce soleil de la cour qui la montrait de
si loin. O bienheureuse touffe d'herbe ! Combien
d'âmes y vivent oubliées par la grâce de Dieu *.

---

* « Dans ses Réflexions sur les miséricordes de Dieu, elle se
rappelle ces jours heureux, ces jours maudits : « *Les remords*

Avant d'être jalouse de la marquise de Montespan,
mademoiselle de La Vallière était jalouse d'elle-même,
mais dans le sens inverse. Il y avait en elle deux
femmes : l'une toute de vertu, l'autre toute d'amour.
La première était jalouse de la seconde quand elle la
sentait qui courait au roi. Aussi disait-elle à Louis :
« Que je vous donne de peine de m'aimer, absente et
jalouse ! »

Oui, jalouse, oui, absente. Ou l'âme s'envolait pour
fuir toute complicité, ou l'âme était présente pour s'in-
digner des voluptés du corps.

L'amour du roi s'irritait de ces luttes toujours imprévues, parce qu'il croyait toujours avoir vaincu sans
merci. Le roman était toujours à la même page, parce
qu'on déchirait toujours la page. Le bonheur du roi
était durable, parce qu'il menaçait de ne pas durer.

---

*que vous mêliez dans mes plus criminelles délices.* » Madame de
La Vallière avouait, dans ses années de pénitence, qu'alors même
que tout conspirait le plus à la séduire, elle éprouvait au dedans
d'elle-même un trouble et une secrète confusion qui ne la lais-
saient jouir en repos d'aucun plaisir. Le bruit de ses chaînes
était pour elle un continuel avertissement de l'esclavage où elle
était réduite. Vertueuse en quelque sorte, même dans ses plus
coupables égarements, elle n'oublia jamais qu'elle faisait mal, et
conserva toujours le désir et l'espérance de revenir au droit chemin. Les nouvelles fautes lui coûtaient autant que la première
faiblesse. « La pudeur, dit l'abbé le Queulx, la suivait jusque
dans l'enivrement du péché. » Les préférences extérieures que le
roi lui donnait sur la reine la blessaient, et elle se plaignait
d'être trop aimée, tandis qu'elle ne croyait jamais aimer assez. »
ROMAIN CORNUT.

Mademoiselle de La Vallière parlait de son malheur, mais comme elle aimait son malheur !

Dans les heures de sa première chute, elle eut peur de Dieu, elle courut front baissé s'agenouiller en la chapelle de Fontainebleau. Elle y trouva Jésus pardonnant à Madeleine, — une belle Madeleine du Primatice toute pécheresse encore ; — elle se compara pour la première fois à la grande repentie. « Mais moi, dit-elle toute désespérée, je n'aurai pas la gloire de laver sous mes larmes le sang de Notre-Seigneur. »

Plus que jamais elle demeura fidèle à ses devoirs religieux, aimant la prière et le jeûne. Le roi aurait bien voulu supprimer les heures de prière et les jours de jeûne, car il n'avait d'audience qu'après Dieu. Un matin, il arrêta la jeune fille au sortir de la messe où il était allé lui-même, mais où il était demeuré moins longtemps. Il la saisit dans ses bras et l'appuya avec force sur son cœur. Elle ne se défendit pas selon sa coutume, ce qui surprit presque le roi ; mais voyant sa pâleur : « Pourquoi pâlissez-vous ? lui demanda-t-il. — Pourquoi je pâlis ? c'est que mon cilice m'empêche de me sentir si près de vous ! »

## XI.

On sait tout à la cour. Le roi avait beau se cacher et prendre tous les masques, chacun se disait, tout bas d'abord, tout haut bientôt, que mademoiselle de La Vallière était la maîtresse du roi. On répéta l'histoire à Paris, et un jour une tante de mademoiselle de La Vallière lui vint montrer l'abîme. La jeune fille protesta de sa vertu; mais, effrayée du bruit public, elle prit une grande résolution : elle courut s'enfermer dans un couvent de Chaillot.

La cour était à Saint-Germain. Louis XIV donnait audience à l'ambassadeur d'Espagne. Un page va jusqu'à lui avec ce simple billet : « Adieu! à Dieu! » Le roi oublie qu'il écoute un ambassadeur. Que lui fait la paix ou la guerre! Qu'importe une province de plus pour qui a perdu son cœur, son âme, sa vie? Il laisse l'ambassadeur à sa harangue, il réclame partout mademoiselle de La Vallière, il court chez Madame, il se plaint à haute voix, il demande des chevaux et ne trouve personne aux écuries. « Qu'importe, dit-il au page qui lui avait donné l'adieu de la fugitive, sellez votre cheval, je sellerai bien le mien! »

Il selle un cheval, ordonne à Luzancy de le suivre, et le voilà parti pour Chaillot. Il arrive, il découvre le couvent, il demande la nouvelle venue. Elle refuse de paraître. Il menace de tout si elle ne lui est rendue. Elle paraît, l'adoration du roi la fléchit; elle est ramenée en triomphe.

On ne dit pas comment; peut-on supposer que ce fut en croupe?

Selon une autre version, le roi eut bientôt décidé mademoiselle de La Vallière à fuir le couvent avec lui.

Il la trouva couchée sur les dalles, embrassant les pieds
d'un Christ de pierre dans le parloir du dehors ; car on
avait refusé de la recevoir dedans. « Je cherche mon
tombeau, » lui dit-elle tout en larmes.

Elle était pâle comme si déjà la mort l'eût touchée.
« Si vous m'aimiez, lui dit le roi, qui était lui-même
tout en larmes, vous ne voudriez pas mourir et vous
ne me feriez pas mourir. »

Il la prit dans ses bras et l'emporta serrée sur son
cœur. « J'étais venu décidé à tout, poursuivit-il, même
à brûler le couvent. »

Ce n'était pas un roi, c'était un amoureux *.

---

\* Sous la Restauration, M. Horace Vernet peignit poétiquement
dans le style romanesque de madame de Genlis, mais avec un
sentiment plus élevé, mademoiselle de La Vallière au couvent des
Carmélites, s'attachant à la croix pour se défendre de Louis XIV,
qui la veut enlever de vive force. Elle est fort belle dans son attitude de désespérée. La composition du tableau est très-savante
au point de vue des oppositions et des effets dramatiques. Cette
femme échevelée qui se jette au pied de la croix, ce roi qui n'a
jamais plié le genou et qui s'agenouille sur l'herbe du cimetière ;
ce beau ciel qui parle d'amour avec un nuage à l'horizon ; ces
arbres verts où chantent les rossignols, cette chapelle entr'ouverte où retentit encore le glas funèbre ; ces religieuses effrayées
de voir ainsi les passions humaines violer ce refuge où Dieu seul
passionne les âmes : voilà qui saisit l'imagination. Mais le très-
spirituel artiste a relevé ce sentimentalisme d'opéra par une raillerie. Parmi les religieuses, il en est une qui s'approche curieuse
de cette scène d'amour, et qui dit, par son expression, qu'elle ne
comprend rien aux rébellions de mademoiselle de La Vallière\*.

\* Ce tableau a été gravé par Gudin et Chaponnier d'après un dessin
du peintre. Mademoiselle de La Vallière, toute noyée dans sa chevelure,
est une figure charmante qui rappelle les créations de Lawrence.

Quelque réserve que fasse le philosophe contre le roi et contre le mari, il pardonne ici à l'amoureux, parce qu'il sent que le cœur était touché et que la passion, quelle que soit sa folie, garde toujours un caractère divin. Mais Louis XIV dépassait la passion elle-même : « Vous n'êtes guère maître de vous-même, dit la reine mère à son fils. — Si je ne le suis de moi-même, répondit le roi, je le serai de ceux qui outragent ma volonté. »

C'était le tonnerre qui parlait. La reine mère se courba sous l'orage et conseilla à la femme de son fils de se tourner vers Dieu.

Le roi imposa donc mademoiselle de La Vallière à la cour, même à sa mère, même à sa femme. Il avait tous les despotismes.

La cour était alors le plus souvent au Palais-Royal. Madame, après sa belle indignation contre les déchéances du cœur de Louis XIV, qui descendait de la princesse à la fille d'honneur, s'était décidée à sourire à tout et à présider tous les jeux. Quinault eut plus d'une fois l'honneur d'être appelé au *jeu des vers*. Quand on ne jouait ni aux cartes, ni à la main chaude, ni au billard, ni aux jeux innocents, on jouait à la rime, comme à l'hôtel Rambouillet.

Un soir, on se passa l'*amour* de main en main. Quand ce fut le tour de Quinault, il voulut se défendre de parler, sous prétexte qu'il ne connaissait pas bien son sujet; mais le roi ayant insisté, il improvisa ces quatre vers :

Grand roi que dans mon cœur je respecte et j'admire,
Pour parler des douceurs de l'amoureux empire
Il ne faut pas choisir ceux qui savent rimer,
Mais il faut consulter ceux qui savent aimer.

Le roi consulta beaucoup de monde, faisant semblant de ne pas voir mademoiselle de La Vallière ; mais
à la fin, il se posa devant elle comme un point d'in-
terrogation. « Et vous, madame, n'en direz-vous rien ? »
On voit que le roi n'osa prononcer le mot. Mademoiselle de La Vallière, qui avait eu le temps d'improviser
son quatrain, répondit par ces vers :

C'est le destin des belles choses :
Ainsi nous voyons tous les jours
Les épines avec les roses,
Les chagrins avec les amours.

Ce fut mademoiselle de La Vallière qui obtint ce
soir-là le prix des vers.

Dirai-je les vers du roi ? Non, c'étaient des vers
de roi.

XII.

Mademoiselle de La Vallière parlait des épines ;
c'était pourtant l'heure des joies et des ivresses.

Saint Augustin, à la recherche du bonheur — qu'il
appelle le souverain bien, — a compté deux cent
quatre-vingt-huit opinions dans les philosophes de l'an-

tiquité. Selon Archytas, c'est le gain d'une bataille;
selon Cratès, c'est une belle navigation quand les
sirènes chantent au loin; selon Épicure, c'est la volupté
des lèvres et de l'esprit; selon Héraclite, c'est l'argent;
selon Démocrite, l'homme heureux est celui qui n'a
rien; Simonide trouverait le bonheur dans un ami,
mais il décide qu'il n'y a pas d'ami; Euripide se
moque de l'amitié avec l'amour. Mais Aristophane s'é-
crie : « O femme! tu donnes l'amour, mais tu ne
donnes pas la femme. »

Mademoiselle de La Vallière se donnait toute en donnant l'amour.

J'allais oublier l'opinion de saint Augustin. Pour
lui, le souverain bien, c'est Dieu. Un commentateur
de l'ordre profane, Ninon de Lenclos, écrivait en marge
des *Confessions :* « Il me semble pourtant que Dieu ne
nous a pas tout exprès mis sur la terre pour regarder
le ciel. » Mademoiselle de La Vallière, dans ses saintes
et profanes aspirations, voyait le roi dans son Dieu et
Dieu dans son roi.

Il faudrait, pour s'orienter, qu'il existât une géographie du bonheur — la capitale, les provinces, les
colonies. — Malheureusement il y a deux capitales,
le cœur et l'esprit, qui vivent ensemble comme le
chien et le chat de la maison; aussi, dès que le cœur
a la liberté, — je me trompe, dès qu'il est pris, — il
songe à s'expatrier, il aspire au ciel, sa vraie patrie.
« Je suis si heureuse que je voudrais mourir! » disait
mademoiselle de La Vallière, un soir, dans le parc de

Versailles. Elle aimait le roi, et il lui semblait que son
cœur était emprisonné sur la terre. Ce cri de mademoiselle de La Vallière, combien d'autres qui l'ont jeté
comme une injure au bonheur !

Dans son aveuglement, le roi voulut bientôt que
sa maîtresse eût son appartement à la cour porte à
porte avec la reine, comme au sérail. La reine se fit
moins prier que mademoiselle de La Vallière.

On s'accoutume à tout. Marie-Thérèse aimait tant le
roi, qu'elle finit par aimer mademoiselle de La Vallière,
comme gagnée elle-même à cet amour. La jeune fille
était d'ailleurs si respectueuse et si douce, qu'elle avait
vaincu tous ses ennemis. Il fallait que Marie-Thérèse
passât chez sa jeune rivale pour aller à la messe. Tout
le monde ici-bas, même la reine, marque les stations
de sa croix.

Ce ne fut pas tout : mademoiselle de La Vallière eut,
elle aussi, sa fille d'honneur. Mademoiselle d'Artigny*,
qui était à Madame, passa à la maîtresse du roi. Il fallait
une confidente — ou plutôt une comédienne pour les
intermèdes. — Mademoiselle d'Artigny répandait beaucoup de gaieté sur cette passion mélancolique. Madame
finit par pardonner à mademoiselle de La Vallière,

---

* Mademoiselle d'Artigny était fille d'honneur de Madame.
« Le roi lui donna de considérables sommes d'argent et la fit
épouser au comte du Roule, cousin du duc de Créqui, avec de
grands avantages qu'il lui fit. Elle eut sujet, selon les fausses
maximes du monde, de s'estimer heureuse d'avoir été la confidente des secrets du roi ; car, de pauvre et accablée de mauvaise
fortune, elle devint une grande dame. » *Madame* DE MOTTEVILLE.

grâce aux prières de mademoiselle d'Artigny, grâce surtout aux prières du roi, qui la condamnait à être témoin de son bonheur avec sa rivale. Le matin, Louis XIV l'allait prendre dans son carrosse pour passer la journée à Versailles avec ses deux anciennes filles d'honneur. Mademoiselle de La Vallière était si caressante et mademoiselle d'Artigny si folle, que Madame jouait et riait avec elles comme une enfant.

Madame avait d'ailleurs oublié le roi avec le comte de Guiche. Selon madame de La Fayette, « ce qu'on appelle ordinairement la belle galanterie, produisit alors beaucoup d'intrigues *. Le comte de Guiche fut

---

* « Quand Madame s'aperçut qu'elle avoit peu de part aux visites fréquentes du roi, et qu'elle servoit pour ainsi dire de prétexte à La Vallière, elle conçut beaucoup de dépit contre lui et contre elle ; et pour se dépiter, elle écouta favorablement le comte de Guiche, fils aîné du comte maréchal de Gramont, jeune homme bien fait, qui à beaucoup d'esprit et de courage joignit encore plus d'audace. Dans le même temps, la comtesse de Soissons, qui vit le roi épris des charmes de La Vallière, se rendit à l'amour de Vardes, qui n'étoit plus dans sa première jeunesse, mais plus aimable encore par son esprit, par ses manières insinuantes et même par sa figure, que tous les jeunes gens. On a cru que ce fut par ordre du roi qu'il s'attacha à la comtesse et que le roi fut son confident. Ce qui est certain, c'est que cet habile courtisan fit ce qu'il fit plus par ambition que par amour, et fut aussi fâché que la comtesse et que Madame quand il vit que La Vallière possédoit seule le roi. Ces quatre personnes donc, savoir : Madame et le comte de Guiche (comme un jeune étourdi, par complaisance pour elle), la comtesse de Soissons et de Vardes, formèrent le dessein de perdre La Vallière pour rester les maîtres de la cour. Ils s'imaginèrent que si par quelque moyen la jeune

éloigné pour avoir eu l'audace de regarder Madame
un peu trop tendrement. Comme il est à croire qu'elle
étoit sage en effet, elle voulut que le public fût per-
suadé qu'elle avoit été de concert avec le Roi et
Monsieur pour l'éloigner : mais son exil fut court, et
on peut s'imaginer que ce crime n'avoit pas beaucoup
offensé celle qui en étoit la cause. La duchesse de
Valentinois, sœur du comte de Guiche, étoit tendrement aimée de Madame, et la sœur de ce coupable
étoit traitée de favorite ; il étoit juste de récompenser
en elle les sentiments du frère, qui en sa personne
pouvoient être innocemment payés. Madame ne pouvoit
vivre sans elle ; elle étoit de toutes ses promenades ; si
bien qu'elle faisoit éclore chaque jour non pas des
fleurs sous ses pas, comme feignent les poëtes qu'il
arrive aux nymphes de la chaste Diane, mais des que-

reine pouvoit savoir le commerce du roi avec La Vallière, elle
éclateroit et feroit éclater la reine mère, de manière que le roi ne
pourroit s'empêcher de se défaire de sa maîtresse. Ils écrivirent
là-dessus une lettre comme de la part du roi d'Espagne à sa fille,
qui l'avertissoit des amours du roi. Cette lettre fut composée par
Vardes, et traduite en espagnol par le comte de Guiche, qui se
piquoit de savoir toutes sortes de langues. Pour l'espagnol, il est
certain qu'il le savoit. La lettre arriva à bon port et sans que
personne se doutât pour lors d'où elle venoit. La jeune reine,
qui aimoit son mari passionnément, fut outrée de douleur. La
reine mère prit son parti : cela donna beaucoup de chagrin et
d'inquiétude au roi, mais ne lui fit pas quitter sa maîtresse.
Toute sa mauvaise humeur tomba sur ceux qui avoient eu la
hardiesse de l'attaquer par un endroit si sensible. » *Marquis* DE
LA FARE.

relles, des brouilleries, et beaucoup de ces riens qui sont capables de produire de grands événements. »

Près d'une année s'écoula toute couronnée des aubes timides, mais déjà lumineuses, d'un amour qui fut éternel pour mademoiselle de La Vallière, qui prit le cœur tout entier de Louis XIV.

Un jour, à midi (c'était l'heure de la messe), la reine traverse la chambre de mademoiselle de La Vallière, la sachant malade depuis la veille : « Quoi ! ma belle, on vous dit malade, et je ne vois autour de vous que des tubéreuses et des fleurs d'oranger? — C'est pour dormir, » dit mademoiselle de La Vallière.

Le lendemain, le bruit se répand que mademoiselle de La Vallière est accouchée. « Oh que nenni ! dit la reine; hier elle était au bal; je l'avais vue en allant à la messe presque endormie dans un lit jonché de fleurs mortelles aux femmes en couches. — C'est égal, dit la comtesse de Soissons, elle est accouchée l'autre nuit; c'est le roi lui-même qui a reçu l'enfant. »

Le roi paraît. Un silence. « Sire, dit la reine, vous poussez donc l'amour pour vos sujets jusqu'à les recevoir à leur entrée en ce monde ? »

Le roi sembla ne pas comprendre. A cet instant, on annonça mademoiselle de La Vallière. Elle était plus belle que jamais en robe de bal d'un nouveau goût, ce qui occupa toutes les femmes. Elle vint ainsi démentir hautement tous les bruits de la cour : — Louis XIV ne fut pas si brave pour passer le Rhin.

Et pourtant, la vérité, c'est qu'elle était accouchée

9

la veille en présence du roi. Mais il me faudrait tout
un volume pour raconter cette nuit incroyable dans
cette histoire romanesque.

Un soir que le roi était aux pieds de sa maîtresse, il
lui demanda si elle croyait qu'on pût aimer mieux qu'il
n'aimait. « Oui, lui dit-elle ; car, tout passionné que
vous êtes, vous m'aimez pour mon amour, et j'ai
connu un homme qui m'a aimée jusqu'à la mort en
sachant qu'il ne serait pas aimé. — Quel est cet homme ?
— Un simple officier aux gardes que le ciel m'avait
peut-être destiné ; mais comme cet amour n'était pas
un crime, je ne l'ai pas aimé. C'était au temps où j'étais
encore à Madame. Il m'a écrit des lettres qui n'étaient
pas jolies comme les vôtres, parce qu'il n'avait pas
Benserade sous la main, mais ses lettres sont des
chefs-d'œuvre de passion. — Des phrases ! dit le roi
avec quelque dépit. — Oui, des phrases, Sire, mais la
dernière fut un coup d'épée. — Que dites-vous ? — Je
dis que ce matin même, apprenant que j'étais la maîtresse du roi, il s'est percé le cœur de son épée. —
Il a bien fait, dit le roi ; si j'étais un simple officier aux
gardes j'en ferais bien autant. — Ah ! Sire, que n'êtes-
vous un simple officier aux gardes ! comme nous nous
aimerions dans l'oubli du monde ! »

Ce cri de mademoiselle de La Vallière était le cri de
son cœur.

Le roi ne fut pas souvent jaloux avec celle qui ne
mettait pas d'art dans l'amour. Un jour pourtant, à
une fête de Madame, il passa une heure dans tous les

tourments d'Othello : il vit un jeune homme charmant, de la plus fière distinction et de la plus hautaine élégance, qui dansait très-familièrement avec mademoiselle de La Vallière. Il riait avec elle, lui parlait à l'oreille et se moquait tout haut de ses grands airs élégiaques.

Louis XIV n'osait demander quel était ce jeune homme, dans la crainte de paraître jaloux, mais il était furieux et fut sur le point d'éclater.

Après le ballet, il alla droit à mademoiselle de La Vallière et l'entraîna un peu cavalièrement. « Madame, me direz-vous quel est ce jeune homme? — Ce jeune homme, Sire? il est beau, n'est-ce pas? Si vous saviez comme il est galant et comme il parle bien ! » Le roi frappa du pied : « Madame, cela n'est pas répondre. » Mademoiselle de La Vallière se mit à rire et dit à son amant : « Ce beau danseur, Sire, c'est mon frère. »

Louis XIV ne revenait pas de sa surprise : « Quoi, vous aviez un frère et vous ne m'avez jamais rien demandé pour lui! — Sire, je ne suis pas la maîtresse du roi, » répondit la maîtresse de Louis.

## XIII.

Si on ne rencontre jamais mademoiselle de La Vallière au conseil des ministres, on la rencontre quel-

quefois au conseil des artistes, quoiqu'elle n'eût que
le paradis pour idéal.

Louis XIV prit un matin son portrait encadré de
diamants dans la main de mademoiselle de La Vallière
et lui dit qu'il allait l'envoyer par delà les monts. « A
qui donc, Sire? » demanda la jeune fille jalouse.
Louis XIV prit une plume et écrivit :

« Monsieur le chevalier Bernini, j'ai une estime
» si particulière pour votre mérite, que je désire avec
» empressement de voir et de connaître de plus près un
» artiste aussi célèbre que vous, pourvu que mes sou-
» haits ne nuisent pas au service de Sa Sainteté, et
» qu'ils ne vous dérangent point. Telles sont les rai-
» sons qui m'engagent à expédier ce courrier extraor-
» dinaire à Rome, pour vous inviter à me procurer la
» satisfaction de vous voir en France. J'espère que vous
» profiterez de l'occasion favorable que vous fournit le
» retour de mon cousin le duc de Créqui, mon ambas-
» sadeur extraordinaire, qui vous expliquera plus am-
» plement les raisons qui me font désirer le plaisir de
» vous posséder, et celui de parler avec vous sur les
» beaux dessins que vous m'avez envoyés pour la con-
» struction du Louvre. Au reste, je m'en rapporte à ce
» que mondit cousin vous fera entendre, par rapport à
» mes bonnes intentions. Je prie Dieu, monsieur le
» chevalier Bernini, qu'il vous ait en sa sainte garde.

» Louis. »

Le roi écrivit ensuite une lettre au pape pour le

prier de lui accorder son sculpteur ordinaire. Mademoiselle de La Vallière ne s'expliquait pas bien cette passion du roi pour le marbre. Elle aimait les pauvres, et représentait souvent à Louis XIV que toutes ces magnificences de ses palais l'empêchaient de voir son peuple de près. Le roi lui répondait par ses paradoxes politiques : l'or qui tombe de haut va loin, comme le torrent qui bondit de la montagne pour féconder la vallée.

Ce fut une fête pour le roi que le jour de la présentation du Bernin par le duc de Créqui. « Je ferai le buste de Votre Majesté pour prendre des leçons de grandeur, » dit le sculpteur. Quelques jours après, le roi donna la première séance. Le Bernin, tout en modelant la tête, s'approcha de lui et releva deux boucles de cheveux retombant sur les tempes. « Le plus grand roi du monde, dit-il, ne doit pas craindre de montrer son front à tout l'univers. » Les courtisans applaudirent, et soudainement relevèrent leurs cheveux. La coiffure à la Bernini devint une mode sérieuse.

Mademoiselle de La Vallière était là dans le cercle de la reine. Bernin la regardait beaucoup. « Voilà le sang français, murmura le Bernin, des beautés qui s'évanouissent quand on les touche. — Quelles sont, lui demanda mademoiselle de La Vallière, les plus belles femmes, des Françaises ou des Italiennes ? » Bernin répondit en s'inclinant devant elle que les femmes étaient belles à Paris comme à Rome, « avec cette différence

que sous la peau des Italiennes on voit couler le sang, et
que sous la peau des Françaises on voit couler le lait. »

Mademoiselle de La Vallière n'aima pas beaucoup le
Bernin. Elle avait la prescience qu'il avait fait son
temps et qu'il voyait faux sous le soleil de Paris. Elle
avait admiré de trop belles statues d'après l'antique
pour ne pas s'étonner de l'engouement de la cour pour
cette manière théâtrale, pour ce style forcé, pour ce
pédantisme ultramontain.

Elle avait raison. Heureusement pour la gloire de la
France, le Bernin, voulant aller mourir à Rome, abandonna le Louvre à Charles Perrault. Louis XIV avait
posé la première pierre dans l'idée que la façade du
Bernin serait saluée par les siècles futurs. Mais le sculpteur italien ne laissa rien en France que le souvenir de
son voyage. Il se croyait le prince des sculpteurs, il
n'était que le sculpteur des princes.


## XIV.


Les jardins de Versailles sont le chef-d'œuvre de
ce poëte charmant, mais géométrique, qui s'appelle
Le Nostre.

C'est l'*Art Poétique*, je me trompe, c'est la *Poétique*
des jardins.

Combien de strophes et d'antistrophes ! combien de
poëmes, de sonnets et de madrigaux ! Combien de

petits chefs-d'œuvre dans ce grand chef-d'œuvre! Tout
y est épique, solennel, majestueux comme le grand
roi. Mais où est l'élégie « en longs habits de deuil? »
J'y vois les Grâces, mais je n'y vois pas l'Amour.
Voilà bien le Cupidon suranné des anciens; mais
l'Amour des modernes, né de la passion et de l'imprévu, ce n'est pas ici qu'il irait se nicher. Mademoiselle de La Vallière ne l'a donc pas, un jour de douleur,
crucifié avec elle dans le laurier de Daphné?

Mais voici le labyrinthe. C'est l'œuvre de Le Nostre
sous l'inspiration de mademoiselle de La Vallière —
ce jour-là amoureuse d'après l'antique. — C'est là que
dans ses heures de passion elle se cachait, l'*humble
violette*, comme pour s'y noyer dans la rosée.

Louis XIV, qui disait que le labyrinthe serait son
cabinet d'étude, y voulut les fables d'Ésope coulées en
bronze et expliquées par Benserade.

Le matin, mademoiselle de La Vallière et Louis XIV
se rencontraient dans le labyrinthe; le roi accompagné
de Benserade, la fille d'honneur accompagnée de mademoiselle d'Artigny.

Le roi et sa maîtresse s'y retrouvaient aisément,
mais ils ne retrouvaient pas leur chemin, dès que Benserade et mademoiselle d'Artigny s'attardaient pour
jouer au volant, c'est-à-dire pour se jeter le mot, car
c'étaient deux beaux esprits.

Avec un peu d'imagination, on peut remettre en
scène ces figures évanouies qui, sous la forme d'om-
bres éplorées, ont dû revenir souvent au labyrinthe

devant les deux statues, Ésope et l'Amour, de Le Gros
et de Tuby.

Il est six heures du matin. Toute la cour dort,
hormis le roi, hormis mademoiselle de La Vallière. Le
roi saute par-dessus l'étiquette et va courir les jardins.
Il rencontre son poëte intime qui cherche une rime.
« Je vais vous donner la réplique, monsieur de Benserade : quelle rime vous faut-il? — Sire, une rime à
*Majesté*. — *Beauté!* s'écrie le roi. Voilà tout justement
mademoiselle de La Vallière qui descend au parterre.
Mais cachons-nous, car elle nous fuirait. » Et Benserade, qui n'oublie pas son Virgile, rappelle la belle
fille qui fuit pour engager le combat. Le roi, qui n'entend pas le latin, vante la suprématie de l'art sur la
poésie, qu'il compare à la tour de Babel. Pendant qu'ils
discutent, mademoiselle de La Vallière, qui fuit la
lumière, vient dans le labyrinthe, laissant en chemin
mademoiselle d'Artigny. « Madame, que je suis aise
de cette bonne fortune! — Sire, je ne croyais pas vous
rencontrer si matin. » Benserade rit à la dérobée. « Madame, donnez donc des idées à ce pauvre Benserade.
Voilà huit jours que je lui demande quatre vers pour
cette statue de l'Amour. — Des idées sur l'Amour? dit
mademoiselle de La Vallière, je n'en sais qu'une : c'est
qu'il faut passer à côté de lui sans le regarder. » Et,
disant ces mots, elle s'éloigne. « Oh que nenni! répond le roi. Je vais vous dire la fable. Cet Amour, si
bien sculpté par Tuby, avec son peloton de fil dans la
main, signifie que si le dieu nous jette dans le laby-

rinthe des heureux tourments, il nous donne aussi le fil d'Ariane pour nous retrouver. — Votre fable n'est qu'un mensonge, dit mademoiselle de La Vallière. La vérité, c'est qu'un peloton de fil ne peut pas nous tirer de l'abîme que l'Amour creuse sous nos pieds, où nous tombons avec délices dans un lit de roses et d'où nous ne remontons qu'en nous déchirant aux ronces et aux rochers. — Oh! oh! voilà qui est poétique et profond! s'écrie le roi comme en regardant l'abîme : que dites-vous de cela, Benserade? — Je dis que mademoiselle de La Vallière devine Ésope et le surpasse. — Avec M. de Benserade, je surpasse tout, même Junon, même Hébé, même les Grâces, même les Muses, moi, une pauvre fille, qui ne sais rien, pas même mon cœur! »

Et mademoiselle de La Vallière cueille une branche de lilas pour cacher son front rougissant. Louis XIV s'approche d'elle ; Benserade se détourne discrètement ; on se prend la main, on s'embrasse, on s'embrasse encore. Et tout à coup, pour ne pas inquiéter la vertu de Benserade, on lui parle de ses quatrains, car le poëte traduisait alors Ésope en quatrains, pour expliquer les groupes des fontaines du labyrinthe, qui étaient la traduction en marbre et en bronze des fables d'Ésope.

Benserade conduit le roi et mademoiselle de La Vallière devant chaque fontaine et leur dit ses vers. Quand on applaudit, il salue la statue d'Ésope; quand on trouve la fable mal traduite, il dit que c'est sa faute. « Sire, en voici une qui va vous rappeler votre conseil

des ministres. Vous voyez cette fontaine ; les Rats tien-
nent conseil autour d'un bassin hexagone :

> Le Chat étant des Rats l'adversaire implacable,
> Pour s'en donner de garde un d'entre eux proposa
> De lui mettre un grelot au col ; nul ne l'osa.
> De quoi sert un conseil qui n'est point praticable ?

Le roi reconnaît plus d'un de ses ministres, et même
plus d'un de ses généraux. « Voilà qui est plus curieux, » reprend Benserade, qui osait beaucoup. On
arrivait devant le groupe qui représente les Grenouilles
et Jupiter.

> Une poutre pour roi faisoit peu de besogne,
> Les Grenouilles tout haut en murmuroient déjà.
> Jupiter à la place y mit une cigogne ;
> Ce fut encore pis, car elle les mangea.

Louis XIV aimait les fables politiques. « Je ne sais
pas bien, dit Benserade* cachant sa malice, quelle est
la moralité de celle-ci. » On arrivait devant le bassin

---

* Benserade, le *fablier royal*, a été oublié pour La Fontaine,
le fablier de tout le monde. C'est justice. Toutefois il faut reconnaître, qu'obligé de renfermer dans un cadre si étroit toute une
action, que dis-je ? toute une comédie, il a souvent trouvé le tour,
le trait et la philosophie. Cette fable n'est-elle pas heureusement
traduite ?

> La Grue interrogeoit le Cygne, dont le chant
> Bien plus qu'à l'ordinaire étoit doux et touchant.
> Quelle bonne nouvelle avez-vous donc reçue ?
> C'est que je vais mourir, dit le Cygne à la Grue.

ovale qui représente le Milan formant une gerbe avec
les petits Oiseaux.

Le Milan une fois voulut payer sa fête ;
Tous les petits Oiseaux par lui furent priez ;
Et comme à bien diner l'assistance étoit prête,
Il ne fit qu'un repas de tous les conviez.

Et quand le roi et sa maîtresse ont appris la sagesse
dans Ésope à l'école de Benserade, — ce fou du roi, —
ils lui conseillent de continuer ses quatrains, et vont
admirer avec Le Nostre la salle du bal, qui marque le
voyage en Italie du Raphaël des jardins. « C'est beau,
dit Le Nostre, promenant ses regards de la cascade à
l'amphithéâtre, ce bassin de coquillages, ces goulettes
de marbre, ces vases de métail, ces têtes de bacchantes,
ces mufles de lion, ces torchères, ces rampes, ces
niches dans les charmilles, enfin ce beau groupe d'a-
près l'antique. C'est beau. » Et, planté devant son
œuvre comme un point d'admiration, le grand jardinier ne s'aperçoit pas que les amoureux sont déjà dans
la charmille voisine.

Dans le tableau de la cour de Louis XIV, il faut
peindre la figure de Le Nostre à l'ombre d'un de ses
quinconces. Le bonhomme Le Nostre ne fut pas seulement un homme de génie dans l'art de sculpter la nature, ce fut un caractère. Quand le roi lui donna des
lettres de noblesse, il voulut lui donner des armes.
« Non, Sire, je ne suis pas comme ces nouveaux marquis, lesquels avec leurs armoiries semblent promener
les enseignes de leurs anciennes boutiques. » Il fit,

comme tous les artistes, le voyage d'Italie, où il croyait
trouver des maîtres; « il n'y trouva que des admira-
teurs. » Le pape Innocent XI, qui avait vu les dessins
du parc de Versailles, lui dit qu'il était le Michel-Ange
des jardins. « J'ai vu, dit Le Nostre, pour répondre
au compliment, les deux plus grands hommes de la
terre, Sa Majesté Louis XIV et Sa Sainteté Innocent XI.
— Il y a grande différence, reprit humblement le pontife : le roi est un grand prince victorieux ; je suis un
pauvre prêtre, serviteur des serviteurs de Dieu. » Le
Nostre frappa familièrement, comme par bonne amitié,
sur l'épaule du pape : « Mon révérend Père, vous vous
portez bien, et vous enterrerez tout le sacré collége. »
Le saint-père, qui avait peur de mourir, trouva que
c'était le plus beau compliment. Il demanda au jardinier de Versailles ce qu'il pourrait lui offrir qui lui fût
agréable. « Donnez-moi des passions. » Le pape, qui
était un homme d'esprit comme tous les papes, prit
dans sa bibliothèque un livre doré sur tranche, qu'il
remit gracieusement aux mains de Le Nostre : c'étaient
les passions des quatre Évangélistes. Quand Le Nostre
fut de retour à Versailles, il conta à Louis XIV que le
pape l'avait mieux reçu qu'aucun de ses ambassadeurs,
et lui avait donné des passions qui valaient bien les
passions du roi : « Mais, rassurez-vous, Sire, il ne
m'a pas ôté la passion de faire le bien. » Et il montra
son livre avec orgueil : « Qui sait? ajouta-t-il, quand
on ne pourra plus cultiver son jardin, on apprendra
peut-être à lire là-dedans. »

Le Nostre mourut la bêche à la main, comme un vrai gentilhomme sous les armes, fier de ses œuvres, pouvant dire en regardant une dernière fois les plates-bandes de son jardin :

Tout bosquet est un temple et tout marbre est un dieu.

Le grand jardinier avait travaillé comme si les dieux de l'Olympe dussent se promener dans ses allées. Quelle main hardie et quelle imagination grandiose dans le dessin du jardin des Tuileries, de la terrasse de Saint-Germain, du portique de Marly, des parterres d'eau de Versailles, des treillages de Chantilly ! Louis XIV avait étendu son despotisme jusque sur la nature. Le Nostre la subjugua à force de génie et d'amour *.

Quand Louis XIV revenait de la guerre, Le Nostre l'embrassait à franche accolade en lui disant : « C'est là-bas qu'est la victoire, c'est ici que poussent les lauriers. » Et il couronnait pieusement son maître avec les lauriers qu'il avait cultivés.

Le Nostre aimait mademoiselle de La Vallière et n'aimait pas madame de Montespan. Mademoiselle de La Vallière respirait les roses qu'il lui présentait ; madame de Montespan les effeuillait d'une main dédai-

---

* Quand il dessina, sous les yeux de Louis XIV, les jardins de Versailles avec son léger crayon qui était comme la baguette des fées, le roi l'interrompit jusqu'à trois fois pour lui dire : « Le Nostre, je vous donne vingt mille livres. » A la quatrième interruption, Le Nostre s'écria brusquement : « Sire, Votre Majesté n'en saura pas davantage, car je la ruinerais. »

gneuse. La première aimait la poésie des jardins, et mouillait son pied dans la rosée ; la seconde ne se promenait jamais qu'en chaise, dans une haie de courtisans. Aussi, quand Le Nostre parlait au roi du célèbre labyrinthe, il s'écriait toujours sans le vouloir : « Sire, c'était le beau temps ! On se levait matin, on n'avait pas peur du brouillard, on s'aimait à perte de vue. » Le roi souriait et songeait que Le Nostre avait peut-être raison.

Mademoiselle de La Vallière avait-elle songé, en inspirant le labyrinthe à Le Nostre, que son labyrinthe, à elle, c'était sa passion ténébreuse, comme la forêt de Diane, d'où elle ne devait sortir que pour voir la lumière divine ?

## XV.

Toutes les descriptions incroyables des contes de fées sur les palais des génies ne rappellent que de loin les merveilles des fêtes de Louis XIV. Il est à remarquer d'ailleurs que Charles Perrault et madame d'Aulnoy ont écrit leurs contes au temps des féeries du grand roi. Mais quel est le conte qui puisse lutter avec les *Plaisirs de l'île enchantée*, qui ont pour ainsi dire inauguré Versailles pendant sept jours ? Louis XIV voulait-il débrouiller le chaos de son cœur[*]?

---

[*] « Ces fêtes, si supérieures à celles qu'on invente dans les

L'histoire dit que ces fêtes furent données par le roi à la reine ; la reine, ces jours-là, c'était mademoiselle de La Vallière. On était encore aux primevères de l'amour ; le roi croyait n'avoir pas assez prouvé à sa maîtresse qu'il était plus magnifique que Fouquet. La fête de Vaux n'avait duré qu'un jour, la fête de Versailles devait durer toute une semaine ; Fouquet avait eu Molière pour poëte dramatique et Le Brun pour décorateur ; le roi eut Corneille, Lulli, Quinault, Molière et Vigarini. Vigarini n'était pas un grand peintre comme Le Brun, mais il élevait des palais comme par enchantement. Mademoiselle de La Vallière, qui aimait l'Arioste, conseilla le palais d'Alcine. La belle romanesque trouvait charmant de vivre quelques jours dans les belles imaginations du poëte italien.

Peindrai-je le palais merveilleux ? Le roi représenta Roger, et portait une cuirasse d'argent couverte de riches broderies d'or et d'argent ; le duc de Noailles représenta Oger le Danois ; le duc de Guise, Aquilant le Noir ; le comte d'Armagnac, Griffon le Blond ; le duc de Foix, Renaud ; le duc d'Orléans, Rolland ; le marquis de La Vallière, Zerbin. Tous portaient sur leur

romans, durèrent sept jours. Le roi remporta quatre fois le prix des jeux, et laissa disputer ensuite aux autres chevaliers les prix qu'il avait gagnés, et qu'il leur abandonnait. » VOLTAIRE.

Le récit de ces fêtes magiques a été recueilli dans les éditions primitives des œuvres de Molière, comme pour expliquer la *Princesse d'Élide*.

écu des vers de Benserade; le poëte avait osé faire ce
quatrain pour le roi :

> Quelque beaux sentiments que la gloire nous donne,
> Quand on est amoureux au souverain degré,
> Mourir entre les bras d'une belle personne
> Est de toutes les morts la plus douce à mon gré.

Mais le roi ne voulut pas que ces vers amoureux
fussent pour lui. Il les donna au marquis de La Vallière.

Peindrai-je le char gigantesque tout éclatant d'or et
d'azur d'où sortit Apollon tout radieux, comme aux
jours des jeux Pythiens, ayant à ses pieds quatre figures
représentant les quatre Ages du monde? Dans le char,
toutes les femmes aimées d'Apollon; sur une roue, la
Fortune une main sur les yeux; sur l'autre roue, le
Temps armé de la faux. Huit chevaux altiers, couverts
de housses semées de soleils d'or, piaffaient et hen-
nissaient attelés au char; les douze Heures du jour et
les douze Signes du zodiaque, très-richement habillés
dans le plus pur style olympien, formaient la haie.

Sur un signal, les chevaux partirent. Apollon vint
saluer le roi; les quatre Ages du monde lui firent leur
compliment en vers alexandrins; Apollon lui-même prit
la parole; après quoi la course de bague commença.
Ce fut le marquis de La Vallière qui gagna le prix, quoique le roi l'eût disputé bien longtemps. La reine lui
donna de sa main une épée d'or enrichie de diamants.
Les Heures et les Signes du zodiaque se mirent à danser, sur la musique de Lulli, une des plus belles en

trées de ballet qui aient été imaginées. Le Printemps
y parut sur un cheval d'Espagne en habit vert brodé
d'argent et de fleurs naturelles : c'était mademoiselle
du Parc. L'Été vint sur un éléphant, l'Automne sur un
chameau, et l'Hiver sur un ours : c'étaient Béjart,
La Thorillière et du Parc, qui ce jour-là jouaient cette
comédie difficile.

Le spectacle changea : après le ballet, les Saisons
se multiplièrent; douze figures printanières vinrent
apporter des corbeilles pleines de confitures ; douze
figures de Moissonneuses suivaient, portant des fruits
dans leurs paniers ; venaient ensuite douze Vendan-
geuses habillées de feuilles de vigne et de grappes de
raisin; enfin cette galante mascarade était complétée
par douze Vieillards gelés, couverts de neige, qui ap-
portaient des glaces pour achever la collation. On craignait déjà de souper trop légèrement, quand tout
à coup, par l'artifice de Vigarini, une montagne,
une vraie montagne, s'approcha de la compagnie et
s'entr'ouvrit pour étaler le festin le plus splendide
qu'on eût jamais vu à la table des rois et des dieux [*].

---

[*] Madame de Montespan était déjà de cette fête. On la mit à
la table d'honneur parmi les femmes de la reine.

Voici l'ordre des convives de cette table « servie par les Plaisirs,
les Jeux, les Ris et les Délices ».

La Reine mère, assise au milieu, avait à sa droite :

| | |
|---|---|
| Le Roi. | M^lle d'Elbeuf. |
| M^lle d'Alençon. | M^me de Béthune. |
| M^me la Princesse. | M^me la duchesse de Créqui. |

Le second jour, ce fut Molière qui fut le héros des plaisirs de l'Ile enchantée par la représentation de la *Princesse d'Élide.* Il y joua le rôle de Moron, mademoiselle Molière joua le rôle de la Princesse.

Selon Voltaire, « la comédie de la *Princesse d'Élide,* quoiqu'elle ne soit pas une des meilleures de Molière, fut un des plus agréables ornements de ces jeux, par une infinité d'allégories fines sur les mœurs du temps, et par des à-propos qui font l'agrément de ces fêtes, mais qui sont perdus pour la postérité. »

Le poëte du *Cid,* l'austère Corneille lui-même, daigna amener sa muse au milieu de ces fêtes de

| | |
|---|---|
| Monsieur. | M<sup>me</sup> de Humières. |
| M<sup>me</sup> la duchesse de Saint-Aignan. | M<sup>lle</sup> de Brancas. |
| M<sup>me</sup> la maréchale du Plessis. | M<sup>me</sup> d'Armagnac. |
| M<sup>me</sup> la maréchale d'Étampes. | M<sup>me</sup> la comtesse de Soissons. |
| M<sup>me</sup> de Gourdon. | M<sup>me</sup> la princesse de Bade. |
| M<sup>me</sup> DE MONTESPAN. | M<sup>lle</sup> de Grançay. |

De l'autre côté étaient assises :

| | |
|---|---|
| La Reine. | Madame. |
| M<sup>me</sup> de Carignan. | M<sup>me</sup> la princesse Bénédictine. |
| M<sup>me</sup> de Flaix. | M<sup>me</sup> la Duchesse. |
| M<sup>me</sup> la duchesse de Foix. | M<sup>me</sup> de Rouvroy. |
| M<sup>me</sup> de Brancas. | M<sup>me</sup> de La Mothe. |
| M<sup>me</sup> de Froullay. | M<sup>me</sup> de Marsé. |
| M<sup>me</sup> la duchesse de Navailles. | M<sup>lle</sup> DE LA VALLIÈRE. |
| M<sup>lle</sup> d'Ardennes. | M<sup>lle</sup> d'Artigny. |
| M<sup>lle</sup> de Coëtlogon. | M<sup>lle</sup> de Bellay. |
| M<sup>me</sup> de Crussol. | M<sup>lle</sup> de Dampierre. |
| M<sup>me</sup> de Montausier. | M<sup>lle</sup> de Fiennes. |

cour; tout le monde sait qu'il fut de moitié dans la
galanterie de *Psyché :*

> Quoi! je dis et redis tout haut que je vous aime,
> Et vous ne dites pas, Psyché, que vous m'aimez?

Psyché, n'est-ce pas mademoiselle de La Vallière que
Molière, dans la *Princesse d'Élide,* va comparer à Diane
par la bouche d'Euryale embrasé de l'amour du roi :

> Je vis tous les appas dont elle est revêtue,
> Mais de l'œil dont on voit une belle statue.
> Sa brillante jeunesse observée à loisir
> Ne porta dans mon âme aucun secret désir.
> On publie en tous lieux que son âme hautaine
> Garde pour les amours une invincible haine,
> Et qu'un arc à la main, sur l'épaule un carquois,
> Comme une autre Diane elle hante les bois.

Molière va maintenant conseiller l'amour à la
Diane invulnérable : c'est Cynthie, cousine de la princesse, qui lui parle : je me trompe, c'est mademoiselle
d'Artigny.

> Jusques à quand ce cœur veut-il s'effaroucher
> Des innocents desseins qu'on a de le toucher,
> Et regarder les soins que pour vous on se donne
> Comme autant d'attentats contre votre personne?
> Je sais qu'en défendant le parti de l'amour,
> On s'expose chez vous à faire mal sa cour.
> Est-il rien de plus beau que l'innocente flamme
> Qu'un mérite éclatant allume dans mon âme?
> Et serait-ce un bonheur de respirer le jour,
> Si d'entre les mortels on bannissait l'amour?
> Non, non, tous les plaisirs se goûtent à le suivre;
> Et vivre sans aimer, n'est-ce pas ne pas vivre?

10.

Voici la prose après les vers, Molière après Corneille : c'est toujours Cynthie qui prêche :

« Il est vrai, madame, que ce jeune prince a fait voir une adresse non commune, et que l'air dont il a paru a été quelque chose de surprenant. Il sort vainqueur de cette course ; mais je doute fort qu'il en sorte avec le même cœur qu'il y a porté ; car enfin vous lui avez tiré des traits dont il est difficile de se défendre ; et, sans parler de tout le reste, la grâce de votre danse et la douceur de votre voix ont eu des charmes aujourd'hui à toucher les plus insensibles. »

La princesse masque son cœur :

« Pouvez-vous bien prononcer ces paroles, et ne devez-vous pas rougir d'appuyer une passion qui n'est qu'erreur, que foiblesse et qu'emportement, et dont tous les désordres ont tant de répugnance avec la gloire de notre sexe ? J'en prétends soutenir l'honneur jusqu'au dernier moment de ma vie, et ne veux point du tout me commettre à ces gens qui font les esclaves auprès de nous pour devenir un jour nos tyrans. Toutes ces larmes, tous ces soupirs, tous ces hommages, tous ces respects, sont des embûches qu'on tend à notre cœur, et qui souvent l'engagent à commettre des lâchetés. Pour moi, quand je regarde certains exemples et les bassesses épouvantables où cette position ravale les personnes sur qui elle étend sa puissance, je sens tout mon cœur qui s'émeut, et je ne puis souffrir qu'une âme qui fait profession d'un peu de fierté ne trouve pas une honte horrible à de telles foiblesses. »

On voit que les deux poëtes préparaient au vainqueur une difficile conquête. Cependant Euryale est plus amoureux que jamais. Comme il peint bien le chant et la danse de sa beauté (mademoiselle de La Vallière chantait et dansait Lulli avec une grâce divine) :

« Ah ! Moron, je te l'avoue, j'ai été enchanté, et jamais tant de charmes n'ont frappé tout ensemble mes yeux et mes oreilles. Elle est adorable en tout temps, il est vrai, mais ce moment l'a emporté sur tous les autres, et des grâces nouvelles ont renouvelé l'éclat de ses beautés. Jamais son visage ne s'est paré de plus vives couleurs. La douceur de sa voix a voulu se faire paroître dans un air tout charmant qu'elle a daigné chanter ; et les sons merveilleux qu'elle formoit passoient jusqu'au fond de mon âme et tenoient tous nos sens dans un ravissement à ne pouvoir en revenir. Elle a fait éclater ensuite une disposition toute divine ; et ses pieds amoureux, sur l'émail d'un tendre gazon, traçoient d'aimables caractères qui m'enlevoient hors de moi-même, et m'attachoient par des nœuds invincibles aux doux et justes mouvements dont tout son corps suivoit les mouvements de l'harmonie. Enfin, jamais âme n'a eu de plus puissantes émotions que la mienne ; et j'ai pensé plus de vingt fois oublier ma résolution, pour me jeter à ses pieds et lui faire un aveu sincère de l'ardeur que je sens pour elle. »

Vient la grande scène d'amour entre Euryale et la Princesse. « Il faut que le miracle éclate aux yeux de tout le monde ! » dit Euryale, décidé à braver l'univers.

Dans les intermèdes, c'est toujours l'amour qui parle :

CLIMÈNE.

Chère Philis, dis-moi, que crois-tu de l'amour ?

PHILIS.

Toi-même, qu'en crois-tu, ma compagne fidèle ?

CLIMÈNE.

On m'a dit que sa flamme est pire qu'un vautour,
Et qu'on souffre, en aimant, une peine cruelle.

PHILIS.

On m'a dit qu'il n'est point de passion plus belle,
Et que ne pas aimer, c'est renoncer au jour.

LE CHOEUR.

Songez de bonne heure à suivre
Le plaisir de s'enflammer ;
Un cœur ne commence à vivre
Que du jour qu'il sait aimer.
Quelque fort qu'on s'en défende,
Il y faut venir un jour ;
Il n'est rien qui ne se rende
Aux doux charmes de l'amour.

· Tout finissait déjà par des chansons. O Corneille !
vieux Romain égaré à cette cour affolée ! ô Molière,
vert Gaulois qui riais si haut des niaiseries de l'hôtel
Rambouillet et des jactances des marquis de l'OEil-de-
bœuf ! vous aussi, vous avez bu à cette coupe légère où
le vin de Champagne chantait les gaietés de l'amour
sans horizons.

Que dirai-je des autres jours ? Une belle fête doit
avoir un lendemain, mais déjà le surlendemain ennuie
les plus ardents ; l'homme est né pour le travail, même
l'homme de cour. Aussi quand le sixième jour arriva,
Molière, hasardant trois actes de *Tartuffe,* ne réussit
qu'à moitié ; le roi commençait à regretter les promenades solitaires à Fontainebleau, où il rencontrait par
hasard mademoiselle de La Vallière ; la belle amoureuse, qui aimait à se cacher, commençait à souffrir de tout ce bruit et de tout cet éclat. Le septième
jour, quand le roi eut gagné le prix de la course des
dames, elle dit à son amant : « Si j'ai bien compté,
voilà sept siècles que nous ne nous connaissons plus. »

## XVI.

La guerre vint ouvrir une phase sérieuse dans cette histoire décaméronesque.

Avant de partir pour l'armée, le roi envoya un édit au parlement, par lequel il créait duchesse mademoiselle de La Vallière et reconnaissait sa fille mademoiselle de Blois *. Loin de s'enorgueillir de ce titre de duchesse, elle baissa la tête pour porter sa couronne. « Je me cacherai un peu plus, » écrivait-elle le lendemain à son frère.

On la trouvait bien heureuse d'avoir mis au jour une fille de France ; mais elle était bien malheureuse de montrer ainsi à la France tout entière qu'elle vivait en dehors des lois du monde et des lois de l'Église. Et puis, ne pressentait-elle pas que le jour des faveurs inespérées est la veille de la chute ?

Ce fut Pellisson, redevenu courtisan, qui rédigea le très-curieux préambule de l'édit qui créait duchesse mademoiselle de La Vallière :

« Les bienfaits que les rois exercent dans leurs États

---

* Voici la version de mademoiselle de Montpensier : « Avant que le roi partît de Paris, il avoit déclaré une fille de mademoiselle de La Vallière, et lui avoit acheté une terre, et l'on commença à l'appeler madame la duchesse de La Vallière. Elle étoit allée à Versailles lorsque le roi étoit parti, et avoit avec elle mademoiselle Marianne : c'étoit le nom de la petite fille que le roi avoit reconnue, qui parut publiquement chez madame Colbert.

» étant la marque extérieure du mérite de ceux qui
» les reçoivent, et le plus glorieux éloge des sujets qui
» en sont honorés, nous avons cru ne pouvoir mieux
» exprimer, dans le public, l'estime toute particulière
» que nous faisons de la personne de notre très-chère,
» bien-aimée et très-féale Louise-Françoise de La Val-
» lière, qu'en lui conférant les plus hauts titres d'hon-
» neur qu'une affection très-singulière, excitée dans
» notre cœur par une infinité de rares perfections,
» nous a inspirée depuis quelques années en sa faveur,
» et quoique sa modestie se soit souvent opposée au
» désir que nous avions de l'élever plus tôt dans un
» rang proportionné à notre estime et à ses bonnes
» qualités, néanmoins, l'affection que nous avons pour
» elle, et la justice ne nous permettant pas de différer
» les témoignages de notre reconnoissance pour un
» mérite qui nous est si connu, ni de refuser plus
» longtemps à la nature les effets de notre tendresse
» pour Marie-Anne, notre fille naturelle, en la per-
» sonne de sa mère, nous lui avons fait acquérir de
» nos deniers la terre de Vaujour, située en Touraine,
» et la baronnie de Saint-Christophe, en Anjou, qui
» sont deux terres également considérables par leur
» revenu et par le nombre de leurs mouvances. Mais
» faisant réflexion qu'il manqueroit quelque chose à
» notre grâce, si nous ne rehaussions les valeurs de
» ces terres par un titre qui satisfasse tout ensemble à
» l'estime qui provoque notre libéralité et au mérite
» du sujet qui la reçoit; mettant d'ailleurs en considé-

» ration que notre chère et bien-aimée Louise-Françoise
» de La Vallière est issue d'une maison très-noble et
» très-ancienne, et dont les ancêtres ont donné en
» diverses occasions importantes des marques signalées
» de leur zèle au bien et avantage de cet État, et de
» leur valeur et expérience dans le commandement
» des armées... »

A ces causes, causes indiscutables, le roi nommait
mademoiselle de La Vallière duchesse de Vaujour.
Mais elle garda son nom.

## XVII.

Cependant le roi partit pour la guerre, accompagné
de son historiographe. Ce n'était ni Boileau, ni Racine.
C'était Van der Meulen *.

* On peut reprocher à Van der Meulen de n'avoir pas ce beau
désordre qui, dans les batailles, est un effet de l'art; mais il répondra qu'il a le mouvement sans le désordre. Il répondra surtout
qu'il n'est qu'un simple historien des guerres souvent paci-
fiques du grand roi. Mais il le faut louer beaucoup de la transparence de son coloris, de l'élégance toute française de son dessin
flamand, de ses horizons aérés, de ses ciels vaporeux. Ses chevaux ne prennent pas le mors aux dents, mais ce sont de
braves chevaux, d'une excellente structure, qui portent bien
leur homme. Au premier aspect il semble uniforme, mais en
l'étudiant on le trouve très-varié. Il est toujours fertile à renouveler ses effets.

Le peintre des batailles mourut du mal de Molière, à la guerre
de l'amour. Il aimait sa femme, et il était resté sur ce point trop

Van der Meulen fut appelé en France par Colbert,
sur le conseil de Le Brun, qui voulait « rabattre le caquet
du Paroccel. »

Quand Van der Meulen fut prié par Louis XIV de
l'accompagner à la conquête des Flandres, il ne fit pas
la belle réponse de Callot à Louis XIII qui voulait que
l'artiste lorrain éternisât par son génie le souvenir de
cette conquête : « Je me couperois plutôt la main que
de faire quelque chose de contraire à l'honneur de
mon pays. » Van der Meulen croyait que l'art n'a
pas de patrie.

C'est grâce à cet oubli de soi-même que nous pouvons aujourd'hui, bien moins que dans les poëtes
comme Boileau, que dans les prosateurs comme Voltaire, lire page par page les campagnes de Louis XIV
en Flandre et en Franche-Comté, ses chasses à Fontainebleau, ses promenades à Versailles. Van der Meulen est l'historien tour à tour épique et familier du
grand roi. Je me trompe, l'historien épique c'est
Le Brun dans les *Batailles d'Alexandre;* l'historien familier c'est Paroccel. Le peintre flamand est l'historiographe.

On se demande, quand on aborde Van der Meulen,

Flamand pour comprendre les belles mœurs parisiennes. Toute sa
philosophie ne put le consoler des trahisons de cette coureuse
d'aventures. En vain le roi lui donna-t-il les richesses et les
honneurs. A quoi bon s'il n'y a pas au coin du feu une honnête
femme qui vous attend le soir pour vous dire que vous n'avez
pas perdu votre journée?

s'il a été le peintre de la vérité ou de la fantaisie en représentant ces parades, ces manœuvres, ces escarmouches où ne palpite pas l'âme des batailles. Mais c'était ainsi qu'on faisait la guerre. Les sauvages héroïsmes de 1792, quand la patrie était en danger, ont bien effacé ces guerres toutes souriantes de Louis XIV où l'on prenait son temps pour dîner, pour dîner comme à la cour : vaisselle d'argent et vin de Champagne, car Turenne avait été le dernier Spartiate avec ses assiettes de fer et son bœuf aux choux arrosé de piquette ou de cidre. Van der Meulen peignait donc ce qu'il voyait, très-heureux, pour sa palette flamande, des beaux uniformes chamarrés d'or et d'argent. Le roi-soleil passait, tout or, au milieu de ses mousquetaires en casaque bleue à lames d'argent, suivi de ses chevau-légers en casaques rouges, plumes blanches au vent. Quel beau spectacle, non pour un philosophe, mais pour un peintre qui cherche le cliquetis des couleurs dans le cliquetis des armes !

Van der Meulen a peint plus de cinquante batailles, c'était souvent la même, prise de face ou de profil. Le roi ne se plaignit jamais de cette prolixité. « C'est cela, disait-il; je me retrouve. » Le peintre n'oubliait jamais de bien placer le roi, sans doute en bon courtisan, peut-être pour donner plus d'accent à sa bataille. Louis XIV vantait souvent le talent de Van der Meulen. « Sire, lui dit un jour l'artiste, si j'ai du talent, c'est que vous me dispensez des frais d'imagination. Vous faites le tableau, et je le peins. »

## XVIII.

Le roi s'ennuya bientôt de gagner des batailles sans être en spectacle pour les femmes. Mars s'ennuya de ne pas voir Vénus. Il écrivit à la reine, sachant bien que, si la reine partait, mademoiselle de La Vallière arriverait. Le roi ne se trompait pas. Quoique mademoiselle de La Vallière ne fût mandée ni par le roi ni par la reine, elle arriva la première; ce fut la seule fois où sa passion prit le mors aux dents.

Il est bien difficile de savoir aujourd'hui comment madame de La Vallière alla voir le roi à l'armée de Flandres. Pourquoi ne fut-elle pas du carrosse de la reine? Comment arriva-t-elle avant la reine et en regard de la reine? Selon quelques versions, on la voit partir avec la reine et madame de Montespan; selon quelques autres, elle part toute seule, déchaînée dans sa passion, abandonnant sa fille à madame Colbert, décidée aux aventures, elle qui jusque-là avait voulu cacher sa vie. A Guise, elle aura songé à être seule pour aborder le roi, afin que son premier mot fût un mot passionné; dès que cette belle armée de Louis XIV, tout éblouissante au soleil, aura frappé ses yeux, ne se possédant plus, bravant l'étiquette, que dis-je? bravant la reine, elle aura ordonné à son cocher de couper les chevaux de Marie-Thérèse et d'arriver au roi comme le vent.

Louis XIV, qui voyait venir avec la plus vive curiosité les femmes de la cour, ne comprit pas bien pourquoi un carrosse dépassait au grand galop celui de la
reine ; il s'imagina que les chevaux avaient pris le
mors aux dents. Ils allaient à travers champs sans
souci des routes battues. « Voilà un carrosse, dit-il
tout haut, qui ne viendra pas jusqu'ici. » Il se trompait : le carrosse arriva. (La reine était de plus de cinq
minutes en arrière.) Comme toutes les glaces étaient
baissées, le roi reconnut tout de suite mademoiselle
de La Vallière ; mais ne l'avait-il pas reconnue même
avant de l'apercevoir ? Il se détacha des cavaliers qui
l'entouraient, non pas pour aller entendre le mot passionné, — cette première parole qui devait être comme
un baiser, — de celle qui mourait de ne plus le voir,
mais pour lui dire sévèrement ces cinq mots qu'elle
n'oublia jamais : « Quoi ! madame, avant la reine ! »

Le roi voulait avoir raison, même dans son amour.

Vaut-il mieux croire mademoiselle de Montpensier :
« Au sortir de Compiègne, nous allâmes à La Fère.
Pendant que la reine jouoit le soir, je vis que tout le
monde se parloit bas, avec des manières mystérieuses.
Je m'en allai à ma chambre, où je débrouillai toutes
ces petites façons : j'appris que madame de La Vallière arrivoit le lendemain. C'étoit justement ce qui
intriguoit la reine : elle étoit chagrine de ce retour.
Le lendemain, je fus habillée de bon matin. Je fus
surprise de trouver dans son antichambre madame la
duchesse, sa belle-sœur, la marquise et madame du

Roure [*], assises sur des coffres; elles me saluèrent et
me dirent qu'elles étoient si lasses qu'elles ne pouvoient plus se soutenir, qu'elles n'avoient pas dormi
de toute la nuit. Je leur demandai si elles avoient vu
la reine; elles me dirent que non. J'entrai dans son
cabinet, je la trouvai tout en larmes. Madame de Montespan se récrioit et admiroit sa hardiesse : « Dieu me
garde d'être maîtresse du roi! Si j'étois assez malheureuse pour cela, je n'aurois jamais l'effronterie
de me présenter devant la reine. » La reine défendit
à tous les officiers des troupes de son escorte de laisser partir le lendemain qui que ce soit devant elle,
afin qu'elle ne pût pas approcher du roi devant qu'elle
ne l'eût vu. Quand madame de La Vallière fut sur une
hauteur d'où elle voyoit l'armée, elle comprit que le
roi y devoit être; elle fit aller son carrosse à travers
les champs à toute bride; la reine le vit : elle fut ten-
tée de l'envoyer arrêter et se mit dans une effroyable
colère. Lorsque le roi fut arrivé au carrosse de la
reine, elle le pressa extrêmement d'y entrer; il ne
le voulut pas, disant qu'il était crotté. Après qu'on
eut mis pied à terre, le roi fut un moment avec la
reine et s'en alla aussitôt chez madame de La Vallière,
qui ne se montra pas ce soir-là. Le lendemain elle
vint à la messe dans le carrosse de la reine; quoiqu'il fût plein : on se pressa pour lui faire place; elle

---

[*] C'est mademoiselle d'Artiguy que les mémoires du temps
appellent tour à tour comtesse du Roure ou du Roule.

dîna avec la reine à son ordinaire, avec toutes les dames. »

Ainsi le roi ne fut pas longtemps le roi devant mademoiselle de La Vallière. L'amour le rejeta à ses pieds; et sans doute on lui fit payer un peu cher les humiliations subies durant le voyage.

L'historiographe du roi a peint l'arrivée de la reine et des dames de la cour, mais dans l'ordre officiel. Et pourtant quel mouvement cette vaillante équipée de mademoiselle de La Vallière eût donné à son tableau!

Selon mademoiselle de Montpensier, c'est à ce voyage qu'il faut marquer la date de l'avénement de la marquise de Montespan, celle-là qui s'indignait si haut. « Madame de Montespan me pria de tenir notre jeu; elle s'en alloit demeurer dans sa chambre, qui étoit l'appartement de madame de Montausier, proche de celle du roi, et l'on avoit remarqué qu'on avoit ôté une sentinelle que l'on avoit mise jusque-là dans un degré qui avoit communication du logement du roi à celui de madame de Montausier, et elle fut mise en bas pour empêcher que personne n'entrât par l'escalier. Le roi demeuroit dans sa chambre quasi toute la journée, qu'il fermoit sur lui, et madame de Montespan ne venoit pas jouer et ne suivoit pas la reine lorsqu'elle alloit se promener, comme elle avoit accoutumé de faire. Après que les trois jours furent passés, le roi s'en alla avec son armée d'un côté et nous de l'autre. La première journée, nous fûmes coucher à Vervins, la deuxième à Notre-Dame de Liesse. Madame de La Vallière, qui revenoit avec nous, alla à confesse et madame de Montespan aussi. »

O l'admirable moralité ! elles allèrent toutes les deux à confesse, celle qui avait régné à côté de la reine et celle qui allait régner à la place de la reine.

## XIX.

J'ai conté la première fête donnée par Louis XIV à mademoiselle de La Vallière. Je vais dire la dernière, qui fut le dernier beau jour de la blonde amoureuse.

On a parlé pendant plus d'un siècle de la fête donnée par Louis XIV en 1668, le mercredi 18ᵉ jour du mois de juillet. Ce fut la fête de la victoire, la fête de la paix, la fête de l'amour. Mademoiselle de La Vallière était encore la souveraine.

L'histoire officielle dit que ce fut le roi qui ordonna; l'histoire intime dit que mademoiselle de La Vallière mit beaucoup de son imagination dans cette féerie incomparable. Le duc de Créqui s'entendit avec Molière pour la comédie, le maréchal de Bellefonds dirigea la collation et le souper; Colbert fut l'architecte de ces palais d'un jour et l'artificier de ce soleil d'une nuit. Mais tous les trois prirent les idées de celle-là qui commandait encore. Molière n'eut pas besoin de tenir conseil, il se contenta, comme on verra tout à l'heure, de rimer des vers amoureux dans les intermèdes de

*Georges Dandin.* Il savait bien que l'amour était le roi
de la fête et que Louis XIV serait le roi de l'amour.

Mais voyons l'œuvre du maréchal-cuisinier. Dans
un des bassins du labyrinthe il avait dressé cinq buffets surchargés de toutes les merveilles de la gour-
mandise. Les contes de fées de Perrault étaient dé-
passés. « L'une des tables représentoit une montagne,
où, dans plusieurs espèces de cavernes, on voyoit diverses sortes de viandes froides; l'autre étoit comme
la face d'un palais bâti de massepains et pâtes sucrées.
Il y en avoit une chargée de pyramides de confitures
sèches, une autre d'une infinité de vases remplis de
toutes sortes de liqueurs; et la dernière étoit composée
de caramels. Toutes ces tables, dont les plans étoient
ingénieusement formés en divers compartiments,
étoient couvertes d'une infinité de choses délicates, et
disposées d'une manière toute nouvelle; leurs pieds
et leurs dossiers étoient environnés de feuillages, mêlés
de festons de fleurs, dont une partie étoit soutenue par
des bacchantes. Du milieu de ces tables s'élevoit un
jet d'eau de plus de trente pieds de haut, dont la chute
faisoit un bruit très-agréable; de sorte qu'en voyant
tous ces buffets d'une même hauteur, joints les uns
aux autres par les branches d'arbres et les fleurs dont
ils étoient revêtus, il sembloit que ce fût une petite
montagne du haut de laquelle sortît une fontaine. »

Le roi, la reine, toute la cour s'arrêta devant cette
collation olympienne. Après avoir touché à tout, mais
avec la légèreté des abeilles sur les sainfoins, « la

11

cour abandonna les tables au pillage des gens qui suivoient; et la destruction d'un arrangement si beau
servit encore d'un divertissement agréable à toute la
cour, par l'empressement et la confusion de ceux qui
démolissoient ces châteaux de massepains et ces montagnes de confitures. »

Mais ce n'était que le commencement. On alla au
théâtre, qui était couvert de feuillée au dehors, et
au dedans paré de riches tapisseries de haute lisse.
« Du haut du plafond pendoient trente-deux chandeliers de cristal, portant chacun dix bougies de cire
blanche. Autour de la salle étoient des siéges dispo-
sés en amphithéâtre. L'ouverture du théâtre étoit de
trente-six pieds, et, de chaque côté, il y avoit deux
grandes colonnes torses de bronze et de lapis, environ-
nées de branches et de feuilles de vigne d'or; elles
étoient posées sur des piédestaux de marbre, et por-
toient une grande corniche aussi de marbre, dans le
milieu de laquelle on voyoit les armes du roi sur un
cartouche doré accompagné de trophées; l'architecture étoit d'ordre ionique. Entre chaque colonne il y
avoit une figure : celle qui étoit à droite représentoit la
Paix, et celle qui étoit à gauche figuroit la Victoire. »

Quand se leva la toile qui masquait le théâtre, ce fut
comme un songe : des perspectives imprévues, des
chandeliers jetant des lumières d'eau vive, des fontaines versant du vin de Champagne, avec des coupes
d'or et d'argent à la dérive.

Le roi seul ne fut pas surpris d'une telle magnificence. On lui eût ouvert le ciel même, qu'il se fût imaginé être encore chez lui.

Vint le tour de Molière : on l'applaudit beaucoup de la main, de l'éventail et de la voix, quand on le vit venir sous l'habit de Georges Dandin. On applaudit beaucoup ses vers des intermèdes ; de mauvais vers ; je me trompe, des vers d'occasion, écrits pour être chantés, mais pourtant écrits çà et là pour être entendus ; par exemple, ceux-ci :

> Pourquoi faut-il qu'un tyrannique honneur
> Tienne notre âme en esclave asservie ?

Et plus loin, ne fit-il pas un peu rougir mademoiselle de La Vallière, car tout le monde la regardait un peu quand Climène chanta :

> Ah ! qu'il est doux, belle Silvie,
> Ah ! qu'il est doux de s'enflammer !
> Il faut retrancher de la vie
> Ce qu'on en passe sans aimer.

Et surtout lorsque Chloris répliqua :

> Ah ! les beaux jours qu'amour nous donne,
> Lorsque sa flamme unit les cœurs !
> Est-il ni gloire ni couronne
> Qui vaille ses moindres douceurs ? *

* Pour les curieux des coulisses, je donne le nom des comédiens qui ont représenté, chanté et dansé dans les intermèdes de la comédie de *Georges Dandin* :

Georges Dandin, *Molière*. Bergers dansants déguisés en valets de fête, *Beauchamp, Saint-André, La Pierre, Favier*. Bergers jouant de la flûte, *Descôteaux, Philbert, Jean et Martin Hotteterre*. Climène, *Mademoiselle Hilaire*. Chloris, *Mademoiselle des*

11.

Après le spectacle, le roi pria Colbert de lui amener M. de Molière pour lui exprimer son contentement et pour le garder au souper.

On avait bâti pour le souper un temple digne de Salomon et de la reine de Saba. C'était un palais octogone dont les pilastres ruisselaient d'or, d'argent, de gerbes d'eau et de gerbes de feu. L'une des huit portes était gardée par deux faunes dorés qui jouaient de la flûte. Au-dessus des portes on avait sculpté en bas-reliefs les quatre Saisons et les quatre Parties du jour, des chefs-d'œuvre de Le Gros et Tuby. Mais toutes ces beautés du dehors étaient oubliées dès qu'on avait franchi le seuil de ce palais merveilleux. « Si tout le monde fut surpris en voyant par dehors la beauté de ce lieu, on le fut encore davantage en voyant le dedans. Il étoit presque impossible de ne se pas persuader que ce ne fût un enchantement, tant il y paroissoit de choses qui sembloient ne se pouvoir faire que par magie. Au milieu il y avoit un grand rocher, et autour du rocher une table de figure octogone chargée de soixante-quatre couverts. Ce rocher étoit percé en quatre endroits : il sembloit que la nature eût

*Fronteaux.* Tircis, *Blondel.* Philène, *Gaye.* Bateliers dansants, *Beauchamp, Jouan, Chicanneau, Favier, Noblet, Mayeu.* Bergers dansants, *Chicanneau, Saint-André, La Pierre, Favier.* Bergères dansantes, *Bonard, Arnald, Noblet, Foignard.* Satyre chantant, *Estival.* Suivant de Bacchus, chantant, *Gingan.* Suivants de Bacchus, dansants, *Beauchamp, Dolivet, Chicanneau, Mayeu.* Bacchantes dansantes, *Paysan, Manceau, Le Roi.* Un berger, *Le Gros.*

fait choix de tout ce qu'elle a de plus beau, et qu'elle
eût elle-même pris plaisir d'en faire son chef-d'œuvre,
tant les ouvriers avoient bien su cacher l'artifice dont
ils s'étoient servis pour l'imiter. Sur la cime du rocher
étoit le cheval Pégase; il sembloit, en se cabrant, faire
sortir de l'eau qu'on voyoit couler doucement de dessous ses pieds, mais qui aussitôt tomboit en pluie et
en cascades. »

Les mille lumières qui brûlaient au centre du rocher
répandaient des prismes sur les nappes d'eau et donnaient à chaque goutte l'éclat du diamant.

Ce qui contrastait avec le rocher moussu, c'était un
beau grouppe en marbre d'Apollon et des Muses qui
semblaient descendus de l'Olympe pour fêter le
grand roi.

Dirai-je tous les lustres de cristal de roche qui dé-
fiaient la lumière du soleil, les potiches japonaises à
demi perdues sous les roses, les orangers tout fleuris
et tout chargés d'oranges ? Nous nous arrêterons un
instant devant les buffets. « On voyoit sur l'un d'eux
vingt-quatre bassins d'argent d'une grandeur extrême
et d'un ouvrage merveilleux; ils étoient séparés les uns
des autres par autant de grands vases, de cassolettes,
et de girandoles d'argent d'une pareille beauté. Il y
avoit sur la table vingt-quatre grands pots d'argent
remplis de toutes sortes de fleurs, avec la nef du roi,
la vaisselle et les verres destinés pour son service. Au-
devant de la table, on voyoit quatre guéridons d'argent
de six pieds de haut, sur lesquels étoient des giran-

doles d'argent allumées de dix bougies de cire blanche.»
Mais la description remplit cinquante pages. Rien n'y
est omis, pas même les cuvettes. Il est vrai qu'elles
étaient en argent et qu'elles pesaient mille marcs.

Cependant Sa Majesté a faim. Elle daigne s'asseoir
parmi les simples mortels, je veux dire les simples
mortelles, car, hormis les princes du sang, nul n'osa
se mettre à la table du roi.

Parmi les dames qui inscrivirent cette faveur de
souper à la table des dieux sur leur grand-livre héraldique, je nommerai mademoiselle d'Angoulême, mesdames de La Fayette, de Nemours, de Richelieu, mademoiselle de Tresmes, madame de Fiesque, les
maréchales d'Estrées, de La Ferté, d'Albrect, de l'Hôpital, la duchesse de Richemont, la présidente Tubœuf,
qui, le lendemain, se fit appeler madame la baronne;
la comtesse de Louvigny, la duchesse de Virtemberg,
mademoiselle de La Vallière et sa jeune belle-sœur,
marquise de fraîche date.

Mademoiselle de La Vallière se plaça par hasard
vis-à-vis du roi. Mais où soupait donc la reine? sous
une simple tente, avec Madame et Mademoiselle.
Quand le roi prenait du plaisir, il n'aimait pas que la
reine fût de moitié.

Sous quatre tentes voisines, il y avait huit tables pré-
sidées par la comtesse de Soissons, la princesse de
Bade, la duchesse de Créqui et quatre maréchales.
Près de là, dans une grotte, soixante-deux ambassadeurs soupaient en même temps.

Molière avait sa table et présidait sa compagnie. Au dessert, les ambassadeurs se trompèrent de grotte et allèrent prendre des leçons de français et de Françaises.

Le Dauphin soupa seul au château, craignant de se perdre en une telle nuit.

Tout le monde soupa. On n'a pas gardé le menu de ce repas, qui dépasse tout ce que les poëtes ont rêvé chez les dieux. « Je n'entreprendrai pas d'en faire le détail, dit l'historiographe; je dirai seulement que le pied du rocher étoit revêtu, parmi les coquilles et le mousse, de quantité de pâtes, de confitures, de conserves d'herbages et de fruits sucrés, qui sembloient être crues parmi les pierres et en faire partie. Il y avoit, sur les huit angles qui marquent la figure du rocher et de la table, huit pyramides de fleurs, dont chacune étoit composée de treize porcelaines remplies de différents mets. Il y eut cinq services, chacun de cinquante-six plats. »

Qui dira les merveilles du dessert? Tout le paradis perdu et retrouvé, un dessert selon toutes les saisons et selon tous les pays.

Ce n'était pas toute la fête. On se réunit bientôt dans la salle de bal, revêtue de marbre et de porphyre. «Un grand portique servoit d'entrée à ce riche salon. Du milieu du portique pendoient de grands festons de fleurs, attachés de part et d'autre. Aux deux côtés de l'entrée, et sur deux piédestaux, on voyoit des termes représentant des Satyres, qui étoient là

comme les gardes de ce beau lieu. Contre les huit
pilastres qui formoient ces arcades, et sur des piédestaux de marbre, on avoit posé huit grandes figures de
femmes qui tenoient dans leurs mains divers instruments, dont elles sembloient se servir pour contribuer
au divertissement du bal. »

Combien d'autres figures, et Flore, et Pomone, et
les naïades, et les grottes en rocailles et les vases d'argent remplis de fruits, et les guirlandes de roses, et
les jets d'eau qui jouent au prisme, et les boules de
cristal qui jouent aux pierres précieuses !

J'oublie de parler de toutes ces belles femmes,
épaules nues, chevelures bouclées, la joie aux yeux,
le rire sur les dents. Ici, La Vallière qui se souvient;
ici, Montespan qui espère. Qui donc a payé tous ces
diamants qui brûlent les regards, toutes ces dentelles
qui sortent de la main des fées, toutes ces robes venues
des Indes? Ah! Georges Dandin, dans quel pays es-tu
joué ?

Cependant il faut encore les éblouir, ceux qui sont
dans l'éblouissement : voilà que tous les jardins s'allu-
ment, que tout le palais s'embrase. « Le château étoit
orné de quarante-cinq figures. Dans le milieu de la
porte du château, il y en avoit une qui représentoit
Janus ; et, des deux côtés, dans les quatorze fenêtres
d'en bas, l'on voyoit différents trophées de guerre.
A l'étage d'en haut, il y avoit quinze figures qui représentoient les Vertus (quinze vertus à Versailles!);
au-dessus les Muses; un soleil avec des lyres et d'au-

tres instruments aimés d'Apollon, qui paroissoient en
quinze différents endroits. Toutes ces figures étoient
de diverses couleurs, mais si brillantes et si belles,
que l'on ne pouvoit dire si c'étoient des métaux allumés ou des pierres de plusieurs couleurs qui fussent
éclairées par un artifice inconnu. »

Ne semble-t-il pas que toutes les étoiles du ciel sont
de la fête? Les voyez-vous qui vont et viennent, qui
montent, qui descendent? Le cercle de feu se rappro-
che : tout le monde a peur. Colbert a-t-il eu des distrac-
tions? On se précipite sous les bosquets, les hommes
avec les femmes, le roi avec mademoiselle de La
Vallière. C'est le bouquet! mais on n'a que le temps
de s'embrasser au vol. Colbert n'a jamais de distraction : il n'a voulu que faire une surprise.

Et la musique de Lulli achève d'enivrer tout ce
beau monde, qui ne pense pas un seul instant que
près de là, à la grille même du château des merveilles,
une pauvre femme prie et pleure, tout affamée, pour
ses enfants!

Qu'importe! passe ton chemin et reviens plus tard.
Comment t'appelles-tu, bonne femme? — Je m'appelle
la France : je reviendrai.

Cette fête n'eut pas de lendemain pour mademoiselle
de La Vallière, parce que le lendemain de cette fête
madame la marquise de Montespan rencontra le roi
dans le labyrinthe.

Le roi fut quelque peu surpris de trouver madame
de Montespan là où il ne rencontrait que mademoiselle

de La Vallière. « Si matineuse ! dit Louis XIV. — Le
soleil n'est-il pas levé, » répondit la marquise en s'inclinant. On se promena durant une demi-heure ; on se
fût promené jusqu'à midi, si mademoiselle d'Artigny
n'était venue en ambassade secrète, et n'eût, par le
souvenir de mademoiselle de La Vallière, détourné le
roi du chemin de la marquise.

Cette rencontre fut comme un premier éclair dans
le ciel bleu. L'orage était loin encore, mais l'orage
brûlait déjà l'horizon.

Le roman de madame de Montespan ne sera pas
poétique comme celui de sa rivale, mais il sera plus
aventureux, plus compliqué, plus tragique.

# IV.

## LE ROMAN

### DE

## MADAME DE MONTESPAN.

### I.

Mademoiselle de La Vallière mourut du chagrin d'avoir été maîtresse du roi, et madame de Montespan mourut du chagrin de ne l'être plus.

Quand madame de Montespan est venue, peut-être n'y avait-il plus que le roi : Louis s'était évanoui dans la dernière étreinte de mademoiselle de La Vallière.

Toute la poésie du règne, j'ai voulu dire la jeunesse, était partie pour le couvent des Carmélites. Madame avait emporté à son lit de mort la joie de Saint-Germain et de Fontainebleau ; mademoiselle de La Vallière emporta l'amour de Versailles, et tout s'en alla en oraisons funèbres. — *Madame se meurt! Madame est morte !*

C'est-à-dire : vous ne verrez plus les mascarades galantes; vous n'entendrez plus ces belles conversations qui commençaient avec un madrigal de l'Astrée et qui s'achevaient par un éclat de rire de Molière; vous n'assisterez plus à ces chasses où, dans les halliers retentissants, chaque Endymion eut sa Diane ! Plus de fanfares et plus de cavalcades ! Plus d'île enchantée où vivaient les romans de l'Arioste et les contes du Décaméron ! *Mademoiselle de La Vallière se meurt! mademoiselle de La Vallière est morte !* ou plutôt, elle le crie elle-même : elle a jeté sa vie « dans le cercueil de la pénitence ! »

C'en est fait ! le roi Apollon ne poursuivra plus Daphné sur les prés semés de violettes ! Racine ne chantera plus les Andromaque et les Bérénice, ces La Vallière métamorphosées, ces plaintives figures qui osent dire au roi lui-même les faiblesses de Louis de Bourbon ! Si Mignard veut encore peindre l'amour, il ne peindra plus que l'amour de Madeleine repentie, et sa coupole du Val-de-Grâce portera témoignage pour sœur Louise de la Miséricorde !

Si vous avez admiré la fresque de Mignard, n'avez-vous pas reconnu la maîtresse du roi dans la pécheresse qui s'agenouille aux pieds de Jésus, ensevelie dans ses beaux cheveux blonds ?

## II.

Madame de Montespan n'est pas introuvable comme mademoiselle de La Vallière au musée de Versailles. Elles sont toutes les deux dans les grands appartements [n° 20, 30 et 2031]; mais là où mademoiselle de La Vallière n'a qu'une douteuse copie, madame de Montespan a un portrait original, sans doute peint par Mignard. Elle est adorablement belle, dans sa robe rouge, toute noyée de perles et de dentelles, avec ses blonds cheveux qui lui baisent l'épaule. Quoique blonde, elle aimait les tons vifs et heurtés, ce n'était point assez pour elle d'avoir une robe rouge, il lui fallait encore une plume rouge sur la tête. Ce portrait la représente jeune, mais l'esprit va se lever avec cette aurore. Le rayon transperce déjà cette légère brume matinale qui est le duvet de la jeunesse.

Dans la galerie des portraits on la retrouve, mais plus moqueuse [n° 3449]; cette bouche-là va parler, le trait va partir, le mot rit déjà sur la lèvre. Qu'est-ce qui va être montespanisé?

Madame de Montespan, qui est tout esprit, ne se fait jamais peindre ni en Diane, ni en Junon, ni en Daphné; le sentiment poétique n'a pas hanté son âme; elle rit tout haut du carnaval mythologique, elle trouve que c'est assez d'être la fière, belle et char-

mante marquise de Montespan, sans vouloir être encore une divinité olympienne.

Mignard l'a pourtant décidée un jour à se laisser
peindre dans une nuée de Cupidons armés de flèches
et de roses. Ce portrait, connu sous le nom de *Portrait
aux Amours,* a été souvent copié.

La Palatine, qui a été forcée de vivre beaucoup avec
elle, à son corps défendant, a plus d'une fois peint à
la plume la marquise de Montespan : « La Montespan
étoit plus blanche que La Vallière; elle avoit une belle
bouche et de belles dents, mais elle avoit l'air effronté. » Madame de Montespan avait l'air hautain et
spirituel plutôt qu'effronté. La duchesse d'Orléans
continue ainsi : « Elle avoit de beaux cheveux blonds,
de belles mains, de beaux bras, ce que La Vallière
n'avoit pas; mais celle-ci étoit fort propre, et la Montespan, une sale personne. » La Palatine donnait un
coup de griffe après avoir donné un coup de plume. Je
ne m'explique pas bien ce dernier trait. Quand on a
de belles dents, de beaux cheveux, de belles mains,
on est le contraste d'une personne propre *.

---

* La Palatine la calomnie encore dans sa manière de raconter
qu'à une revue, « les soldats s'étant mis à crier : *Königs Hure!
Hure!* elle dit au roi que les Allemands étoient trop naïfs d'appeler toutes choses par leur nom. »

Les chansonniers accusaient madame de Montespan d'avoir eu
des amants avant d'être au roi. On citait tout haut le comte de
Fontenac, qui n'était que son ami :

> Je suis ravi que le roi, notre sire,
>     Aime la Montespan;
> Moi, Fontenac, je me crève de rire...

Madame de La Fayette peint ainsi madame de Montespan—avant la lettre—à la cour d'Henriette d'Angleterre : « La seconde fille du duc de Mortemart, qu'on appeloit mademoiselle de Tonnay-Charente, étoit encore une beauté très-achevée, quoiqu'elle ne fût pas parfaitement agréable. Elle avoit beaucoup d'esprit et une sorte d'esprit plaisant et naturel, comme tous ceux de sa maison. »

Saint-Simon disait « belle comme le jour », une beauté en pleine lumière qui semblait répandre des rayons[*]. Mais qui l'a mieux peinte que madame de Sévigné : « Un jeu de reversi donne la forme et fixe tout. Le roi est auprès de madame de Montespan, qui tient la carte. C'est une chose surprenante que sa beauté. Elle étoit tout habillée de point de France, coiffée de mille boucles; les deux des tempes lui tombent fort bas sur les joues; des rubans noirs à sa tête, des perles de la maréchale de l'Hôpital, embellies de boucles et des pendeloques de diamants de la dernière beauté, trois ou quatre poinçons, point de coiffe; en un mot une triomphante beauté à faire admirer à tous les

---

[*] M. le duc de Noailles, qui a étudié de tout près la marquise de Montespan, dans son *Histoire de madame de Maintenon,* peint la femme visible avec une véritable sympathie :

« La nature avoit prodigué tous ses dons à madame de Montespan : des flots de cheveux blonds, des yeux bleus ravissants avec des sourcis plus foncés, qui unissoient la vivacité à la langueur, un teint d'une blancheur éblouissante, une de ces figures enfin qui éclairent les lieux où elles paroissent. »

ambassadeurs. Elle a su qu'on se plaignoit qu'elle empêchoit toute la France de voir le roi; elle l'a redonné, comme vous voyez; et vous ne sauriez croire la joie que tout le monde en a, ni de quelle beauté cela rend la cour. »

L'abbé Testu, un des quarante, celui-là que Ninon avait surnommé : *Testu, tais-toi,* a très-finement dit des trois filles du duc de Mortemart, pour exprimer les nuances de leur esprit : « Madame de Thianges parle comme une personne qui rêve, madame de Fontevrault comme une personne qui parle, et madame de Montespan comme une personne qui lit*. » Elle lisait un beau livre très-savant, très-varié, très-spirituel.

Le père de madame de Montespan était un homme de plaisirs qui ne doutait de rien, excepté de Dieu peut-être; il avait épousé une dévote qui passait toutes

---

* Selon Voltaire, « Athénaïs de Mortemart, femme du marquis de Montespan, sa sœur aînée la marquise de Thianges, et sa cadette pour qui elle obtint l'abbaye de Fontevrault, étaient les plus belles femmes de leur temps; et toutes trois joignaient à cet avantage des agréments singuliers dans l'esprit. Le duc de Vivonne, leur frère, maréchal de France, était aussi un des hommes de la cour qui avaient le plus de goût et de lecture. C'était lui à qui le roi disait un jour : *Mais à quoi sert de lire?* Le duc de Vivonne répondit : « La lecture fait à l'esprit ce que vos per-» drix font à mes joues. » C'est qu'il avait de l'embonpoint et de belles couleurs.

» Ces quatre personnes plaisaient universellement par un tour singulier de conversation mêlé de plaisanterie, de naïveté et de finesse, qu'on appelait l'esprit des Mortemart. »

ses journées à l'église. Il disait que c'était le mariage
le mieux assorti, puisqu'il ne voyait jamais sa femme;
en effet, si elle passait la journée dans les églises, il
passait la nuit au jeu, dans le cortége des mauvaises
passions. Il était batailleur, insolent, hautain, « fort
en gueule ». Madame de Montespan était le portrait de
son père, adouci par sa mère. Le diable à quatre était
tempéré par l'idée de Dieu. Pendant toute sa vie,
même aux jours les plus emportés, elle aimait, comme
sa mère, le pieux spectacle des églises.

### III.

Madame de Montespan n'était pas une beauté,
c'était la beauté : un profil fier et noble, un front de
marbre, de blonds cheveux jaillissant en gerbes
rebelles aux morsures du peigne, des yeux mordants
tour à tour allumés par l'esprit et par la passion, un
nez franco-grec aux narines mobiles comme des ailes
d'oiseau, une bouche rieuse, toujours ouverte pour
railler, montrant à demi des dents destinées à vivre
cent ans, comme les perles; un cou divinement
attaché à des épaules d'un dessin ferme et d'un ton
vivant. Quand il la peint, Mignard dévoile son sein,
parce qu'elle a le sein fort beau et fort orgueilleux,
comme tout le reste. La main et le pied sont du
format diamant : je juge du pied par la main que j'ai
sous les yeux, si toutefois Mignard n'a pas vu cette

12

main par le petit bout de la lorgnette. Et comme elle marchait bien! quelle éloquence de mouvements! quelle souveraineté dans le geste! Celle-là était né pour régner, celle-là avait le sang, la race, la divinité, —je parle à la surface. Et encore cette belle calomniée n'avait pas jeté son cœur sous les pieds des chevaux du roi, ni son âme aux passions honteuses. Si elle fut belle toujours, elle fut noble jusqu'à la fin. Elle ne s'humilia jamais que devant Dieu. Car ce fut pour Dieu qu'elle s'humilia devant son mari quand sonna l'heure de la pénitence.

Ah! celle-là était née pour aller dans les carrosses du roi, pour présider les carrousels, pour changer l'eau en vin dans les soupers de Versailles! Quel entrain diabolique! quel esprit à tout propos! quelle folie éclatante! Le roi-soleil n'était plus qu'une ombre devant elle, — son ombre!

Et pourtant, quelle tristesse sous cette gaieté du dehors! Elle a étouffé mademoiselle de La Vallière dans sa passion pour le roi, mais du même coup elle s'est tuée elle-même.

C'est une femme mal comprise jusqu'ici : on l'a jugée sans l'entendre. Sa beauté et son esprit ont masqué son cœur. On n'a pas pénétré dans cette nature inquiète et chercheuse, éprise du bien et tombant dans le mal sans y penser, voulant et ne voulant pas, toute au caprice de l'heure, fantasque et dangereuse comme la Méditerranée à l'équinoxe; obéissant à la raillerie pour dominer, pour s'amuser, pour se venger; se pavanant, parce qu'elle voulait contraster avec mademoiselle de La Vallière, riant à gorge déployée parce que sa rivale pleurait toutes ses larmes.

Elle raillait tout le monde et se raillait elle-même « pour dispenser les autres de le faire ». Quand le roi était avec elle à la fenêtre de son cabinet de Versailles, les courtisans se détournaient de peur de la mousqueterie. Elle avait imaginé un jeu de cartes en action, composé des hommes et des femmes de la cour. Rien n'amusait Louis XIV comme sa manière de battre les cartes et de retourner le valet de cœur sur la dame de carreau. Il fallait avoir la clef du jeu pour le comprendre, et comme elle ne la donnait à personne, le soir, au jeu de la reine, elle osait tout haut brouiller les cartes et amener les batailles et les rencontres les plus curieuses.

La reine elle-même n'était pas sacrée pour elle. Un jour, on racontait que dans une promenade Marie-Thérèse avait vu tout à coup dans un gué son carrosse se remplir d'eau. « Ah! si nous avions été là, dit en riant madame de Montespan, nous aurions crié : La reine boit! » (Mot qui indigne beaucoup un historien de la marquise : « Cette parole rappelle les bouffonneries sanguinaires du proconsul Carrier. ») Le roi, qui ne put s'empêcher de rire, rappela pourtant ce jour-là à l'ordre madame de Montespan. « C'est votre reine, madame! » La marquise aurait pu répliquer. « C'est la vôtre, monsieur! »

12.

Madame de Montespan était contemporaine de mademoiselle de La Vallière *, et elle arriva au cœur du roi en passant par le même chemin. Comme mademoiselle de La Vallière, elle débuta dans les filles d'honneur de Madame. A son mariage, elle obtint le titre de dame du palais de la reine.

Madame de Montespan se maria-t-elle par amour ou par vanité? Le marquis de Montespan était beau, galant, comme elle hautain et dédaigneux. C'était son homme, avant qu'elle eût trouvé son homme dans le roi. Il jouait sans sourciller, perdait ou gagnait avec le même sourire vingt mille écus. Il faisait sonner haut toutes les cloches héraldiques de sa maison. Elle commença par l'adorer et par lui donner un fils, celui-là qui devint duc d'Antin, qui fut joueur comme père et mère, et qui se moqua de tous les deux.

## IV.

Le roi, au retour des campagnes de Flandre, disait à madame de La Vallière : « Voyez-vous comme ma-

---

* Moins jeune de trois ans, mais plus femme et plus maîtresse femme. Elle avait vingt-deux ans quand elle épousa, en 1663, Henri-Louis de Pardaillan de Gondren, marquis de Montespan. Elle était la fille cadette de Gabriel de Rochechouart, premier duc de Mortemart. Elle vint à la cour, on le sait déjà, sous le nom de mademoiselle de Tonnay-Charente.

dame de Montespan m'attaque! Elle voudrait bien que
je l'aimasse, mais je n'en ferai rien *. » L'aveugle maîtresse croyait que l'amour des rois, comme l'amour de
Dieu, ne finit jamais.

Louis XIV ne voulait pas prendre madame de Montespan au sérieux. Il aimait l'amour qui ne rit pas,
l'amour profond, l'amour romanesque. Il y avait en lui
du héros de roman plus que du héros. Aux jours de
passion, c'était plutôt un personnage de mademoiselle
de Scudéri qu'un grand homme de Plutarque.

Madame de Montespan aimait son mari avant d'aimer le roi ; l'amour du roi lui fit peur, elle eut le vertige et montra l'abîme au marquis de Montespan :
« C'est trop vivre à la cour, lui dit-elle ; allons vivre
en notre château. » Le mari ne comprit pas. Quelques
jours après, la jeune femme, toute rougissante et tout
émue, se cache le front sur le cœur du mari pour lui
dire qu'il est encore temps de partir. « Expliquez-vous,
madame. — Que je m'explique? Sachez donc que cette
fête dont tout le monde parle, le roi la donne pour
moi. » Le marquis domina sa jalousie : « Eh bien,
n'êtes-vous donc pas assez belle pour qu'on vous donne
des fêtes? ou plutôt êtes-vous assez folle pour vous

---

* « Le roi ne pouvoit d'abord souffrir madame de Montespan ;
il reprochoit à Monsieur et à la reine de la garder dans leur
société, et il en devint ensuite éperdument amoureux. Il s'est
ensuite aussi peu tracassé d'elle que de La Fontange. Elle étoit
encore plus ambitieuse que débauchée, mais méchante comme
le diable. » LA PALATINE.

figurer que cette fête est en votre honneur ! — Puisqu'il faut vous le dire, le roi est amoureux de moi. —
Eh bien, l'amour du roi n'est pas une injure ; vous
savez votre devoir. — Oui, je sais mon devoir, mais
j'ai peur. » Le marquis de Montespan, qui jouait un
peu les capitaines Fracasse, dit qu'il n'avait pas peur,
et que, si sa femme n'était pas digne de son nom et du
sien, il mettrait le roi à la raison.

Madame de Montespan fut d'abord très-recherchée
par la reine, qui tous les soirs l'appelait chez elle,
toute ravie de son esprit, pour lui faire prendre en
patience les conversations du roi avec mademoiselle
de La Vallière. Madame de Montespan fut comme la
reine, mais sans le savoir, jalouse de la maîtresse du
roi : ce fut par la jalousie que commença son amour.
Quand le roi rentrait une heure plus tard, elle avait,
elle aussi, ses impatiences et ses colères. Louis XIV,
qui n'était jamais pressé de se coucher, car c'était
l'heure de la reine, se jetait en rentrant dans un fauteuil, et, pour perdre ou pour gagner du temps, il
priait madame de Montespan de lui conter une de ces
histoires qu'elle contait si bien. Ce fut ainsi qu'elle
commença le conte des Mille et une Nuits.

## V

Cependant il arriva qu'un soir Marie-Thérèse attendit
le roi plus longtemps que de coutume, — et madame

de Montespan n'était pas là. —*Monsieur,* frère du roi,
donnait une fête au Palais-Royal. Marie-Thérèse demanda si mademoiselle de La Vallière était allée à la
fête. C'était au moment même où mademoiselle de
La Vallière en revenait. La reine l'appela, elle ne
demandait qu'à entrer : « Le roi m'avoit dit qu'il
ne feroit que paroître à cette fête. — Il n'a fait que
disparoître, dit mademoiselle de La Vallière; je le
croyois revenu depuis longtemps; je ne vous croyois
pas seule, madame. — La marquise de Montespan
vouloit rester avec moi, c'est moi qui l'ai forcée d'aller
danser. »

On voit qu'il était dans la destinée de madame de
Montespan de devenir la maîtresse du roi. Elle demanda
à quitter la cour*, son mari ne voulut pas; elle voulait
veiller avec la reine, ce fut la reine qui l'envoya veiller
avec le roi.

---

* Selon Saint-Simon, « quand elle s'aperçut des dispositions du
roi en sa faveur, elle en avertit son mari; elle lui assura
qu'une fête que le roi donnoit étoit pour elle; elle le pressa et
le conjura avec les plus fortes instances de l'emmener dans ses
terres de Guyenne, et de l'y laisser jusqu'à ce que le roi l'eût
oubliée. » Selon madame de Caylus, « il n'auroit tenu qu'au
marquis d'emmener sa femme, et que le roi, quelque amoureux
qu'il fût, auroit été incapable, dans les commencements, d'employer son autorité pour la retenir; mais que le mari, bien loin
d'user de la sienne, ne songea d'abord qu'à profiter de l'occasion pour son intérêt et sa fortune, et il ne marqua ensuite du
mécontentement et du dépit que parce que le roi ne lui accordoit
pas ce qu'il vouloit. »

Le lendemain, ce fut un grand éclat; la cour partit
pour Versailles, madame de Montespan dit à son mari
qu'elle y accompagnait Madame et qu'elle allait dans
le carrosse de la reine : « Vous voulez dire dans le carrosse du roi, madame; je vous défends de partir. »
Cette fois, madame de Montespan releva la tête et dit
qu'il était trop tard pour vivre en son château. Il
y eut une scène terrible; le mari frappa la femme,
disant qu'il gardait la moitié de sa colère pour le roi.
Madame de Montespan ne partit pas dans le carrosse
de la reine, mais elle courut à Versailles, tout épou-
vantée, supplier le roi de se mettre en garde. Elle
croyait à toute heure voir arriver son mari. Le roi lui
dit qu'il ne se mettrait en garde que pour la protéger, comme s'il était lui-même invulnérable dans
sa majesté.

Tout Versailles prit naturellement la cause de la
femme battue. La reine était indignée!

Le lendemain, on ne songeait peut-être plus guère
au mari, quand un homme tout vêtu de noir, comme
dans les légendes, se présenta fièrement à la porte du
palais de Versailles.

Comme il avait ses grandes entrées, on le laissa
passer. Il arriva sans obstacle jusque dans le salon des
glaces, où il trouva un grand nombre de courtisans qui
attendaient le roi au sortir du conseil.

Tous le connaissaient, tous vinrent à lui, très-surpris
de le voir en grand deuil. On eût beau l'interroger, il
demeura silencieux; mais le roi passant bientôt, il se

jeta sur la haie. « Pourquoi ce grand deuil ? demande le roi surpris. — Sire, je porte le deuil de ma femme ! »

Le roi ne voulut pas entendre, mais tout le monde entendit. « Le deuil de votre femme ! — Oui, Sire, je ne la verrai plus ! »

Et il s'en alla sans ajouter un mot. Il revint à Paris dans une voiture de deuil, disant partout que sa femme était morte.

On ne prit pas au sérieux cette grande douleur et cette grande leçon.

Le bruit se répandit que le marquis de Montespan était devenu fou * ; le roi donna l'ordre à Colbert de veiller sur lui. Il y a toute une correspondance entre le roi et le ministre à ce sujet. Le roi veut qu'on exile le marquis de Montespan, exil cruel, puisque c'est pour qu'il vive seul dans le château où il n'a pas voulu vivre à deux, lui qui aimait sa femme. Colbert demande un délai pour que le futur exilé puisse mettre un peu d'ordre dans sa fortune ; le roi veut qu'on lui donne vingt mille écus tous les ans, mais qu'il s'éloigne à toute bride. Henri-Louis de Pardaillan de Gondren,

---

* Il chantait lui-même l'air de cette chanson bien connue :

On dit que La Vallière
S'en va sur son déclin ;
Ce n'est que par manière
Que le roi va son train ;
Montespan prend sa place,
Il faut que tout y passe
Ainsi de main en main.

marquis de Montespan, s'indigne et se révolte, il veut courir à Versailles pour cravacher du même coup S. M. Louis XIV et celle dont il porte le deuil. Mais il est gardé à vue, il ne trouvera pas un seul carrosse pour le conduire à Versailles : ce n'est plus de ce côté-là qu'est son chemin.

Ne sait-on pas toute son histoire : il partit pour l'exil, il y vécut un demi-siècle avec une plaie au cœur ; « il vécut toute sa vie et mourut amoureux de sa femme, » dit Saint-Simon ; il ne pardonna jamais. Au jour des humiliations, la marquise de Montespan lui demandera la grâce de rentrer chez lui comme la dernière de ses servantes : il ne daignera pas lui répondre. Est-ce qu'il reconnaîtrait la maîtresse de Louis XIV ? Il avait aimé dans sa jeunesse la fille du duc de Morte-mart, il lui avait donné son cœur et son nom ; mais celle-là était morte un soir, à une fête du Palais-Royal. S'il pleure encore, c'est la mort de celle-là. Que lui importe celle qui a survécu ?

Quand il mourut il dit à son fils : « Monsieur, quand tout à l'heure je serai couché dans la tombe, vous pourrez sans honte faire graver ces mots sur le marbre : *Ci-gît Henri-Louis de Pardaillan de Gondren, marquis de Montespan.* »

# V.

# LES PREMIÈRES LARMES

## DE LA PÉNITENCE.

### I.

On a beaucoup parlé des sombres années que mademoiselle de La Vallière a passées à l'ombre du cloître, mais on n'a pas dit assez la tristesse des siècles qu'elle a passés à l'ombre de madame de Montespan.

Quand mademoiselle de La Vallière entra aux Carmélites, elle avait fait pénitence.

Qu'était-ce en effet que les cilices, les jeûnes et les solitudes, au milieu de ces saintes filles qui subissaient les mêmes douleurs dans l'espoir du ciel, pour celle qui, pendant sept années, — sept siècles de larmes et de désespoir, — avait assisté à toute heure au spectacle

de l'amour de Louis XIV et de madame de Montespan,
qui avait lu page par page cet autre roman de la passion du roi? Son front avait mille fois saigné sous
les couronnes d'épines; son cœur avait mille fois dé-
failli dans les embrassements du roi et de sa maîtresse.
Toutes les pâleurs de la jalousie avaient frappé sa
beauté d'une tristesse ineffaçable. Déjà elle souffrait en
Dieu quand elle était adorée de Louis XIV; mais Dieu
ne la consola pas quand elle fut délaissée. En vain elle
levait les bras au ciel; elle s'agenouillait devant celui
qui avait pardonné à Madeleine; elle demandait pour
ses lèvres brûlantes encore, plus brûlantes que jamais,
l'eau du divin amour qui désaltéra la Samaritaine.
L'âme était esclave du cœur; l'air manquait pour les
ailes de l'ange : Dieu, c'était le roi. Vainement elle
voulait sortir de la forêt des flammes vives et respirer
dans le ciel bleu : les branches l'envahissaient et la
dévoraient. Tout en rêvant le paradis, elle demeurait
enchaînée dans l'enfer de la passion. Elle aurait bien
pu briser sa chaîne et s'enfuir par la porte toujours
entr'ouverte aux pécheresses repentantes, mais elle
adorait le bruit de ses chaînes, mais elle cherchait la
volupté des supplices. Ne disait-elle pas : « Je garde
toutes les passions de mon péché; je ne me flatte pas
d'être morte à mes passions pendant que je les sens
revivre plus fortement que jamais dans ce que j'aime
plus que moi-même? » Oui, son enfer ce fut la cour
de Louis XIV, qui avait été son paradis; — toutes les
douleurs là où elle avait eu toutes les joies; tous les

hivers là où elle avait eu tous les printemps ; toutes les
larmes là où elle avait eu tous les sourires. — Elle avait
beau vouloir s'arracher à cette « confuse Babylone », le
pays « de cette convoitise perpétuelle » ; elle avait beau
se rappeler, pour se guérir de ses retours au péché,
que dans son meilleur temps « l'accomplissement de
ses désirs même la rendait plus misérable que ses plus
misérables esclaves, » elle faisait un pas vers le passé,
elle étreignait les chimères envolées, elle revêtait,
comme dit le poëte, la robe étoilée du souvenir.
Elle parle à Dieu, mais si le roi l'écoutait il ne s'y
méprendrait pas ; elle se dit servante de Dieu. Pauvre
femme blessée ! si elle était la servante de Dieu,
consentirait-elle à être la servante de madame de Montespan pour voir le roi de plus près ? C'est pour Dieu
qu'elle souffre, dit-elle, mais ne la croyez pas, c'est
pour elle-même. Tout dans l'amour est une volupté,
la peine comme le plaisir, la douleur comme la joie.
Souffrir, c'est aimer encore ; prier Dieu, c'est prendre
le ciel à témoin des immensités de sa passion.

## II.

Au retour de la guerre, le roi avait voulu que mademoiselle de La Vallière eût sa maison. « C'est le
commencement de l'exil, » lui écrivait-elle. « C'est
pour vous voir en toute liberté, » répondit-il. Et il lui

donna l'hôtel Biron. « Ce sera encore le palais du roi. »
Il y ordonna tout le faste de Versailles. Il venait de
conquérir une autre province pour son cœur, mais il
voulait toujours vivre sur celle-ci comme en pays con-
quis. Les amoureux de la taille de Louis XIV ont un
peu les appétits du sérail. Une seule femme ne les
retient pas dans ses embrassements ; deux bras ne suf-
fisent pas pour les enchaîner. Ils subissent la domination pour la braver. Le cœur qui aime à souffrir a
aussi ses cruautés. Le cœur qui a saigné sous le joug
aime à se nourrir de larmes. Madame de Montespan
est d'autant plus charmante dans son éclat de rire, que
madame de La Vallière, blanche et douce oubliée,
pleure en attendant le roi qui ne viendra pas. « J'irai
ce soir, » dit un jour Louis avec une secousse de
cœur en voyant que La Vallière avait pleuré. La Vallière attendit, renfermée dans sa chambre, renfermée
en elle-même, ne voulant pas donner à ses gens par
ses marques d'impatience un spectacle trop connu
chez elle. « Le roi, » dit un valet de chambre en ouvrant
la porte. « Le roi ! » s'écrie-t-elle pâle et souriante.
Elle s'élance dans le salon, et n'y rencontre que des
valets portant un tableau.

C'était le portrait du roi.

Quoique ce fût un beau portrait, elle ne le regarda
pas longtemps. « Voilà donc tout ce qui me reste
de lui, un portrait ! Et encore quand on l'a peint
il ne pensoit pas à moi, car je ne retrouve pas son
regard. »

Durant quelques jours, le portrait du roi demeura couché contre une glace du salon. Pour le suspendre il fallait ôter la glace. « Ôtez-les toutes, dit madame de La Vallière à ses gens, je ne veux plus me voir. Ôtez ces lustres, ces girandoles, ces candélabres. Je ne veux plus vivre au grand jour ni aux grandes lumières. Ôtez ces consoles toutes d'or et de porphyre, ces tables de Boulle, cette pendule de Girardon. Je ne veux plus savoir l'heure. » Et à moitié folle de désespoir et de jalousie, elle retourna dans sa chambre et se jeta à son prie-Dieu. « Seigneur, Seigneur, consolez-moi! Seigneur, relevez jusqu'à vous ma pauvre âme tombée à terre ! »

La prière porte conseil; quand la nuit porte conseil, c'est par la prière. « Son portrait! disait madame de La Vallière dans ses sanglots. Pour mon malheur et pour ma honte il me l'avoit donné deux fois. »

Elle demanda ses enfants. Elle les embrassa du baiser trop tendre qu'elle avait gardé sur ses lèvres pour le roi. Elle chercha dans ces jeunes figures le sourire et les yeux de son amant. Mademoiselle de Blois lui rappelait la bouche de Louis, le duc de Vermandois avait déjà « le fier regard qui désarmoit tous les yeux. »

Madame de La Vallière passa la nuit à prier dans les larmes. Elle avait elle-même couché ses enfants, disant : « C'est assez pour moi de leur sommeil. » Le lendemain elle s'endormit sur son fauteuil quand tout le monde s'éveilla. Vers midi, elle ouvrit les yeux et se sentit

apaisée comme après un orage. Son cœur ne battait
plus, ou du moins ne battait plus tout haut. Elle écrivit
au roi pour le remercier de son portrait : « *J'aime
mieux votre portrait que vous-même, puisque mon
cœur m'avertit qu'entre nous deux il n'y a plus que
le souvenir.* » Le roi, trop habitué aux élégies de sa
maîtresse, fut frappé du laconisme et de la sécheresse
de cette lettre. La jalousie lui saisit le cœur. « C'est
cela, dit-il avec colère, elle prend son parti avec le
duc de Longueville. Toutes les femmes finissent par
là. La Vallière est femme comme les autres. »

Louis XIV ne connaissait pas encore, — il n'a
jamais connu — celle qu'il calomniait, pour ne pas
se dire la vérité à lui-même. « Eh bien, reprit-il en
jetant sa plume au feu, car il était en train de signer
des grâces ; eh bien, j'irai faire du bruit chez elle.
Nous verrons si je n'y suis plus chez moi. »

Sans le savoir, sans le vouloir peut-être, madame de
La Vallière avait ravivé cette flamme presque éteinte.
C'est toujours la vieille histoire que le poëte a mise
en vers :

> Qui suit l'amour, amour le fuit ;
> Qui fuit l'amour, amour le suit.

Louis demanda son carrosse et courut à l'hôtel Biron.
La duchesse reconnut le bruit de ses chevaux. « C'est
lui ! » s'écria-t-elle toute surprise, car elle ne savait
pas les jeux de l'amour. Elle alla le recevoir au haut de
l'escalier. Il prit un masque riant pour cacher l'orage.

Il lui saisit la main et la porta à ses lèvres, mais avec
quelque brutalité, car il ne pouvait refréner sa
colère. « Et votre bracelet, madame? » lui demanda-
t-il d'un ton de Jupiter courroucé. Ce bracelet qui
datait des premiers jours de leur passion, ce bracelet
historique dont toute la cour, dont tout Paris, dont
toute la France avait parlé, elle en avait fait le sacrifice. « Je l'ai donné à votre fille, dit-elle avec sa divine
douceur. — Je comprends, reprit le roi, voyant que
tout était sens dessus dessous dans l'hôtel. Vous avez
abjuré. Tout ce qui pouvoit vous rappeler mes adorations, vous vous en êtes dépouillée. Dans votre billet
vous osez me parler de souvenir, mais mon souvenir
même vous importune. » Le roi alla droit à son portrait.
« Et cette image? que vient-elle faire ici, elle vient y
faire mauvaise figure, n'est-ce pas, madame? » Et le roi
leva sa canne pour éventrer son portrait. La duchesse
lui retint le bras. Il regarda cette belle main qui tombait sur lui comme une caresse. Il vit du même regard
ces beaux yeux humides de larmes qui disaient trop
qu'elle n'avait pas abjuré. Il jeta sa canne et appuya
sa maîtresse sur son cœur. Certes, il y avait longtemps
qu'il n'avait ressenti une pareille joie faite de jalousie
et d'amour. C'était comme un bien perdu qu'il retrouvait ou plutôt qu'il disputait à l'ennemi. Son cœur battait sur le sein palpitant de l'adorable délaissée. Elle
aurait voulu mourir comme sous les ramées du parc
de Versailles, car le bonheur traverserait volontiers
la mort sur les ailes de l'infini quand il emporte une

13

âme poétique. Louis XIV, qui n'avait pas l'amour si divin, demanda à madame de La Vallière de lui donner à souper en tête-à-tête. « En tête-à-tête ! dit la duchesse. Et avec qui croyez-vous donc que je soupe ici ? — Avec qui ? Ne me cachez rien, le duc de Longueville va vous épouser, si je n'y prends garde. — M'épouser ! où avez-vous vu cela ? — Osez-vous bien vous rire ainsi de moi ? je sais tout\*. — Eh bien, vous en savez sans doute plus que moi. »

Et la duchesse se jetant dans les bras du roi : « Sire, je vous le dis une fois de plus : avant le roi il y avoit Dieu; après le roi il n'y aura que Dieu. »

Madame de La Vallière porta la main à son cœur. « Est-ce toute la vérité, demanda Louis à moitié convaincu. — Toute la vérité, Sire. — Ainsi vous n'aimez pas le duc de Longueville ? — Ni lui ni aucun autre. Pouvez-vous me demander cela en voyant mes larmes ? — Il n'y a pas de quoi pleurer. » La duchesse sourit amèrement : « Il n'y a pas de quoi pleurer ? il y a de quoi mourir ! »

O fragilité du cœur humain! Louis, qui tout à l'heure arrivait dans le tourbillon et la tempête de l'amour, sentit que l'ennui l'envahissait déjà en face de cette héroïne qui ne savait qu'aimer. Il se rappela la marquise de Montespan qui l'attendait avec les merveilleuses coquetteries de celles qui ne savent que se faire

---

\* C'était le roman de la cour, selon mademoiselle de Montpensier : « Depuis que le roi ne l'aimoit plus, il avoit couru un bruit que M. de Longueville en étoit amoureux. »

aimer. Il avait trop lu le roman élégiaque de La Vallière. Pourquoi n'avait-elle pas l'art d'y coudre la page
de l'imprévu! Par exemple, si ce soir-là elle eût jeté au
feu un billet en disant que c'était du duc de Longueville, le roi tombait à ses pieds et la ramenait en
triomphe à la cour.

Or que fit-il après avoir bu les premières larmes de
la duchesse? il regarda l'heure à sa montre. « Déjà!
dit-il en jouant la surprise. — Vite, que je commande
le souper, murmura madame de La Vallière. — Il est
trop tard pour aujourd'hui, reprit Louis en ramassant
sa canne. — C'est donc pour demain? » demanda la
duchesse avec une tristesse soudaine, car jusque-là
elle avait souri dans ses larmes.

O pauvre amoureuse aveugle, qui ne veut pas comprendre que cette bouffée d'amour n'est qu'une bouffée
de vent d'orage! Ce n'est ni pour aujourd'hui ni pour
demain!


III.


Quoique le duc de Longueville fût en galante aventure avec la maréchale de La Ferté, il avait voulu tout
sacrifier aux pieds de mademoiselle de La Vallière : sa
maîtresse, son épée et son nom; car il lui parla de
l'emmener dans un château, de l'épouser et de vivre
dans l'oubli de tout. Mademoiselle de La Vallière ne
songea jamais un seul jour à se consoler de l'amour

13.

par l'amour : je me trompe, elle monta de l'amour du roi à l'amour de Dieu. Elle vit pleurer le jeune duc à ses pieds et lui dit que c'étaient là des ondées de printemps que dévore un coup de soleil.

Le duc de Longueville oublia-t-il dans les voluptés ce sentiment doux et chaste qui lui prenait le cœur? On sait qu'il fut tué au passage du Rhin ; on l'accusa d'avoir cherché la mort après s'être enivré, « en tirant mal à propos un coup de pistolet contre les ennemis, qui parlaient déjà de se rendre *. » N'était-ce pas le coup du désespoir, et ne chercha-t-il pas la mort pour oublier l'amour?

Racine a écrit *Bérénice* au temps où le duc de Longueville aimait mademoiselle de La Vallière. Le poëte a-t-il été un historien **? Selon Voltaire, Hen-

---

* « Il n'y aurait eu personne de tué dans cette journée sans l'imprudence du jeune duc de Longueville. On dit qu'ayant la tête pleine des fumées du vin, il tira un coup de pistolet sur les ennemis qui demandaient la vie à genoux, en leur criant : *Point de pitié pour cette canaille!* Il tua du coup un de leurs officiers. L'infanterie hollandaise, désespérée, reprit à l'instant les armes et fit une décharge, dont le duc de Longueville fut tué. » VOLTAIRE.

** Dans la préface de *Bérénice*, Racine explique ainsi pourquoi il a écrit cette tragédie, tout simplement pour masquer sa vraie raison : « *Titus, reginam Berenicen..., cui etiam nuptias pollicitus ferebatur... statim ab Urbe dimisit invitus invitam.* » C'est-à-dire que Titus, qui aimait passionnément Bérénice, et qui même, à ce qu'on croyait, lui avait promis de l'épouser, la renvoya de Rome malgré lui, et malgré elle, dès les premiers jours de son empire.

» Cette action est très-fameuse dans l'histoire ; et je l'ai trouvée

riette d'Angleterre, en donnant à Corneille et à Racine le sujet de *Bérénice* pour une tragédie, avait voulu qu'on mît en scène l'histoire de son amour pour Louis XIV. J'ai beau soulever les voiles, je ne retrouve pas dans Bérénice la figure de Madame. Bérénice, c'est La Vallière, qui déjà deux fois s'est exilée au couvent pour s'arracher à sa passion, qui va partir encore et ne reviendra plus.

La scène est à Rome, — je veux dire à Versailles, — dans un « cabinet qui est entre l'appartement de Titus et celui de Bérénice ».

très-propre pour le théâtre, par la violence des passions qu'elle y pouvait exciter. En effet, nous n'avons rien de plus touchant dans tous les poëtes que la séparation d'Énée et de Didon, dans Virgile. Et qui doute que ce qui a pu fournir assez de matière pour tout un chant d'un poëme héroïque, où l'action dure plusieurs jours, ne puisse suffire pour le sujet d'une tragédie, dont la durée ne doit être que de quelques heures? Il est vrai que je n'ai point poussé Bérénice jusqu'à se tuer, comme Didon, parce que, Bérénice n'ayant pas ici avec Titus les derniers engagements que Didon avait avec Énée, elle n'est pas obligée, comme elle, de renoncer à la vie. A cela près, le dernier adieu qu'elle dit à Titus, et l'effort qu'elle se fait pour s'en séparer, n'est pas le moins tragique de la pièce. Ce n'est point une nécessité qu'il y ait du sang et des morts dans une tragédie; il suffit que l'action en soit grande, que les acteurs en soit héroïques, que les passions y soient excitées, et que tout s'y ressente de cette tristesse majestueuse qui fait tout le plaisir de la tragédie. »

Jules Janin, qui connaît si bien la cour de Louis XIV, a plus d'une fois jeté ses vives lumières sur cette tragédie amoureuse. Mais pourquoi a-t-il écrit, d'après Voltaire sans doute, que l'héroïne fut Madame, la belle et très-belle sœur du roi, comme on

Titus, c'est Louis XIV; Bérénice, c'est La Vallière. Racine, le tendre et déjà pieux Racine, donne à mademoiselle de La Vallière le titre de reine de Pales-

disait à Versailles. Jules Janin veut que Bérénice soit toute l'histoire du cœur de Louis XIV. Le cœur de Louis XIV, c'est mademoiselle de La Vallière. Il s'est d'ailleurs trompé sur les dates en disant : « Bérénice fut représentée quelques jours avant les beaux jours de mademoiselle de La Vallière. » On était en 1770, les beaux jours de mademoiselle de La Vallière avaient fui depuis longtemps. Henriette d'Angleterre ne vivait plus que dans l'oraison funèbre de Bossuet. Racine n'avait appris par cœur — après le roman de *Théagène et Chariclée* — que le roman de Louis et de La Vallière. Il avait voulu plaire au maître en lui racontant son histoire intime en beaux vers. Racine était historiographe de France !

Mais si Jules Janin a mal dénoué les masques, il a très-bien expliqué les beautés de *Bérénice* : « C'est une tragédie exquise du plus beau temps de Louis XIV, quand le grand roi pouvait dire en toute vérité : L'État, la tragédie et la comédie, avec la sculpture et la poésie, ajoutez la religion, c'est moi aujourd'hui, demain, toujours, car il était le commencement et la fin de toutes choses. »

C'est dans la préface de *Bérénice* que Racine daigne descendre jusqu'à répondre aux libellistes, car il eut, lui aussi, les aboyeurs embourbés dans l'infamie, qui lui reprochaient, d'une part, de piller les maîtres et, d'autre part, d'être inférieur aux écoliers. — O logique des libelles ! — « Toutes ces critiques, dit le grand poëte, sont le partage de quatre ou cinq petits auteurs infortunés, qui n'ont jamais pu par eux-mêmes exciter la curiosité du public. Ils attendent toujours l'occasion de quelque ouvrage qui réussisse pour l'attaquer, non point par jalousie, car sur quel fondement seraient-ils jaloux ? mais dans l'espérance qu'on se donnera la peine de leur répondre, et qu'on les tirera de l'obscurité où leurs propres ouvrages les auraient laissés toute leur vie. »

tine, car il pense qu'elle retournera bientôt à la Jéru-
salem qui console les cœurs blessés.

Le personnage d'Antiochus, c'est le duc de Longueville qui aime si discrètement celle que le roi
sacrifie, qui veut lui donner sa main et entraîner
loin du soleil de Versailles cette douce violette recherchant l'oubli.

Ce fut vers la fin de l'année toute royale 1770 que
les comédiens du roi, Molière présent, jouèrent à Versailles la tragédie de Racine. Tous les habits dorés,
toutes les grandes figures, toute la fleur du panier du
livre héraldique remplissait la salle. Le théâtre même
était envahi. Le roi, qui ne croyait pas que Titus
voulût dire Louis XIV, écoutait avec quelque surprise;
mademoiselle de La Vallière, assise en face de lui, à
côté de madame de Montespan, ne se reconnut pas
d'abord.

Au premier acte, mademoiselle de La Vallière est
encore la maîtresse adorée. Elle ne parle au duc de
Longueville que de son amour. Tout à l'heure elle lui
parlera de son chagrin. En l'attendant, le duc de Longueville récite le monologue obligé :

> Eh bien! Antiochus, es-tu toujours le même?
> Pourrai-je, sans trembler, lui dire : Je vous aime?
> Mais, quoi! déjà je tremble; et mon cœur agité
> Craint autant ce moment que je l'ai souhaité !
> Bérénice autrefois m'ôta toute espérance;
> Elle m'imposa même un éternel silence.
> Je me suis tu cinq ans; et, jusques à ce jour,
> D'un voile d'amitié j'ai couvert mon amour.

L'héroïne arrive :

> Enfin je me dérobe à la joie importune
> De tant d'amis nouveaux que me fait la fortune :
> Je fuis de leurs respects l'inutile longueur,
> Pour chercher un ami qui me parle du cœur.

Qui lui parle de son cœur plutôt que de celui du roi ; car elle ne voit que son amour à elle.

> . . . . . . . . . . . Moi dont l'ardeur extrême ,
> Je vous l'ai dit cent fois, n'aime en lui que lui-même ;
> Moi qui, loin des grandeurs dont il est revêtu ,
> Aurois choisi son cœur. . . . . . .

Mais Antiochus-Longueville, après avoir parlé de la mort qu'il a déjà cherchée et qu'il trouvera à la guerre, — la guerre de Flandre, — pour emporter son secret dans la tombe, ouvre enfin son cœur :

> Rome vous vit, madame, arriver avec lui.
> Dans l'Orient désert quel devint mon ennui !
> Je demeurai longtemps errant dans Césarée,
> Lieux charmants où mon cœur vous avoit adorée :
> Le sort me réservoit le dernier de ses coups.
> Titus en m'embrassant m'amena devant vous :
> Un voile d'amitié vous trompa l'un et l'autre,
> Et mon amour devint le confident du vôtre.

Mademoiselle de La Vallière ne s'attendrit pas. A peine « le confident » est-il parti, qu'elle parle à sa suivante de la beauté de Louis XIV :

> Cette pourpre, cet or, que rehaussoit sa gloire,
> Et ces lauriers encor témoins de sa victoire ;
> Tous ces yeux qu'on voyoit venir de toutes parts
> Confondre sur lui seul leurs avides regards ;

Ce port majestueux, cette douce présence...
Ciel! avec quel respect et quelle complaisance
Tous les cœurs en secret l'assuroient de leur foi!
Parle : peut-on le voir sans penser, comme moi,
Qu'en quelque obscurité que le sort l'eût fait naître,
Le monde en le voyant eût reconnu son maître?

Au second acte, Louis XIV dit à son confident —
car il y a toujours en scène un confident * — qu'il faut
pourtant préparer l'amante délaissée à quitter la place :

Mais par où commencer? Vingt fois, depuis huit jours,
J'ai voulu devant elle en ouvrir le discours;
Et, dès le premier mot, ma langue embarrassée
Dans ma bouche vingt fois a demeuré glacée.

Et plus loin comme le roi peint fidèlement La
Vallière :

Je connois Bérénice, et ne sais que trop bien
Que son cœur n'a jamais demandé que le mien.
Je l'aimai; je lui plus. Depuis cette journée
(Dois-je dire funeste, hélas! ou fortunée?),
Sans avoir, en aimant, d'objet que son amour,
Étrangère « à Paris », inconnue à la cour,
Elle passe ses jours, hélas! sans rien prétendre
Que quelque heure à me voir, et le reste à m'attendre.
Encor, si quelquefois, un peu moins assidu,
Je passe le moment où je suis attendu,
Je la revois bientôt de pleurs toute trempée :
Ma main à les sécher est longtemps occupée.
Enfin, tout ce qu'Amour a de nœuds plus puissants,
Doux reproches, transports sans cesse renaissants,
Soin de plaire sans art, crainte toujours nouvelle,
Beauté, gloire, vertu, je trouve tout en elle.

* Et pourquoi pas? Le confident, c'est un autre soi-même,
c'est la conscience de l'homme, c'est l'opinion publique.

Mais voici une scène entre l'amant et la maîtresse.

MADEMOISELLE DE LA VALLIÈRE.

Ne vous offensez pas si mon zèle indiscret
De votre solitude interrompt le secret.
Tandis qu'autour de moi votre cour assemblée
Retentit des bienfaits dont vous m'avez comblée,
Depuis quand croyez-vous que ma grandeur me touche?
Un soupir, un regard, un mot de votre bouche,
Voilà l'ambition d'un cœur comme le mien :
Voyez-moi plus souvent, et ne me donnez rien.
Tous vos moments sont-ils dévoués à l'empire?
Ce cœur après huit jours n'a-t-il rien à me dire?

LOUIS XIV.

N'en doutez point, madame, et j'atteste les dieux
Que toujours « La Vallière » est présente à mes yeux.
L'absence ni le temps, je vous le jure encore,
Ne vous peuvent ravir ce cœur qui vous adore.

MADEMOISELLE DE LA VALLIÈRE.

Mon cœur ne prétend point, seigneur, vous démentir;
Et je vous en croirai sur un simple soupir.

Viennent les larmes. L'amant n'a pas le courage
de dire qu'il n'aime plus. La délaissée se désespère,
mais un éclair passe dans cet orage : elle croit voir
la jalousie du prince pour le duc :

Rassurons-nous, mon cœur, je puis encor lui plaire;
Je me comptois trop tôt au rang des malheureux :
Si Titus est jaloux, Titus est amoureux.

Lui, amoureux! illusion des cœurs ardents, qui ne
voient jamais la vérité. Louis, amoureux de La Vallière! Le voilà qui donne l'ordre au duc de Longueville de lui dire qu'il la sacrifie :

Soyez le seul témoin de ses pleurs et des miens;
Portez-lui mes adieux, et recevez les siens.
Fuyons tous deux, fuyons un spectacle funeste
Qui de notre constance accableroit le reste.
Si l'espoir de régner et de vivre en mon cœur
Peut de son infortune adoucir la rigueur,
Ah! prince, jurez-lui que, toujours trop fidèle,
Gémissant dans ma cour, et plus exilé qu'elle,
Portant jusqu'au tombeau le nom de son amant,
Mon règne ne sera qu'un long bannissement,
Si le ciel, non content de me l'avoir ravie,
Veut encor m'affliger par une longue vie.
Vous, que l'amitié seule attache sur ses pas,
Prince, dans son malheur ne l'abandonnez pas.

Rien ne manque à ce message, pas même les beaux mensonges amoureux.

Cependant le confident porte la vérité — le coup de poignard à ce triste cœur.

MADEMOISELLE DE LA VALLIÈRE.

Non, je ne vous crois point. Mais, quoi qu'il en puisse être,
Pour jamais à mes yeux gardez-vous de paroître.

Elle chasse celui qui l'aime, et elle envoie sa suivante vers celui qui ne l'aime plus. La suivante revient.

MADEMOISELLE DE LA VALLIÈRE.

Qu'a-t-il dit? viendra-t-il?

LA SUIVANTE.

Oui, je l'ai vu, madame,
Et j'ai peint à ses yeux le trouble de votre âme.
J'ai vu couler des pleurs qu'il vouloit retenir.

MADEMOISELLE DE LA VALLIÈRE.

Vient-il?

LA SUIVANTE.

N'en doutez point, madame, il va venir.
Mais voulez-vous paroître en ce désordre extrême?
Remettez-vous, madame, et rentrez en vous-même.
Laissez-moi relever ces voiles détachés,
Et ces cheveux épars dont vos yeux sont cachés.
Souffrez que de vos pleurs je répare l'outrage.

MADEMOISELLE DE LA VALLIÈRE.

Laisse, laisse, Phénice; il verra son ouvrage.
Eh! que m'importe, hélas! de ces vains ornements?
Si ma foi, si mes pleurs, si mes gémissements....
Mais que dis-je? mes pleurs! si ma perte certaine,
Si ma mort toute prête enfin ne le ramène,
Dis-moi, que produiront tes secours superflus,
Et tout ce faible éclat qui ne le touche plus?

Voici maintenant le monologue de Louis XIV :

Tes adieux sont-ils prêts? t'es-tu bien consulté?
Ton cœur se promet-il assez de cruauté?
Car enfin au combat qui pour toi se prépare,
C'est peu d'être cruel, il faut être barbare.
Soutiendrai-je ces yeux, dont la douce langueur
Sut si bien découvrir le chemin de mon cœur?
Quand je verrai ces yeux armés de tous leurs charmes,
Attachés sur les miens, m'accabler de leurs larmes,
Pourrai-je dire enfin : Je ne veux plus vous voir !

Mademoiselle de La Vallière s'élance de son appartement :

Non, laissez-moi, vous dis-je.
En vain tous vos conseils me retiennent ici;
Il faut que je le voie... Ah! seigneur! vous voici!
Eh bien, il est donc vrai que Titus m'abandonne!
Il faut nous séparer, et c'est lui qui l'ordonne!

LOUIS XIV.

N'accablez point, madame, un prince malheureux,
Il ne faut point ici nous attendrir tous deux.
Un trouble assez cruel m'agite et me dévore,
Sans que des pleurs si chers me déchirent encore.

Et Louis termine son discours par ce vers qui est
aujourd'hui d'un comique achevé :

Car enfin, ma princesse, il faut nous séparer.

MADEMOISELLE DE LA VALLIÈRE.

Ah! cruel, est-il temps de me le déclarer!
Qu'avez-vous fait? Hélas! je me suis crue aimée,
Au plaisir de vous voir mon âme accoutumée
Ne vit plus que pour vous. Ignoriez-vous vos lois
Quand je vous l'avouai pour la première fois?
Ne l'avez-vous reçu, mon cœur, que pour le rendre,
Quand de vos seules mains ce cœur voudroit dépendre?
Tout l'empire a vingt fois conspiré contre nous :
Il étoit temps encor; que ne me quittiez-vous?

LOUIS XIV.

Je pouvois vivre alors et me laisser séduire;
Mon cœur se gardoit bien d'aller dans l'avenir
Chercher ce qui pouvoit un jour nous désunir.
Je voulois qu'à mes vœux rien ne fût invincible;

MADEMOISELLE DE LA VALLIÈRE.

Je ne dispute plus. J'attendois, pour vous croire,
Que cette même bouche, après mille serments
D'un amour qui devoit unir tous nos moments,
Cette bouche, à mes yeux s'avouant infidèle,
M'ordonnât elle-même une absence éternelle.
Moi-même j'ai voulu vous entendre en ce lieu.
Je n'écoute plus rien : et, pour jamais, adieu...
Pour jamais! Ah! Louis, songez-vous en vous-même
Combien ce mot cruel est affreux quand on aime?

Et elle lui représente quelle sera sa désespérance de voir commencer et finir le jour sans jamais retrouver son image.

Mais elle a beau pleurer! ses larmes sont autant de perles pour la couronne de Montespan.

Voici la grande scène, la scène du cinquième acte. Il n'a pas tout dit, et elle n'a pas versé toutes ses larmes.

Mademoiselle de La Vallière va partir — et pourquoi resterait-elle?

> Je ne vois rien ici dont je ne sois blessée.
> Tout cet appartement préparé par vos soins,
> Ces lieux, de mon amour si longtemps les témoins,
> Qui sembloient pour jamais me répondre du vôtre,
> Ces festons, où nos noms enlacés l'un dans l'autre
> A mes tristes regards viennent partout s'offrir,
> Sont autant d'imposteurs que je ne puis souffrir.

Elle va partir, elle va se détacher d'elle-même; elle va jeter son amour sous les pieds de madame de Montespan. Antiochus, je me trompe, le duc de Longueville, espère boire sa dernière larme; mais en présence même de Louis XIV, elle lui parle ainsi:

> Après un tel adieu, vous jugez bien vous-même
> Que je ne consens pas de quitter ce que j'aime
> Pour aller loin de Rome écouter d'autres vœux.
> Vivez, et faites-vous un effort généreux.
> Sur Titus et sur moi réglez votre conduite:
> Je l'aime, je le fuis; Titus m'aime, il me quitte:
> Portez loin de mes yeux vos soupirs et vos fers.
> Adieu. Servons tous trois d'exemple à l'univers
> De l'amour la plus tendre et la plus malheureuse
> Dont il puisse garder l'histoire douloureuse.
> Tout est prêt. On m'attend.

Tout est prêt, c'est-à-dire que déjà sa tombe est ouverte aux Carmélites. « Tout le monde part à la fin d'avril, je pars aussi, mais c'est pour aller dans le plus sûr chemin du ciel. »

Maintenant, qui osera faire un reproche à cet historien de la plus grande passion de son temps de n'être ni Grec ni Romain? Qu'importe s'il est Français, s'il est éloquent, s'il est le poëte du cœur qui l'écoute? qu'importe si Linière trouve la rime mauvaise? Linière n'est pas ici le vrai spectateur; qu'importe la critique, si La Vallière qui se cache dans l'éventail de Montespan s'évanouit au cinquième acte?

## IV.

Peindrai-je les derniers soleils pâlissants de cet amour qui allait finir en Dieu, comme tous les amours profonds qui jettent violemment l'esprit dans le cœur? Une nuit du mardi gras de 1671, il y eut un bal masqué à la cour. Pourquoi un bal masqué? Le roi ne se cachait plus, madame de Montespan avait jeté le masque depuis longtemps. Son triomphe tapageur aimait le grand jour; elle se vantait d'être maîtresse du roi comme Louis XIV se vantera bientôt d'avoir passé le Rhin. Maîtresse du roi, n'est-ce pas dire qu'elle est la plus belle et que le monde est à ses pieds?

Cette nuit-là, Louis XIV chercha la duchesse de La

Vallière, ce qui lui fit démasquer plus d'une autre duchesse qui peut-être s'enorgueillissait d'avoir été prise un instant pour la favorite, même pour la favorite trompée. Le lendemain le roi apprit que mademoiselle de La Vallière s'était réfugiée au couvent des dames de Sainte-Marie. Cette fois le roi ne sella pas un cheval pour aller la chercher : il envoya d'abord Lauzun, qui revint seul; Lauzun avait eu le tort de parler des chagrins du roi et des chagrins de Lauzun; le roi envoya ensuite Colbert; le ministre qui n'avait parlé que du roi ramena la fugitive. Quand Louis XIV la revit, il pleura comme aux beaux jours. « Vous pleurez, lui dit-elle avec son charmant sourire, vous pleurez! et pourtant si je ne fusse pas revenue avec M. Colbert, vous ne m'auriez pas dépêché un troisième ambassadeur. »

Mademoiselle de La Vallière disait la vérité : le roi en était à ses dernières larmes; il avait fallu cette fuite inattendue pour remuer un peu ce cœur désormais insensible aux romans de la jeunesse.

Après le roi, savez-vous qui se jeta tout éplorée dans les bras de mademoiselle de La Vallière? Ce fut madame de Montespan. « Cruelle amie! lui dit-elle, croyez-vous donc qu'on puisse vivre sans vous! »

Madame de Sévigné, tout en raillant, a écrit cette page de la vie de mademoiselle de La Vallière : « La duchesse de La Vallière mande au roi, par le maréchal de Bellefonds : « qu'elle auroit plus tôt quitté la cour, » après avoir perdu l'honneur de ses bonnes grâces,

» si elle avoit pu obtenir d'elle de ne le plus voir; que
» cette faiblesse avoit été si forte en elle, qu'à peine
» étoit-elle capable présentement d'en faire un sa-
» crifice à Dieu; qu'elle vouloit pourtant que le reste
» de la passion qu'elle a eue pour lui servît à sa péni-
» tence, et qu'après lui avoir donné toute sa jeu-
» nesse, ce n'étoit pas trop encore du reste de sa vie
» pour le soin de son salut. » Le roi pleura fort et
envoya M. Colbert à Chaillot la prier instamment
de venir à Versailles et qu'il pût lui parler encore.
M. Colbert l'y a conduite, le roi a causé une heure
avec elle et a fort pleuré. Madame de Montespan fut au-
devant d'elle les bras ouverts et les larmes aux yeux.
Tout cela ne se comprend point; les uns disent qu'elle
demeurera à Versailles et à la cour, les autres qu'elle
retournera à Chaillot; nous verrons. »

Et peu de jours après : « Madame de La Vallière est
toute rétablie à la cour, le roi l'a reçue avec des larmes
de joie; elle a eu plusieurs conversations tendres; tout
cela est très-difficile à comprendre, il faut se taire. »
Mais madame de Sévigné dira encore un mot : « A l'égard
de madame de La Vallière, nous sommes au désespoir
de ne pouvoir vous la remettre à Chaillot; mais elle
est à la cour beaucoup mieux qu'elle n'a été depuis
longtemps, il faut vous résoudre à l'y laisser. »

Quelque désintéressée que fût des grandeurs mademoiselle de La Vallière, quoiqu'elle n'aimât que
pour aimer, — l'amour pour l'amour, — on ne voulait
pas croire qu'elle eût un si grand chagrin de perdre

14

son amant, si l'amant n'eût pas été le roi. Sa bonne
foi était mise en doute. Elle se cache sous l'herbe,
disait-on, mais c'est pour cacher son ambition. On la
jugeait sévèrement dans le monde; on disait que ses
fuites au couvent n'étaient qu'un jeu. Madame de Sévigné y fut prise elle-même : « Madame de La Vallière
ne parle plus d'aucune retraite; c'est assez de l'avoir
dit. Sa femme de chambre s'est jetée à ses pieds pour
l'en empêcher : peut-on résister à cela? » Madame de
Sévigné changea de style quand elle alla voir aux Carmélites sœur Louise de la Miséricorde.

## V.

Cependant madame de Montespan régnait avec violence. « Madame de Montespan, abusant de ses avantages, dit madame de Caylus, affectoit de se faire
servir par elle, donnoit des louanges à son adresse, et
assuroit qu'elle ne pouvoit être contente de son ajustement si elle n'y mettoit la dernière main. Mademoiselle de La Vallière s'y portoit de son côté avec
tout le zèle d'une femme de chambre dont la fortune
dépendroit des agréments qu'elle prêteroit à sa maîtresse. » La Palatine continue le récit : « La Montespan, qui avoit plus d'esprit, se moquoit d'elle publiquement, la traitoit fort mal, et obligeoit le roi à en
agir de même. Il falloit traverser la chambre de La

Vallière pour se rendre chez la Montespan. Le roi avoit un joli épagneul appelé Malice; à l'instigation de la Montespan, il prenoit ce petit chien et le jetoit à la duchesse de La Vallière en disant : « Tenez, madame, voilà votre compagnie, c'est assez. » Cela étoit d'autant plus dur, qu'au lieu de rester chez elle, il ne faisoit que passer pour aller chez la Montespan. »

Mademoiselle de La Vallière, toute à son amour, toute à sa douleur, toute à son repentir, subissait ces outrages, laissait dire le monde et se tournait vers Dieu.

Ce sonnet, qui lui fut attribué, courut Versailles et Paris. J'en ai une des mille copies qu'on prenait au passage :

Tout se détruit, tout passe; et le cœur le plus tendre
Ne peut d'un même objet se contenter toujours.
Le passé n'a point eu d'éternelles amours,
Et les siècles futurs n'en doivent point attendre.

La constance a des lois qu'on ne veut point entendre;
Des désirs d'un grand roi rien n'arrête le cours :
Ce qui plaît aujourd'hui déplaît en peu de jours;
Son inégalité ne sauroit se comprendre.

Louis, tous ces défauts font tort à vos vertus.
Vous m'aimiez autrefois, et vous ne m'aimez plus :
Mes sentiments, hélas! diffèrent bien des vôtres!

Amour, à qui je dois et mon mal et mon bien,
Que ne lui donniez-vous un cœur comme le mien?
Ou que n'avez-vous fait le mien comme les autres?

14.

Voici du même temps un autre sonnet qui n'est pas moins beau et qui fut pareillement attribué à mademoiselle de La Vallière :

J'épands sur ton autel mon âme en sacrifice,
Tout-Puissant dont la voix a daigné m'appeler :
Donne-moi cet esprit qui peut tout révéler,
Et de qui la vertu me sépare du vice.

Par ta miséricorde augmente ma justice,
Et veuille ton image en moi renouveler :
Quel empire si grand se pourroit égaler
A l'immortel honneur de te rendre service !

Conduis-moi sûrement au repos éternel,
Seul espoir des élus, que ton soin paternel
Fait comme astres luisants au milieu des ténèbres.

Aussi bien, mon esprit se lasse de mon corps,
Et voit les vanités comme pompes funèbres
De ceux qui semblent vivre, encore qu'ils soient morts.

Ces deux sonnets expriment en beau langage les sentiments de mademoiselle de La Vallière ; mais je ne puis croire qu'elle se soit condamnée à marteler son cœur pour le faire entrer dans cette forme étroite, à vouloir cristalliser ses larmes dans ce froid creuset.

Son esprit, lassé de son corps, lui imposait un cilice. Elle était devenue si pieuse qu'elle craignait d'outrepasser les devoirs de la pénitence. Elle demanda à son confesseur s'il lui était permis de se mortifier ainsi.

Le confesseur la gronda : « Ah ! mon père, ne me
» grondez pas de ce cilice ! C'est bien peu de chose,
» il ne mortifie que ma chair, parce qu'elle a péché ;
» mais il n'atteint pas mon âme qui a plus péché
» encore. Ce n'est pas lui qui me tue, ce n'est pas lui
» qui m'ôte tout sommeil, tout repos : ce sont mes
» remords. C'est surtout le lâche désir que j'ai d'en
» ajouter d'autres à ceux que j'ai déjà. Ah ! mon père,
» que Dieu me punisse si je blasphème : je ne sais ce
» qu'est l'enfer, mais je ne saurois en imaginer un
» plus terrible que celui où est mon cœur, où il reste
» néanmoins, où il se complaît. »

Madame de Montespan abusait trop de la douceur
de sa rivale. Elle la condamnait à être de toutes les
fêtes, même des soupers intimes. Mademoiselle de
La Vallière se laissait lâchement tomber dans cette
servilité qui lui permettait de voir le roi. Dès que le
roi paraissait, elle se jurait de le fuir ; mais l'amour
trahi, le plus fort de tous les amours, la poussait
malgré elle plus loin encore dans cet abîme. « Il faut
donc, dit-elle un soir au roi avec une douleur touchante, que je forme de ma main les nœuds qui vous
attachent à cette femme ? Et c'est vous qui m'y con-
damnez ! »

Louis XIV lui répondit que le temps n'était plus des
grands sentiments, qu'il l'aimait toujours, mais qu'il
fallait laisser fondre les orages.

Faut-il ici croire la Palatine : « Le roi la traitoit
fort mal, à l'instigation de madame de Montespan. Il

étoit dur avec elle et ironique jusqu'à l'insulte. La
pauvre créature s'imaginoit qu'elle ne pouvoit faire un
plus grand sacrifice à Dieu qu'en lui sacrifiant la cause
même de ses torts, et croyoit faire d'autant mieux,
que la pénitence viendroit de l'endroit où elle avoit
péché. Aussi restoit-elle par pénitence chez la Montespan *. »

J'ai vu un tableau du temps de la Régence peint par
quelque Flamand francisé, qui représente mademoiselle de La Vallière renouant une guirlande de roses à
la jupe de madame de Montespan. La scène est dans
le parc de Versailles. Le roi tient sur son poing la
main de la marquise et regarde La Vallière d'un air
distrait. Pour le voir, la pauvre délaissée lève les yeux
à la dérobée et semble oublier ce qu'elle fait. Madame
de Montespan la regarde à l'œuvre, comme si c'était la
chose du monde la plus simple.

Les deux rivales ne se quittaient pas. Elles allaient
ensemble au bal, au spectacle et à la guerre. Si
Madame mourait à Saint-Cloud de cette mort immortalisée par Bossuet, « madame de La Vallière et ma-

---

* Tous les mémoires du temps constatent ce servage : « Madame
de Montespan trouva toutes les complaisances d'une amie dans un
cœur déchiré de tous les tourments d'une rivale humiliée. Elle
vouloit que la malheureuse La Vallière, dont elle affectoit de
consulter le goût, présidât à sa toilette ; il falloit même qu'elle y
mît la main. Il sembloit que, fière de son triomphe, l'orgueil-
leuse Montespan exigeât de sa victime de nouvelles armes pour
la frapper plus sûrement. »

dame de Montespan, pour lui dire adieu, étoient venues
ensemble, » dit mademoiselle de Montpensier. Plus
tard, si mademoiselle de Montpensier veut aller elle-
même dire adieu à mademoiselle de La Vallière la
veille de sa mort au monde, il faudra qu'elle aille
souper chez madame de Montespan.

Mademoiselle de La Vallière voulut donner son portrait au roi, résolue à ne se plus donner elle-même.
Elle appela Mignard, et se fit peindre en Madeleine.
« Oui, Madeleine, dit-elle; mais j'aurai beau lever
mes lèvres coupables, les pieds du Seigneur ne
descendront pas jusqu'à moi. »

Elle résolut de se jeter une dernière fois dans les
ténèbres du couvent. Elle avait pris Bossuet pour
confident, et déjà Bossuet préparait l'oraison funèbre
de ce cœur qui allait mourir de la vie du monde pour
vivre de la vie éternelle. Elle sentait bien que son
sacrifice n'était plus un sacrifice : puisque aussi bien
le roi ne l'aimait plus, le couvent serait un refuge d'où
elle ne verrait pas sa rivale triomphante fouler d'un
pied dédaigneux les images du passé.

Madame de Maintenon, — la dernière rivale, —
était déjà à la cour, sinon de la cour. Elle cherchait des
sympathies et confessait souvent mademoiselle de La
Vallière, qui parlait toujours du rivage, je me trompe,
qui parlait toujours du couvent. « Y songez-vous bien,
madame? lui dit un jour la future maîtresse de
Louis XIV; vous ne connoissez pas toutes les souffrances de ce renoncement au monde et de cette soli-

tude où Dieu ne vient pas toujours. » Mademoiselle
de La Vallière sourit amèrement : « Oh! madame, ne
prenez point de souci pour moi; quand je souffrirai
là-bas, je me rappellerai tout ce que ces gens-là m'ont
fait souffrir ici. » Et mademoiselle de La Vallière
montra du doigt Louis XIV et la marquise de Montespan qui montaient en carrosse.

## VI.

L'historien peut suivre pas à pas mademoiselle de
La Vallière pendant sa dernière année à la cour,
puisque ses lettres recueillies sont pour ainsi dire des
confessions. En effet, quoiqu'elle eût choisi un confesseur de l'ordre profane, un maréchal de France, le
marquis de Bellefonds, elle parlait à cœur ouvert de
ses égarements et de ses repentances, comme elle eût
parlé à Bossuet lui-même.

Sa première lettre, datée du 9 juin 1673, exprime
déjà bien la prière de la pénitente aux pieds de son
confesseur : « Vous avez la paix du cœur et vous en
» goûtez les délices sans aucun obstacle. J'ai besoin
» des conseils de mes amis pour ne pas me laisser aller
» à ces troubles que vous connaissez. »

Dans la seconde lettre, elle a fait un pas de plus vers
Dieu : « Vous me donnez grande joie de m'assurer que
» je serai reçue quand j'aurai la force de me tirer

» d'ici. » Son âme est déjà aux Carmélites, mais son
corps est retenu à Versailles par tous les liens de la
passion, par toutes les colères de la jalousie, par tous
les enchantements du souvenir. Il y a des jours, dans
ce morne mois de novembre, dans cet immense palais où le roi et madame de Montespan lui font une
solitude, il y a des jours où elle croit qu'elle a
raison d'elle-même. « Enfin, je commence ardemment
» à goûter le plaisir d'aimer Dieu sans aucun obstacle :
» les heures me paroissent des siècles. À chaque
» instant, Dieu m'enflamme de son amour si forte-
» ment, que je n'imagine plus d'autre plaisir que
» l'espoir d'être à lui sans réserve. Malgré la grandeur
» de mes fautes que j'ai présentes à tout moment,
» l'amour a plus de part à mon sacrifice que l'obliga-
» tion de faire pénitence. »

On voit qu'elle veut se jeter dans les bras de Dieu
comme elle s'est jetée dans les bras de Louis XIV,
par l'amour seul. Non, ce qui l'entraîne, ce n'est pas
le repentir, c'est la soif d'aimer : le roi lui ferme son
palais, Dieu lui ouvre son église. Ce cœur allumé
sur le cœur de Louis XIV ira se consumer sur l'autel.
Qui mieux qu'elle peut dire ces paroles : « Où péché
a abondé, la grâce a surabondé. »

Ses longs jours se passent à rêver, à interroger ses
amis; mais a-t-elle encore des amis? — Les anciens
sont allés à madame de Montespan; mais de nouveaux,
de plus sûrs lui sont venus : elle vient de faire deux
conquêtes, Bossuet et la mère Agnès. Bossuet la vient

voir à Versailles ou à Saint-Germain; si elle va à
Paris, c'est pour aller embrasser la mère Agnès, et
s'accoutumer par les yeux à ce cloître où elle ira
souffrir pour avoir aimé, où elle ira aimer pour avoir
souffert.

Dans la sixième lettre, datée de Saint-Germain, le
12 janvier 1674, elle parle des « importunes vapeurs »
qui font la nuit autour d'elle : « elle est comme
abîmée dans les ténèbres. » Le démon va-t-il l'emporter ? « Je suis toujours dominée par la malheureuse
» habitude du péché; sans aucune vertu, j'ai toutes
» les foiblesses de l'esprit et du cœur; j'ai raison de
» trembler plus qu'une autre; je tremble des senti-
» ments que Dieu a mis dans mon cœur, dans la crainte
» d'abuser de sa grâce. J'espère cependant que le
» Seigneur sera touché de mes larmes. » N'est-il pas
visible qu'elle s'est reprise à son amour pour le roi,
qu'elle a espéré que son règne était encore de ce
monde, qu'elle a vu pâlir madame de Montespan?
Elle fait un pas en avant, elle fait un pas en arrière:
« Prions sans cesse, s'écrie-t-elle, avec cela on va
loin; Dieu n'abandonne point ceux qui veulent absolument se donner à lui. » Elle veut se donner à Dieu,
mais elle se retient au roi.

Un mois plus tard elle ne domine plus son cœur, ce
cœur si faible et pourtant plus fort que son esprit :
« Vous craignez pour moi, et vous avez raison, puisque
» je suis encore ici. Que voulez-vous! je suis la foi-
» blesse même! » Et elle parle de sa nonchalance à

sortir du péril, elle court aux Carmélites pour reprendre
courage ; s'il faut l'en croire, elle ne tient plus qu'à un
fil : « Aidez-moi, je vous prie, à le rompre ; grondez,
» menacez, traitez-moi durement s'il le faut. » Ce fil,
c'est une chaîne de fer que la rouille seule finira par
rompre après bien des années. « Je n'ai plus qu'un
pas à faire, dit-elle plus loin, mais ce pas c'est un
abîme. » D'un côté, c'est le pays où son cœur a vécu ;
de l'autre côté, c'est le pays où son cœur va mourir.
On a mis sur son chemin son fils et sa fille : « Je vous
» avoue que j'ai eu de la joie à voir mademoiselle de
» Blois jolie comme elle étoit ; je l'aime, mais elle ne
» me retiendra pas un seul moment ; je la vois avec
» plaisir et je la quitterai sans peine. Accordez cela
» comme il vous plaira, mais je le sens comme je vous
» le dis. »

J'ai toutes les peines du monde à accorder cela.
Quelle que soit ma sympathie pour cette douce et
blanche figure de La Vallière, je ne lui pardonne pas
d'avoir été de Louis XIV à Dieu sans s'être arrêtée un
instant sur sa route, pour écouter en elle battre le
cœur de la mère.

Chaque fois qu'elle passe une heure avec le roi,
tantôt au jeu de la reine, tantôt à la chapelle, tantôt
dans les jardins, toujours en joyeuse compagnie, —
car il n'y a qu'elle qui pleure à la cour, — elle a peur
de retomber plus avant dans l'esclavage ; elle appelle
Bossuet, elle prépare son sacrifice, elle entend déjà
l'oraison funèbre qu'il va prononcer sur ces grandes

passions qu'elle va mettre pieusement au tombeau.
« Enfin j'avance, mon courage augmente, et je crois
» que Dieu achèvera bientôt son ouvrage. Cependant
» je crains, et je craindrai toujours, jusqu'à ce que je
» sois hors de danger. Je prie Dieu de me garder de
» moi-même. »

Elle avance si peu dans le chemin du ciel, que, si le
roi lui disait de rester, elle se jetterait dans ses bras et
y mourrait dans une dernière étreinte. Mais Louis XIV
n'aime plus les airs élégiaques ; il a failli s'ennuyer
avec elle, il la croit un peu folle (la pâle délaissée
semble d'autant plus folle qu'elle cherche la sagesse) ;
que lui importe qu'elle s'en aille, que lui importe
qu'elle reste, — pourvu que madame de Montespan
soit là !

Mais madame de Montespan a l'amour cruel comme
madame de La Vallière a l'amour ineffable. Il lui faut
tourmenter ce pauvre cœur qui ne peut ni vivre ni
mourir. D'ailleurs elle est jalouse d'une telle passion ;
elle ne veut pas que sa rivale passe à l'état de victime ;
elle la condamne à voir ses éclats de rire impertinents.
Le roi n'ose pas autoriser la retraite de mademoiselle
de La Vallière pour le bon plaisir de sa maîtresse.
Bossuet lui-même, qui n'a peur que de Dieu, qui dit
au roi la vérité, Bossuet tremble devant l'orgueil de la
fière et tempétueuse marquise. Mais comme il verse
sa divine éloquence dans l'âme encore orageuse de la
future pénitente : « C'est s'abîmer dans la mort que
de se chercher soi-même. Sortir de soi-même pour

aller à Dieu, c'est la vie. » Voilà comment parle
Bossuet à celle qui remue les cendres encore brûlantes
de son cœur *.

* On peut sentir les battements de cœur de mademoiselle de
La Vallière en lisant les lettres de Bossuet au maréchal de Bellefonds. Il écrit de Saint-Germain, le 25 décembre 1673 :

« Elle m'a obligé de traiter le chapitre de sa vocation avec
madame de Montespan. J'ai dit ce que je devois. On ne se soucie
pas beaucoup de la retraite; mais il semble que les Carmélites
font peur. On a couvert, autant qu'on a pu, cette résolution
d'un grand ridicule. Le roi a bien su qu'on m'avoit parlé; et
Sa Majesté ne m'en ayant rien dit, je suis aussi demeuré jusqu'ici dans le silence. Madame la duchesse de La Vallière a
beaucoup de peine à parler au roi, et remet de jour en jour. »

Et un mois après :

« Le monde lui fait de grandes traverses, et Dieu de grandes
miséricordes; j'espère qu'il l'emportera, et que nous la verrons
un jour dans un haut degré de sainteté. »

Cependant toute une année s'est passée, l'année des derniers
combats. Mais mademoiselle de La Vallière va sortir triomphante :

« Je vous envoie une lettre de madame la duchesse de La Vallière, qui vous fera voir que, par la grâce de Dieu, elle va exécuter le dessein que le Saint-Esprit lui avoit mis dans le cœur.
En vérité, ces sentiments ont quelque chose de si divin, que je
ne puis y penser sans être en de continuelles actions de grâces;
et la marque du doigt de Dieu, c'est la force et l'humilité qui
accompagnent toutes ses pensées; c'est l'ouvrage du Saint-Esprit.
Elle ne respire plus que la pénitence. Cela me ravit et me confond. Je parle, et elle fait; j'ai les discours, elle a les œuvres. »

Enfin, la veille du départ pour les Carmélites :

« Madame de La Vallière persévère avec une grâce et une
tranquillité admirables. Sa retraite aux Carmélites a causé des
tempêtes : il faut qu'il en coûte pour sauver les âmes. »

## VII.

Jusqu'au dernier jour, la duchesse de La Vallière
alla dans le monde et fut des fêtes de la cour. Le
12 janvier 1674, madame de Sévigné écrivait à sa
fille : « Nous fûmes ensuite chez madame de Colbert,
qui est extrêmement civile, et sait très-bien vivre. Mademoiselle de Blois dansoit; c'est un prodige d'agrément et de bonne grâce. La duchesse de La Vallière y
étoit; elle appelle sa fille *Mademoiselle*, et la princesse
l'appelle *belle maman*. »

Mais si le soir était au monde, la nuit était à Dieu,
le matin était à l'étude. Elle ne dormait qu'à demi.
Elle était plus souvent sur son prie-Dieu que sur son lit.
Elle éteignait ses beaux yeux dans les saintes Écritures;
elle apprenait le latin, « afin, disait-elle, de pouvoir
entrer plus avant dans l'Église. »

A la même date, madame de Sévigné raconte que
« la *Rosée* (madame de La Vallière) a commencé à se
détraquer avec le *Torrent* (madame de Montespan) »;
elles s'étaient liées « d'une confidence réciproque, et
voyoient tous les jours le *Feu* et la *Neige* (le Roi et la
Reine). Vous savez que tout cela ne peut pas être
longtemps ensemble sans faire de grands désordres, ni
qu'on s'en aperçoive. »

Cependant le printemps arrive, les premiers beaux

jours vont chanter encore dans cette âme coupable les
symphonies du renouveau ; elle va se reprendre à la
poésie des primevères et des aubépines ; les lilas vont
parfumer le labyrinthe où tous les ans elle allait avec
le roi cueillir le premier bouquet. Voici la saison des
folles cavalcades, le roi va courir tous ses châteaux :
que de souvenirs seront réveillés ! Comme on va évoquer les belles heures du passé ! Ils sont heureux
ceux-là qui vont vivre encore du temps perdu ! Mademoiselle de La Vallière aura-t-elle le courage d'ouvrir
sa tombe alors que tout refleurit ? — Oui, car tout
refleurit, hormis l'amour du roi.

Elle est allée à lui : « Sire, je meurs de chagrin ;
Dieu seul, dans sa miséricorde, me consolera de vos
cruautés. Je vais aller cacher ma honte et ma douleur
aux Carmélites. — Que Dieu soit avec vous, dit sèche-
ment le roi ; nous ne pouvons pas toujours tourner
dans le même tourbillon. Votre cœur n'aime que les
orages ; pour moi j'en suis revenu au beau temps. Je
vois avec peine que vous prenez tout cela au tragique,
mais enfin, puisque mon amitié tient si peu de place
dans votre cœur, je n'ai plus qu'un mot à vous dire :
Adieu. Non-seulement, madame, je ne pleure plus,
mais je n'aime plus à voir pleurer. »

Quelle que fût la sécheresse de cet adieu, mademoiselle de La Vallière fut convaincue que, le jour de la
séparation, le roi, qui peut-être n'y croyait pas encore,
ferait un retour sur le passé et ne serait pas maître de
cacher son chagrin. Elle écrit pour la dernière fois,

sous le nom de la duchesse de La Vallière, au maréchal de Bellefonds : « Enfin je quitte le monde, c'est
» sans regret, mais ce n'est pas sans peine. Ma foi-
» blesse m'y a retenue longtemps sans goût, ou, pour
» parler plus juste, avec mille chagrins. » Elle veut
parler de ces chagrins adorés, de son amour qu'elle
voudrait avoir encore. Elle continue : « Je vois bien
» que l'avenir ne me donneroit pas plus de satisfaction
» que le passé et le présent. » Il faut bien le dire, si
elle monte le Carmel, ce n'est pas encore avec toutes
les aspirations célestes ; si elle fuit la cour, c'est moins
parce que Dieu l'appelle, que parce que Louis XIV la
dédaigne *.

Comme elle a dû pleurer en écrivant ces trois lignes,
qu'on a déjà lues : « Tout le monde part à la fin
» d'avril ; je pars aussi, mais c'est pour aller dans le
» plus sûr chemin du ciel. » Elle part aussi ! mais Versailles ne la reverra plus, ni Fontainebleau, ni Saint-
Germain ! Elle part aussi, mais elle part toute seule !
Les courtisans qui salueront son entrée aux Carmélites, ce sont les pauvres, car les pauvres ont toujours
aimé Madeleine pénitente qui leur donne l'or de ses
bijoux.

La veille du départ, madame de Montespan lui dit,
tout en larmes, qu'elle voulait une fois encore souper
avec elle. « Eh bien, j'irai souper chez vous, » mur-

---

* Elle regrette que Bossuet ne puisse venir à temps pour prêcher à sa prise d'habit ; mais elle se promet Bourdaloue, qui tout
à l'heure a prêché la Passion devant la cour.

mura mademoiselle de La Vallière, décidée à tous les
calices.

Elle se fit belle pour la dernière fois et alla souper
avec sa rivale. N'était-ce pas d'ailleurs pour souper
avec Louis XIV?

Les contemporains, — les contemporaines surtout,
— parlent de ce souper presque tragique, mais sans
dire ce qui s'y passa. Le roi s'y montra-t-il, lui qui ne
soupait plus que pour madame de Montespan? Parla-
t-on du lendemain ou de la veille, des ténèbres du
cloître ou du rayonnement de la jeune cour? Je ne
sais. Je ne crois pas qu'on s'y amusa beaucoup. Madame de Montespan, qui avait du cœur à ses moments
perdus, ne pouvait d'un œil sec voir la pâle et résignée victime lui sourire une dernière fois à l'heure du
sacrifice.

*Ci-gît* la duchesse de La Vallière! Une autre femme
est sortie d'elle-même, qui n'est connue que sous le
nom de sœur Louise de la Miséricorde.

J'oubliais. Ce ne fut pas le dernier adieu du roi ni
de madame de Montespan.

Qui eût dit à Louis XIV, quand il aimait La Vallière
en toute folie, quand il sellait un cheval pour aller la
ressaisir à Chaillot; qui lui eût dit alors qu'un matin
il se mettrait à la fenêtre avec la Montespan pour voir
à tout jamais partir pour le tombeau la plus belle et la
plus aimée? Ce fut pourtant ce qui arriva. Si la duchesse de La Vallière eût levé les yeux en montant
pour la dernière fois dans son carrosse, elle aurait

vu Louis XIV et sa maîtresse qui s'amusaient du spectacle comme à une comédie de Molière !

Cette histoire de mademoiselle de La Vallière partant pour le cloître aura sa seconde édition un siècle plus tard. Louis XV, jouant aux cartes en voyant partir madame de Pompadour pour son enterrement, dira d'un air dégagé : « La marquise a mauvais temps pour son voyage. »

Voilà donc comment finissent les amours des rois !

# VI.

# L'ENTRÉE AU TOMBEAU.

Oui, le 20 avril 1674, mademoiselle de La Vallière se jeta aux pieds de la reine, lui demanda pardon de l'avoir offensée, lui baisa respectueusement les mains et courut se jeter dans le carrosse qui allait la conduire aux Carmélites du faubourg Saint-Jacques. Ce carrosse, c'était le char funèbre qui menait sa jeunesse au tombeau.

Comédie! disait-on à la cour. Comédie, comédie, tout n'est que comédie! Elle part, mais elle reviendra comme elle est déjà revenue. C'est la dernière bataille livrée à sa rivale. Le roi, qui n'est pas aimé de la marquise de Montespan et qui a son quart d'heure de

15.

dévotion, ne pourra vivre sans mademoiselle de La Vallière.

On ne connaissait à la cour ni le roi ni mademoiselle de La Vallière. Cette lettre curieuse, datée du 29 avril 1674, anonyme aujourd'hui, car elle n'est pas signée et n'est pas d'une écriture connue, peint à vif les sentiments du beau monde de Versailles :

« La duchesse de Vaujour, impatientée de ce qu'on
» ne s'occupoit plus d'elle, et peu satisfaite de la
» considération dont elle jouissoit à la cour depuis
» qu'elle avoit sacrifié sa réputation à la gloire d'être
» maîtresse du roi, vient de donner une comédie fort
» plaisante à toute la France. Jeudi dernier, avant de
» se rendre aux Carmélites de la rue Saint-Jacques,
» elle fit ses adieux à la reine en pleurant, et lui
» demanda pardon publiquement des chagrins qu'elle
» lui avoit donnés et du tort qu'elle lui avoit fait. La
» maréchale de La Mothe lui fit observer qu'elle ne
» devoit pas s'exprimer ainsi devant tout le monde;
» elle lui répondit que, comme ses crimes avoient été
» publics, il falloit que la pénitence le fût aussi. La
» reine la baisa au front, et l'assura qu'elle lui par-
» donnoit. Satisfaite d'avoir obtenu le pardon qu'elle
» avoit l'orgueil de demander publiquement, elle
» sortit de chez la reine, appuyée sur le bras de
» madame de La Mothe; elle rencontra madame de
» Montespan, à qui elle céda le pas, et qu'elle salua
» avec une humilité impossible à concevoir; donc
» c'étoit de l'hypocrisie. Le roi, ayant appris sa réso-

» lution, fut la trouver, et resta un moment enfermé
» avec elle; on ne sait ce qui en seroit arrivé si
» madame de Montespan n'eût pas envoyé demander
» au roi, à plusieurs reprises, si Sa Majesté vouloit
» bien lui accorder un moment d'entretien. Sans
» doute, madame de Montespan craignoit un retour
» de tendresse que la pitié pouvoit inspirer pour une
» belle pénitente; pour moi, je suis sûre que, si La
» Vallière n'eût pas joué sa comédie chez la reine,
» elle seroit encore restée à la cour, et le roi auroit
» arrangé les choses pour que ses deux maîtresses
» n'eussent point à se plaindre de sa conduite. Néan-
» moins, madame de Montespan a montré beaucoup
» d'impatience jusqu'au moment où la duchesse a été
» rendue dans son couvent. Le roi est dépositaire des
» diamants qu'il avoit donnés à madame de La Vallière;
» elle a désiré qu'ils fussent partagés entre M. de Ver-
» mandois et mademoiselle de Blois, qu'elle n'ose,
» a-t-elle dit, nommer ses enfants. Je ne sais si cette
» conduite est pour frayer un chemin à toutes les
» maîtresses du roi. J'en sais plus d'une d'autre temps
» qui l'a suivi de gré ou de force; mais je doute que
» madame de Montespan veuille le prendre. En réflé-
» chissant sur le grand bruit qu'elle a fait contre la
» vie qu'elle avoit menée, je suis persuadée qu'elle en
» a usé ainsi moins par humilité que par vengeance,
» et qu'elle n'a fait tout ce bruit que pour rendre plus
» odieuse la conduite de madame de Montespan, qui,
» engagée sous les lois de l'hymen, est plus coupable

» aux yeux de Dieu qu'elle, qui est fille. Je ne puis
» encore vous assurer que La Vallière restera aux
» Carmélites; il se pourroit que le roi la renvoyât
» chercher, ainsi qu'il le fit quand elle se retira à
» Chaillot, et que par obéissance elle revînt à la cour
» demander pardon à la reine de lui avoir demandé
» pardon pour en imposer au public. Si madame de
» Montespan n'y prend garde, elle sera supplantée
» par celle qu'elle a fait disgracier. »

Mais nous qui ne doutons pas que la grâce divine
n'ait touché pour jamais ce cœur de la douce et blanche
pécheresse, nous la suivrons pieusement aux Carmélites, sans avoir souci des bruits de la cour.

Sa belle-sœur, la marquise de La Vallière, l'y
accompagna; tout Paris était aux portes et aux fenêtres, sur les quais et rue Saint-Jacques. Beau spectacle
en effet que ces funérailles de la maîtresse du roi ! La
pécheresse repentante était sereine, pensive, presque
souriante, soit qu'elle voulût masquer les déchirements de son cœur, soit qu'elle eût ce jour-là pris une
grande force en Dieu. La marquise de La Vallière était
pâle et désolée, ce qui trompait les curieux qui ne
savaient plus reconnaître la future carmélite. Dans la
rue Saint-Jacques, la foule était si grande et si agitée
en son silence, que les chevaux ne purent avancer
qu'au petit pas. Les spectateurs étaient d'ailleurs fort
recueillis, la maîtresse du roi n'avait été fatale à qui
que ce fût; plus d'une fois elle avait désarmé les
colères de Louis XIV; les insolences de madame de

Montespan donnaient plus de prise encore à ses amis
timides et discrets; elle avait beaucoup donné aux
pauvres; on se redisait déjà de bouche en bouche
qu'elle venait de s'humilier aux pieds de la reine. Et
puis n'aime-t-on pas toujours ceux qui s'en vont quand
ils ne doivent pas revenir! La duchesse de La Vallière
pouvait donc lire sur tous les visages l'expression
d'une touchante sympathie : « Ce pauvre peuple,
disait-elle à sa sœur, comme on a tort de ne pas y
penser plus souvent, mais il est trop tard *! »

Elle franchit le seuil sans se retourner; elle parla,

---

* Les carmélites de la rue Saint-Jacques nous vinrent d'Espagne à l'appel de la princesse de Longueville. Il fallut des
pourparlers et des négociations sans fin pour obtenir de l'abbé
de Marmoutiers qu'il dépossédât les moines logés dans sa maison.
Ce fut sous la conduite du cardinal de Bérulle que les carmélites arrivèrent à Paris, précédées d'une procession triomphale.
On lit dans le journal de l'*Estoile* ces naïfs détails :

« Le mercredi 24 août 1605, jour de la Saint-Barthélemy, fut
faite à Paris une nouvelle et solennelle procession des sœurs carmélites, qui ce jour-là prenoient possession de leur maison. Le
peuple y accourut à grande foule comme pour gagner les pardons. Elles marchoient en moult bel et bon ordre, étant conduites
par le docteur Duval, qui leur servoit de bedeau, ayant le bâton
à la main, et qui avoit du tout la ressemblance d'un loup-garou.
Mais comme le malheur voulut, ce beau et saint mystère fut
troublé et interrompu par deux violons qui commencèrent à
sonner un bergamasque, ce qui écarta ces pauvres oyes et les fit
se retirer à grands pas, tout effarouchées, avec le loup-garou
leur conducteur, dans leur église, où , étant parvenues comme
en un lieu de franchise et de sûreté, commencèrent à chanter le
*Te Deum laudamus.* »

selon la marquise de La Vallière, du regret qu'elle
avait de ne pas faire amende honorable devant tous les
pauvres qui formaient la haie, en leur jetant les diamants et les perles, toutes les pierres précieuses que
le roi lui avait données. La mère Claire du Saint-
Sacrement, qui allait être sa supérieure, l'attendait
à la porte de la chapelle; elle se jeta à ses genoux en
lui disant ces belles paroles : « Ma mère, j'ai toujours
fait un si mauvais usage de ma volonté, que je viens
la remettre entre vos mains pour ne la plus reprendre. »
La supérieure la releva et l'embrassa : « Ma fille,
c'est à Dieu lui-même qu'il faut parler ainsi. » Elle
lui prit la main et la conduisit, « selon l'usage,
devant le saint-sacrement, où elle s'offrit à Dieu
comme une victime d'expiation pour ses péchés ».
Toutes les religieuses étaient venues lui faire cortége;
elle sentit comme par miracle toute une atmosphère
divine; il lui sembla que toutes ses chaines se bri-
saient, la cour ne lui apparut que comme un navire
secoué par la tempête à l'heure du naufrage où chaque
passager ne pense qu'à soi. Elle aurait voulu, dans
l'effusion de son cœur, embrasser toutes les religieuses : — « Ah! madame, lui dit mademoiselle
d'Épernon, Dieu vous tiendra compte du sacrifice d'une
pareille beauté. — Moi, est-ce que je suis belle
encore? répondit tristement mademoiselle de La Vallière; je croyois que j'avois tout laissé là-bas! » Et
après un silence : « Je comprends, reprit-elle; je
veux dès aujourd'hui me dépouiller de tout ce qui

représente la femme; je veux m'habiller comme vous,
je veux qu'on me coupe les cheveux. — Ces beaux
cheveux, dit mademoiselle d'Épernon, qui ne put
étouffer un sentiment de regret, ce sont les cheveux
de Madeleine! — Oui, mais Madeleine sanctifia les
siens au pied de la croix, dans le sang de notre
Sauveur. »

On représenta à la duchesse de La Vallière qu'il lui
fallait se mieux connaître pour se décider à un tel
sacrifice, que la prise d'habit n'était permise qu'après
de longs jours de pénitence et d'aspiration *. Elle fut
si éloquente dans ses prières, elle représenta avec
tant de vérité qu'elle n'était pas novice dans la pénitence, qu'on lui accorda la grâce de se confondre avec
ses sœurs. Le même jour, cette adorable chevelure,
qui avait tant de fois de ses ondes caressantes noyé les
lèvres et les mains de Louis XIV, tomba sur la dalle
funéraire sans que personne songeât à les recueillir.
La duchesse de La Vallière les regarda et les laissa
derrière elle comme tout le reste.

Quelques heures après, elle avait revêtu l'habit des
religieuses. « Elle y fut bientôt accoutumée, excepté
à la chaussure plate et basse, dont elle supporta avec

* « Sans attendre la fin de son noviciat, et le jour même de
son entrée dans le cloître, elle fit couper ses cheveux (autrefois
l'admiration de tous ceux qui ont parlé de sa personne). L'arbre
charmant ne voulut pas attendre le terme de la saison sacrée, et
il avait hâte de se dépouiller de sa dernière couronne. » SAINTE-
BEUVE.

patience l'incommodité jusqu'à la mort. » Au souper, elle s'aperçut qu'on la voulait servir mieux que les autres; avec son angélique douceur elle demanda qu'on voulût bien la traiter avec la même faveur que les plus austères : « Ce que je suis venue chercher ici, c'est la table du Seigneur; vous me prouveriez que j'en suis indigne en me rappelant que j'ai vécu à la table du roi. » Selon son premier historien*, « l'usage de la serge, le coucher sur la dure, l'assiduité au travail sans autre interruption que la lecture et la prière; un jeûne austère, un silence rigoureux, et l'espérance de mourir avec lenteur par les supplices de la pénitence, devinrent les délices habituelles d'une personne qui avait été plongée dans la mollesse, qui avait goûté toutes les douceurs de la vie, et qui avait bu à longs traits la coupe empoisonnée de Babylone. »

Elle était plus humble que jamais; elle marchait toujours tête baissée, comme si ses fautes l'empêchaient de regarder ses sœurs en face. La supérieure lui demanda un jour si cette attitude ne lui était pas incommode. « Point du tout, cela me repose les yeux. Je suis si lasse de voir les choses de la terre que je trouve même du plaisir à ne les pas regarder. »

Tout Paris, le Paris railleur et sceptique, fut ému par cette conversion : un demi-siècle plus tard, Voltaire, qui ne croyait à rien, n'a pas douté un instant de la

---

* *Histoire abrégée de la vie et de la pénitence de madame la duchesse de La Vallière, morte religieuse carmélite.*

profonde piété de mademoiselle de La Vallière. « Elle se fit carmélite et persévéra. Se couvrir d'un cilice, marcher pieds nus, jeûner rigoureusement, chanter la nuit au chœur, dans une langue inconnue, tout cela ne rebuta point la délicatesse d'une femme accoutumée à tant de gloire, de mollesse et de plaisirs. Un roi qui punirait ainsi une femme coupable serait un tyran; et c'est ainsi que tant de femmes se sont punies d'avoir aimé. » Voltaire lui-même était touché. C'est son cœur, si souvent muet, qui parle ici.

Les premiers jours de la pénitence de mademoiselle de La Vallière furent si édifiants qu'on abrégea pour elle le temps des épreuves. La parabole du Pasteur qui rapporte sur ses épaules la brebis égarée lui avait paru une page de son histoire; elle choisit donc pour sa prise d'habit le troisième dimanche après la Pentecôte, car c'est ce jour-là que l'Église rappelle cette parabole.

L'église des Carmélites fut dès le matin peuplée par tout ce qui était alors le cœur et l'esprit de la cour.

Madame de Montespan ne manqua pas à ce spectacle.

Pour le roi, il était en Franche-Comté et ne s'inquiétait pas encore des cœurs qui se donnent à Dieu. Ce fut ce jour-là que la duchesse de La Vallière se dépouilla de son nom. Louis XIV lui donnant le titre de duchesse l'avait bien moins enorgueillie que quand la supérieure lui dit en l'embrassant: « Dieu vous garde, sœur Louise de la Miséricorde! »

L'abbé de Fromentières eut le bonheur, en l'absence

de Bossuet et de Bourdaloue, de prêcher le sermon pour la vêture de la duchesse de La Vallière. C'était une bonne fortune inespérée pour un prédicateur, jeune encore, qui voulait plaire à Dieu et au monde.

On sait déjà le texte de son sermon [*], j'en redirai les plus belles paroles :

David parlant des désirs qu'il a de retrouver son Dieu, dit qu'il court par la campagne comme un cerf altéré, que ses yeux sont nuit et jour en larmes, qu'il ne sauroit avoir de joie qu'il ne voie reparoître cet objet unique de son amour : *Sicut cervus desiderat ad fontes aquarum... fuerunt mihi lachrymæ... dum dicitur mihi... Ubi est Deus tuus ?*

Mais ne remarquez-vous pas dans la parabole de notre Évangile que tous ces sentiments ont passé du cœur de David au cœur de Jésus-Christ, puisque ce pasteur de nos âmes, affligé de l'éloignement d'une de ses brebis, abandonne tout pour se mettre à sa poursuite, qu'il se fatigue dans sa recherche, qu'il n'a de joie que quand il la retrouve ; que pour lui faciliter son retour il la charge même sur ses épaules ; et qu'enfin, comme s'il lui arrivoit de ce retour une grande fortune, il veut que tout le monde l'en vienne féliciter ? Certes, messieurs, je ne m'étonne pas que les chrétiens aient toujours singulièrement aimé Jésus-Christ sous une idée si favorable, et que, selon le témoignage de Tertullien, ils gravassent, dès son siècle, sur tous les calices de l'Église l'image du pasteur chargé de sa brebis.

Mais je sais bien, ma très-chère sœur, que de notre temps c'est particulièrement à vous à qui Jésus-Christ doit paroître

---

[*] Et cum invenerit eam, imponit in humeros suos gaudens, et veniens domum convocat amicos et vicinos, dicens illis : Congratulamini mihi. (*En S. Luc, ch.* xv).

*Le pasteur, ayant retrouvé sa brebis, la met sur ses épaules avec joie, et venant en sa maison, il appelle ses amis et ses voisins, et leur dit : Réjouissez-vous avec moi.*

aimable sous cette forme, puisque l'on peut dire qu'il la reprend aujourd'hui pour vous. Non, non, ce n'est pas sans quelque secret de la Providence qu'un Évangile si admirable concourt avec cette cérémonie ; et à considérer les circonstances de votre vocation, tout ce que la grâce fait en vous pour l'assurer et pour la rendre certaine, vous pouvez, ma très-chère sœur, vous pouvez raisonnablement croire que Jésus-Christ a pour vous la même charité, qu'il vous traite à peu près avec la même tendresse qu'il fait la brebis de l'Évangile : *Et cum invenerit eam, imponit in humeros suos gaudens, et veniens domum convocat amicos et vicinos, dicens illis : Congratulamini mihi.*

Quelque grand que soit le zèle du pasteur de nos âmes pour leur conversion et pour leur salut, nous le pouvons néanmoins réduire, dans la parabole de notre Évangile, à trois démarches principales qu'il fait en faveur de sa brebis. Premièrement, il la va chercher dans les lieux où elle s'est écartée, et il est constant que, s'il ne prenoit lui-même ce soin charitable, elle n'en reviendroit jamais. David le témoigne à Dieu en termes exprès, *Erravi sicut ovis quæ periit :* Seigneur, je suis comme une malheureuse brebis qui s'est égarée en s'éloignant de vous ; et ce qui me semble le plus déplorable dans l'état où je me trouve, *quære servum tuum,* c'est que je ne puis faire un seul pas pour me rapprocher de vous, que vous ne me veniez chercher vous-même.

Secondement, le pasteur, ayant retrouvé sa brebis, la rapporte sur ses épaules : quelque coupable qu'elle fût, comme le remarque excellemment saint Ambroise, il ne lui fait aucun mauvais traitement ; et plus fâché au contraire de la lassitude qu'elle a soufferte dans son égarement que de l'injure qu'elle lui a faite, il la soulage dans son retour, il le rend facile, il la porte ; *Pastor enim legitur, ovem læsam gessisse, non abjecisse.*

Mais enfin, admirez jusqu'où va la bonté de ce pasteur. Ayant rapporté cette brebis dans sa maison, il appelle ses voisins et ses amis, pour venir prendre part à la joie ; vous diriez qu'il gagne bien plus au retour de sa brebis que sa brebis même, qu'il lui est arrivé à lui seul un avantage considérable : *Quasi sibi adhuc magnum obligisset beneficium.* Ce sont là, messieurs, les prin-

cipaux mouvements de la charité qu'exerce le pasteur de notre
Évangile à l'égard de sa brebis ; et voilà une image fidèle de ce
que Jésus-Christ fait en notre faveur toutes les fois que nous
revenons à lui. Quelle reconnoissance ne devons-nous pas tous
avoir pour une bonté si tendre et si généreuse !

Mais souvenez-vous, ma très-chère sœur, que vos obligations
à cet égard sont fort particulières ; tout ce que le pasteur fait
dans la parabole à l'égard de sa brebis se renouvelant dans
votre vocation par des mouvements singuliers de la grâce de
Jésus-Christ. Car lorsque vous avez conçu le dessein de renoncer
au monde, et que vous l'exécutez fidèlement aujourd'hui, n'est-ce
pas ce pasteur charitable qui vous est allé chercher, qui vous est
allé dégager ? *Et cum invenerit eam.* Quand les voies du Carmel,
jugées si rudes par tous les gens du siècle, s'aplanissent devant
vous et que toutes les pratiques de la religion vous semblent
douces, n'est-ce pas proprement le pasteur qui vous rapporte
sur ses épaules et qui facilite votre retour ? *imponit in humeros
suos gaudens ?* Et enfin, si tout le monde est touché de votre
exemple, et si nous nous assemblons aujourd'hui non-seulement
pour nous en réjouir, mais pour en profiter, n'est-ce pas encore
le souverain pasteur qui invite ses amis, les hommes avec les
anges, à venir prendre part à la joie qu'il sent de votre retour ?
*Et veniens domum convocat amicos et vicinos.*

Le prédicateur ose montrer le tableau de la cour à
la cour elle-même : « la cour, où l'on peut dire que
les passions sont déchaînées. »

La cour étant un air si contagieux, quel peut donc être le
secret de n'y pas périr ? Messieurs, si vous voulez que je
m'explique sincèrement, je n'en sais guère que celui de n'y pas
demeurer. Il s'est trouvé des saints à la cour, il est vrai, mais
ils sont rares ; et quand les Pères en ont parlé, ils ne les ont pas
trouvés moins admirables d'avoir conservé leur innocence à la
cour, que les trois enfants de Babylone d'avoir gardé leur félicité
au milieu des flammes. Ah ! mes frères, il y a là trop de combats

à soutenir pour la vertu ; il n'y a pas de moment où elle ne soit réduite à la dure nécessité de vaincre ou d'être vaincue ; chaque degré de fortune, de biens, de crédit qu'un homme y peut acquérir ne sert que d'un nouvel obstacle à son salut. Et là-dessus, messieurs, il ne m'est pas libre de balancer, *fugite, fugite de medio Babylonis!* Si vous me le demandez, le seul moyen assuré de se sauver, aux gens de la cour, est la fuite.

L'abbé de Fromentières parla ainsi des premières rencontres de Louis XIV et de mademoiselle de La Vallière :

*Erravi sicut ovis quæ periit.* A-t-elle fait un pas pour satisfaire sa curiosité en une chose, c'est assez pour lui en faire faire bien d'autres dans la suite. Un spectacle débauchera d'abord son esprit de l'admiration qu'elle ne doit qu'à Dieu ; une conversation naîtra après, qui attentera sur les affections de son cœur ; il surviendra un honneur, qui la fera sortir de l'humilité qu'elle avoit toujours professée ; il se présentera aussitôt un plaisir, qui la tirera de l'austérité que l'on remarquoit dans ses mœurs ; et enfin si les grands objets paroissent, c'est alors qu'on se sent entraîné, que l'on se trouve emporté si loin de la voie, qu'il n'y a que Jésus-Christ tout seul capable d'y faire rentrer.

Maintenant, le prédicateur va la comparer à sainte Thérèse :

Ce n'est pas, ma chère sœur, qu'il vous ait été facile de consentir à la rupture de tous ces liens. La nature en forme de si doux et de si forts tout ensemble, que la grâce même la plus puissante ne les brise guère sans une extrême douleur. Vous l'éprouvâtes en votre personne, incomparable Thérèse, lorsque, vous séparant de vos proches pour vous unir aussi à Jésus-Christ, vous sentites, de votre propre aveu, vos os se disloquer, vos nerfs se retirer, vos entrailles se déchirer. La liberté de votre choix, tous les charmes de la grâce ne vous épargnèrent rien dans une séparation si cruelle.

Votre plus grande gloire désormais, ma chère sœur, est d'être fille de sainte Thérèse ; vous devez ainsi compter comme un grand avantage que vous ayez commencé à lui être semblable dès le commencement de votre vocation.

## Le prédicateur rappela sa faute de la cour :

Jour éternellement marqué de Dieu dans le décret de votre prédestination ! A la face de toute la cour, ramassée, ce semble, alors tout exprès pour votre gloire ; le siècle étalant ses pompes, la nature opposant ses tendresses, tout le monde sanglotant et fondant en larmes ; nous vous vîmes, ma chère sœur, passer d'un air modeste, mais courageux, au travers de ces objets diffé- rents, laisser loin derrière vous tout ce qui devoit vous faire obstacle, et l'âme aussi remplie de joie que libre de foiblesse, accourir en ce saint lieu ! Sortir ainsi du monde, messieurs, c'est en sortir triomphante, c'est en sortir comme le peuple de Dieu de la terre d'Égypte, en défaisant ses ennemis ; c'est entrer dans la religion avec cette sainte violence avec laquelle le Sauveur veut que l'on entre dans le royaume des cieux ; c'est en un mot se dégager du siècle par le plus puissant effort de la grâce.

## Il avertit Louise de la Miséricorde qu'elle n'arrivera pas à Dieu sans porter sa couronne d'épines :

Jésus-Christ vous éprouvera un jour, comme il a fait tant d'âmes parfaites. Et pour ne vous plus proposer que des exemples domestiques, ne vous estimerez-vous pas heureuse d'être traitée comme sainte Thérèse votre mère, qui, après avoir été attirée comme vous par les charmes de la grâce, passa vingt ans depuis dans la sécheresse et dans l'amertume ?

Oui, ma chère sœur, pour n'être pas surprise, attendez-vous à trouver dans la vie que vous embrassez le fiel et les épines de Jésus-Christ. Vous auriez sujet de vous plaindre si, étant son épouse, il ne vous admettoit pas à ce partage ; ce sera même une occasion de lui prouver que votre amour est désintéressé, qu'il n'a pas besoin pour subsister de douceurs sensibles, que, comme le feu du ciel, il est d'autant plus pur et plus durable, qu'il a moins besoin d'aliment qui l'entretienne.

L'abbé de Fromentières termina ainsi ce beau
sermon :

On a dit d'un sage qu'il avait vécu, afin que son siècle ne
manquât ni d'exemple ni de reproche. Je puis dire la même
chose ici avec plus de raison. La grâce élève aujourd'hui cette
âme comme un exemple éclatant à tout son siècle ; mais en sorte
que, s'il n'en profite, cet exemple pourroit bien lui être un jour
une condamnation éternelle. N'avons-nous pas en effet grande
raison de croire que c'est à un exemple si public et si touchant
que la grâce a attaché ses derniers efforts pour notre conversion,
et que, si un si grand coup de miséricorde nous est inutile, il n'y
a plus rien à espérer pour notre salut ?

Vous me direz sans doute : Est-ce qu'il faut que nous suivions
cette âme dans le cloître et que nous embrassions avec elle les
conseils ? Mes frères, le Carmel est une montagne qui n'est pas
accessible à tout le monde, la grâce n'en aplanit pas les chemins
difficiles à tous les chrétiens, vous avez même la plupart des
obstacles par votre état qui s'y opposent ; mais savez-vous aussi
qu'un véritable chrétien doit conserver dans le monde l'esprit de
la religion. C'est une vérité dans la morale chrétienne, la plus
constante que nous puissions vous prêcher, puisque saint Paul
ne nous prêche lui-même autre chose, sinon que, marchant dans
un corps, nous devons vivre selon l'esprit ; que, pour être du
siècle, nous ne devons pas nous conformer au siècle. Vous trouvez
cela difficile, et moi je vous dis qu'il est indispensable. Il n'y a
point de milieu : ou il faut se faire de la religion un monde nouveau, ou il faut trouver le secret de se faire du monde même un
monastère et une religion. Vous ne pouvez suivre de corps cette
âme généreuse dans la vie parfaite qu'elle embrasse ; vous devez
tout au moins la suivre de l'esprit.

Saint Bernard dit qu'Élisée, voyant monter Élie au ciel dans
un char de flammes, eût bien voulu monter avec lui ; mais que,
s'il ne lui fut pas permis de se joindre à lui de corps, il se joignit
du moins à lui d'esprit, et qu'Élie emporta avec soi tous les
désirs et toutes les affections de son disciple : *universa spectantis*

*desideria secum pariter abstulit.* Mes chers frères, voici une fille d'Élie qui commence aujourd'hui à monter au ciel dans le chariot de son père. Vos foiblesses, encore plus que vos conditions, vous empêchent de vous joindre à elle et de la suivre ; mais en la voyant monter, suivez-la du moins d'esprit, s'il ne vous est pas accordé de la suivre de corps ; en sorte que l'on puisse dire qu'elle a emporté avec elle aujourd'hui tous les désirs et toute l'affection de cette grande assemblée: *universa spectantium desideria secum pariter abstulit.*

Oui, messieurs, en même temps que cette âme s'élève au-dessus de la terre, dégageons-en nos cœurs : dans le moment qu'elle se dépouille des honneurs du monde, cessons de les poursuivre ; et quand nous lui voyons vaincre le sang et la nature, ne soyons plus leurs esclaves. C'est ce que le pasteur demande de nous, quand il nous assemble aujourd'hui.

L'abbé de Fromentières n'arracha personne à l'enfer de la cour pour le paradis des carmélites, mais il ne fit pas regretter Bossuet : il toucha tous les cœurs par l'onction de ses paroles, il frappa tous les esprits par la beauté de ses images. Sa fortune était faite. Presque ignoré la veille, il était célèbre le soir, il était à la mode le lendemain, il était évêque le surlendemain.

# VII.

## L'ORAISON FUNÈBRE.

Un an après, ce fut le jour solennel. Le 3 juin, qui était le lundi de la Pentecôte, mademoiselle de La Vallière « fit profession et prononça ses vœux selon la coutume au chapitre ». Le lendemain, elle prit le voile noir des épouses de Dieu.

Durant cette première année, La Vallière pécheresse s'était évanouie sous La Vallière repentie. Elle avait renouvelé son cœur par l'amour divin. « La demi-pénitente, » selon son expression, ne voulait pas aimer à demi.

Toute la cour reparut pour assister au sacrifice, — ce pieux spectacle qui était le dernier acte de

16.

*Bérénice,* je veux dire la paraphrase du dénoûment de
cette larmoyante tragédie. — Il y avait là les pieuses
et les profanes, celles qui venaient pour pleurer et
celles qui venaient pour sourire. Il y avait là cette
bonne reine sans rancune qui avait toujours pardonné ;
il y avait là cette railleuse marquise qui avait pris le
cœur de Louis XIV, et qui ne croyait pas qu'une telle
conquête devait la conduire, elle aussi, aux Carmélites ; il y avait là cette vindicative Olympe de Mancini, qui n'avait pas encore pardonné ; il y avait là
madame de Sévigné, qui était entrée la moquerie sur
les lèvres, et qui s'en retourna l'enthousiasme dans
l'âme. En un mot, elles s'y trouvaient toutes, celles
qui étaient la beauté, la grâce, l'enjouement, l'esprit
de la cour du grand roi. Mais où était le grand roi ?

Il chassait à courre dans la forêt de Fontainebleau,
ne voulant pas accorder un souvenir à ce qui n'était
plus lui, comme s'il n'eût aimé en La Vallière que
l'image de sa jeunesse. Qui sait ! peut-être songeait-il
déjà, en ce jour néfaste, que madame de Montespan
était moins belle que madame de Soubise !

Mademoiselle de La Vallière, — plus belle encore
qu'aux meilleurs jours de sa beauté, — était avec la
reine dans la tribune des religieuses, à la grille d'en
haut, ne cherchant ni à se montrer ni à se cacher,
promenant sur tout ce beau monde comme un regard
d'adieu ; tout à la fois triste et joyeuse, triste du passé,
joyeuse du lendemain. Elle arrivait enfin, — déjà peut-
être, — au jour des éternels hyménées. Celle qui,

en ses jours coupables, avait songé à épouser le roi,
allait épouser Dieu lui-même.

L'archevêque de Paris était devant l'autel, à peine
séparé des belles profanes de Versailles. L'abbé de
Fromentières se cachait sous la chaire, curieux et
discret. Bossuet monta lentement, sévère et ému.
Dès qu'il eut fait le signe de la croix, tout le monde
se tut. Bossuet se tourna vers la reine, s'inclina et se
recueillit. Toute l'église fut saisie d'une sainte émotion
quand il dit de sa voix fière :

*Et dixit qui sedebat in throno : Ecce nova facio omnia.*

Ce sera sans doute un grand spectacle quand celui qui est
assis sur le trône d'où relève tout l'univers, et à qui il ne coûte
pas plus à faire qu'à dire, parce qu'il fait tout ce qui lui plaît
par sa seule parole, prononcera du haut de son trône, à la fin
des siècles, qu'il va renouveler toutes choses; et qu'en même
temps on verra toute la nature changée faire paroître un monde
nouveau pour les élus. Mais quand, pour nous préparer à ces
nouveautés surprenantes du siècle futur, il agit secrètement dans
les cœurs par son Saint-Esprit, qu'il les change, qu'il les renou-
velle; et que, les remuant jusqu'au fond, il leur inspire des
désirs jusqu'alors inconnus, ce changement n'est ni moins nouveau ni moins admirable. Et certainement, chrétiens, il n'y a
rien de plus merveilleux que ces changements. Qu'avons-nous
vu, et que voyons-nous? quel état! et quel état! Je n'ai pas besoin
de parler, les choses parlent assez d'elles-mêmes.

Madame, voici un objet digne de la présence et des yeux d'une
si pieuse reine. Votre Majesté ne vient pas ici pour apporter les
pompes mondaines dans la solitude : son humilité la sollicite à
venir prendre part aux abaissements de la vie religieuse; et il est
juste que, faisant par votre état une partie si considérable des
grandeurs du monde, vous assistiez quelquefois aux cérémonies
où on apprend à les mépriser. Admirez donc avec nous ces grands

changements de la main de Dieu. Il n'y a plus rien ici de l'ancienne forme, tout est changé au dehors : ce qui se fait au dedans est encore plus nouveau; et moi, pour célébrer ces nouveautés saintes, je romps un silence de tant d'années, je fais entendre une voix que les chaires ne connoissent plus.

Afin donc que tout soit nouveau dans cette pieuse cérémonie, ô Dieu, donnez-moi encore ce style nouveau du Saint-Esprit, qui commence à faire sentir sa force toute-puissante dans la bouche des apôtres. Que je prêche comme un saint Pierre la gloire de Jésus-Christ crucifié, que je fasse voir au monde ingrat avec quelle impiété il le crucifie encore tous les jours. Que je crucifie le monde à son tour; que j'en efface tous les traits et toute la gloire; que je l'ensevelisse, que je l'enterre avec Jésus-Christ; enfin que je fasse voir que tout est mort, et qu'il n'y a que Jésus-Christ qui vit.

Tout le monde s'agenouilla avec un profond recueillement. Les plus frivoles furent prises d'un divin enthousiasme. Plus d'une, qui n'était venue que par distraction, se fût presque donnée toute à Dieu comme la sublime pénitente. En la voyant souriante, devant l'autel du sacrifice, on se familiarisait avec l'idée de la vie en deçà ou au delà du monde.

Nous ne devons pas être curieux de connoître distinctement ces nouveautés merveilleuses du siècle futur : comme Dieu les fera sans nous, nous devons nous en reposer sur sa puissance et sur sa sagesse. Mais il n'en est pas de même des nouveautés saintes qu'il opère au fond de nos cœurs. Il est écrit : « Je vous donnerai un cœur nouveau »; et il est écrit : « Faites-vous un cœur nouveau »: de sorte que ce cœur nouveau qui nous est donné, c'est nous aussi qui le devons faire; et comme nous devons y concourir par le mouvement de nos volontés, il faut que ce mouvement soit prévenu par la connoissance.

Considérons donc, chrétiens, quelle est cette nouveauté des cœurs, et quel est l'état ancien d'où le Saint-Esprit nous tire. Qu'y a-t-il de plus ancien que de s'aimer soi-même, et qu'y a-t-il de plus nouveau que d'être soi-même son persécuteur? Mais celui qui se persécute lui-même doit avoir vu quelque chose qu'il aime plus que lui-même : de sorte qu'il y a deux amours qui font ici toutes choses. Saint Augustin les définit par ces paroles : *Amor sui usque ad contemptum Dei ; amor Dei usque ad contemptum sui :* l'un est « l'amour de soi-même poussé jusqu'au mépris de » Dieu »; c'est ce qui fait la vie ancienne et la vie du monde : l'autre est « l'amour de Dieu poussé jusqu'au mépris de soi- » même »; c'est ce qui fait la vie nouvelle du christianisme; et ce qui, étant porté à sa perfection, fait la vie religieuse. Ces deux amours opposés feront tout le sujet de ce discours.

Mais prenez bien garde, messieurs, qu'il faut ici observer plus que jamais le précepte que nous donne l'Ecclésiastique. « Le sage » qui entend, dit-il, une parole sensée, la loue et se l'applique à lui-même : » il ne regarde pas à droite et à gauche à qui elle peut convenir; il se l'applique à lui-même, et il en fait son profit. Ma sœur, parmi les choses que j'ai à dire, vous saurez bien démêler ce qui vous est propre. Faites-en de même, chrétiens; suivez avec moi l'amour de soi-même dans tous ses excès; voyez jusqu'à quel point il vous a gagnés par ses douceurs dangereuses. Considérez ensuite une âme qui, après s'être ainsi égarée, commence à revenir sur ses pas, qui abandonne peu à peu tout ce qu'elle aimoit, et qui, laissant enfin tout au-dessous d'elle, ne se réserve plus que Dieu seul. Suivez-la dans tous les pas qu'elle fait pour retourner à lui, et voyez si vous avez fait quelque progrès dans cette voie; voilà ce que vous aurez à considérer. Entrons d'abord au fond de notre matière; je ne veux pas vous tenir longtemps en suspens.

L'homme que vous voyez si attaché à lui-même par son amour-propre n'a pas été créé avec ce défaut. Dans son origine, Dieu l'avoit fait à son image : et ce nom d'image lui doit faire entendre qu'il n'étoit pas fait pour lui-même; une image est toute faite pour son original. Si un portrait pouvoit tout d'un coup devenir animé, comme il ne se verroit aucun trait qui ne se rapportât à celui qu'il représente, il ne vivroit que pour lui seul et ne respireroit que sa gloire. Et toutefois ces portraits que nous animons se trouveroient obligés à partager leur amour entre les originaux qu'ils représentent et le peintre qui les a faits. Mais nous ne sommes point dans cette peine : nous sommes les images de notre auteur, et celui qui nous a faits nous a faits aussi à sa ressemblance : ainsi en toute manière nous nous devons à lui seul, et c'est à lui seul que notre âme doit être attachée.

En effet, quoique cette âme soit défigurée, quoique cette image de Dieu soit effacée par le péché, si nous en cherchons bien tous les anciens traits, nous reconnoîtrons, nonobstant sa corruption, qu'elle ressemble encore à Dieu, et que c'est pour Dieu qu'elle est faite. O âme! vous connoissez et vous aimez; c'est là ce que vous avez de plus essentiel, et c'est par là que vous ressemblez à votre auteur, qui n'est que connoissance et qu'amour. Mais la connoissance est donnée pour entendre ce qu'il y a de plus vrai, comme l'amour est donné pour aimer ce qu'il y a de meilleur. Qu'est-ce qu'il y a de plus vrai que celui qui est la vérité même? et qu'y a-t-il de meilleur que celui qui est la bonté même? L'âme est donc faite pour Dieu : c'est à lui qu'elle devoit se tenir attachée, et comme suspendue, par sa connoissance et par son amour, c'est ainsi qu'elle est l'image de Dieu. Il se connoît lui-même, il s'aime lui-même; et c'est là sa vie : et l'âme raisonnable devoit vivre aussi en le connoissant et en l'aimant. Ainsi, par sa naturelle constitution, elle étoit unie à son auteur, et devoit faire sa félicité de celle d'un être si parfait et si bienfaisant; en cela consistoit sa doctrine et sa force. Enfin c'est par là qu'elle étoit riche, parce que, encore qu'elle n'eût rien de son propre fonds, elle possédoit un bien infini par la libéralité de son auteur; c'est-à-dire qu'elle le possédoit lui-même.

Mais elle n'est pas demeurée longtemps en cet état. Cette âme, qui étoit heureuse parce que Dieu l'avoit faite à son image, a voulu non lui ressembler, mais être absolument comme lui. Heureuse qu'elle étoit de connoître et d'aimer celui qui se connoît et s'aime éternellement, elle a voulu, comme lui, faire elle-même sa félicité. Hélas! qu'elle s'est trompée! et que sa chute a été funeste! Elle est tombée de Dieu sur elle-même.

Mademoiselle de La Vallière se cacha le front dans ses mains. « Ne vous êtes-vous pas relevée jusqu'à Dieu? » lui dit la reine avec bonté.

Que fera Dieu pour la punir de sa défection? il lui donnera ce qu'elle demande : se cherchant elle-même, elle se trouvera elle-même. Mais en se trouvant ainsi elle-même, étrange confusion! elle se perdra bientôt elle-même; car voilà que déjà elle commence à se méconnoître : transportée de son orgueil, elle dit : Je suis un dieu, et je me suis faite moi-même. C'est ainsi que le prophète fait parler les âmes hautaines.

En effet, il est véritable que pour pouvoir dire : Je veux être content de moi-même et me suffire à moi-même, il faut aussi pouvoir dire : Je me suis fait moi-même, ou plutôt : Je suis de moi-même. Ainsi l'âme raisonnable veut être semblable à Dieu par un attribut qui ne peut convenir à aucune créature, c'est-à-dire par l'indépendance et par la plénitude de l'être. Sortie de son état pour avoir voulu être heureuse indépendamment de Dieu, elle ne peut ni conserver son ancienne et naturelle félicité, ni arriver à celle qu'elle poursuit vainement. Mais comme ici son orgueil la trompe, il faut lui faire sentir par quelque autre endroit sa pauvreté et sa misère : il ne faut pour cela que la laisser quelque temps à elle-même; cette âme, qui s'est tant aimée et tant cherchée, ne se peut plus supporter aussitôt qu'elle est seule avec elle-même; sa solitude lui fait horreur; elle trouve en elle-même un vide infini que Dieu seul pouvoit remplir : si bien qu'étant séparée de Dieu, que son fonds réclame sans cesse, tourmentée par son indigence, l'ennui la dévore, le chagrin la tue; il faut qu'elle cherche des amusements au dehors, et jamais elle n'aura de repos si elle ne trouve de quoi s'étourdir : tant il est vrai que Dieu la punit par son propre déréglement, et que, pour s'être cherchée elle-même, elle devient elle-même son supplice. Mais elle ne peut pas demeurer en cet état, tout triste qu'il est; il faut qu'elle tombe encore plus bas, et voici comment :

Représentez-vous un homme qui est né dans les richesses, et qui les a dissipées par ses profusions; il ne peut souffrir sa pauvreté : ces murailles nues, cette table dégarnie, cette maison abandonnée, où on ne voit plus cette foule de domestiques, lui fait peur : pour se cacher à lui-même sa misère, il emprunte de tous côtés; il remplit par ce moyen, en quelque façon, le vide de sa maison, et soutient l'éclat de son ancienne abondance. Aveugle et malheureux, qui ne songe pas que tout ce qui l'éblouit menace sa liberté et son repos! Ainsi l'âme raisonnable, née riche par les biens que lui avoit donnés son auteur, et appauvrie volontairement pour s'être cherchée elle-même, réduite à ce fonds étroit et stérile, tâche de tromper le chagrin que lui cause son indigence, et de réparer ses ruines en empruntant de tous côtés de quoi se remplir.

Elle commence par son corps et par ses sens, parce qu'elle ne trouve rien qui lui soit plus proche. Ce corps qui lui est uni si étroitement, mais qui toutefois est d'une nature si inférieure à la sienne, devient le plus cher objet de ses complaisances. Elle tourne tous ses soins de ce côté-là; le moindre rayon de beauté qu'elle y aperçoit suffit pour l'arrêter : elle se mire, pour ainsi parler, et se considère elle-même dans ce corps : elle croit voir dans la douceur de ces regards et de ce visage la douceur d'une humeur paisible; dans la délicatesse des traits, la délicatesse de l'esprit; dans ce port et cette mine relevée, la grandeur et la noblesse du courage. Foible et trompeuse image sans doute; mais enfin la vanité s'en repaît. A quoi es-tu réduite, âme raisonnable? Toi qui étois née pour l'éternité et pour un objet immortel, tu deviens éprise et captive d'une fleur que le soleil dessèche, d'une vapeur que le vent emporte; en un mot, d'un corps qui, par sa mortalité, est devenu un empêchement et un fardeau à l'esprit.

Elle n'est pas plus heureuse en jouissant des plaisirs que ses sens lui offrent : au contraire, elle s'appauvrit dans cette recherche, puisque, en poursuivant le plaisir, elle perd d'abord la raison. Le plaisir est un sentiment qui nous transporte, qui nous enivre, qui nous saisit indépendamment de la raison, et nous entraîne malgré ses lois. La raison, en effet, n'est jamais si foible que lorsque le plaisir domine ; et ce qui marque une opposition éternelle entre la raison et le plaisir, c'est que, pendant que la raison demande une chose, le plaisir en exige une autre : ainsi l'âme, devenue captive du plaisir, est devenue en même temps ennemie de la raison. Voilà où elle est tombée quand elle a voulu emprunter des sens de quoi réparer ses pertes : mais ce n'est pas là encore la fin de ses maux. Ces sens, de qui elle emprunte, empruntent eux-mêmes de tous côtés ; ils tirent tout de leurs objets, et engagent par conséquent à tous ces objets extérieurs l'âme, qui, livrée aux sens, ne peut plus rien avoir que par eux.

Je ne veux point ici vous parler de tous les sens, pour vous faire avouer leur indigence : considérez seulement la vue ; à combien d'objets extérieurs elle nous attache ! tout ce qui brille, tout ce qui rit aux yeux, tout ce qui paroît grand et magnifique, devient l'objet de nos désirs et de notre curiosité. Le Saint-Esprit nous en avoit bien avertis lorsqu'il avoit dit cette parole : « Ne » suivez pas vos pensées et vos yeux, vous souillant et vous cor- » rompant, » disons le mot du Saint-Esprit : « Vous prostituant » vous-mêmes à tous les objets qui se présentent. » Nous faisons tout le contraire de ce que Dieu commande : nous nous engageons de toutes parts ; nous qui n'avions besoin que de Dieu, nous commençons à avoir besoin de tout. Cet homme croit s'agrandir avec son équipage qu'il augmente, avec ses appartements qu'il rehausse, avec son domaine qu'il étend : cette femme ambitieuse et vaine croit valoir beaucoup quand elle s'est chargée d'or, de pierreries, et de mille autres vains ornements ; pour la parer toute la nature s'épuise, tous les arts suent, toute l'industrie se consume. Ainsi nous amassons autour de nous tout ce qu'il y a de plus rare ; notre vanité se repaît de cette fausse abondance ; et par là nous tombons insensiblement dans les piéges de l'avarice, triste et sombre passion, autant qu'elle est cruelle et insatiable.

C'est elle, disoit saint Augustin, qui, trouvant l'âme pauvre

et vide au dedans, la pousse au dehors, la partage en mille sou-
cis, et la consume par des efforts aussi vains que laborieux.
Elle se tourmente comme dans un songe : on veut parler, la voix
ne suit pas; on veut faire de grands mouvements, on sent ses
membres engourdis. Ainsi l'âme veut se remplir, elle ne peut;
son argent, qu'elle appelle son bien, est dehors, et c'est le
dedans qui est vide et pauvre; elle se tourmente de voir son bien
si détaché d'elle-même, si exposé au hasard, si soumis au pouvoir d'autrui : cependant elle voit croître ses mauvais désirs avec
ses richesses. « L'avarice, dit saint Paul, est la racine de tous les
» maux : » *Radix omnium malorum est cupiditas.* En effet, les
richesses sont un moyen d'avoir presque sûrement tout ce qu'on
désire : par les richesses, l'ambitieux se peut assouvir d'honneurs; le voluptueux, de plaisirs; chacun enfin, de ce qu'il
demande. Tous les mauvais désirs naissent dans un cœur qui
croit avoir dans l'argent le moyen de les satisfaire : il ne faut
donc pas s'étonner si la passion des richesses est si violente,
puisqu'elle ramasse en elle toutes les autres. Que l'âme est asser-
vie! de quel joug elle est chargée! et, pour s'être cherchée elle-
même, combien est-elle devenue pauvre et captive!

Mais peut-être que les passions plus nobles et plus généreuses
seront plus capables de la remplir. Voyons ce que la gloire lui
pourra produire; il n'y a rien de plus éclatant, ni qui fasse tant
de bruit parmi les hommes; et tout ensemble il n'y a rien de
plus misérable ni de plus pauvre. Pour nous en convaincre,
considérons-la dans ce qu'elle a de plus magnifique et de plus
grand. Il n'y a point de plus grande gloire que celle des conquérants; choisissons le plus renommé d'entre eux. Quand on veut
parler d'un grand conquérant, chacun pense à Alexandre : ce
sera donc, si vous voulez, Alexandre qui nous fera voir la pauvreté des rois conquérants. Qu'est-ce qu'il a souhaité, ce grand
Alexandre? et qu'a-t-il cherché par tant de travaux et tant de
peines qu'il a souffertes lui-même, et qu'il a fait souffrir aux
autres? Il a souhaité de faire du bruit dans le monde durant sa
vie et après sa mort. Il a tout ce qu'il a demandé; personne n'en
a tant fait : dans l'Égypte, dans la Perse, dans les Indes, dans

toute la terre, en Orient et en Occident, depuis plus de deux
mille ans on ne parle que d'Alexandre ; il vit dans la bouche de
tous les hommes, sans que sa gloire soit effacée ou diminuée
depuis tant de siècles ; les éloges ne lui manquent pas, mais c'est
lui qui manque aux éloges : il a eu ce qu'il demandoit ; en a-t-il
été plus heureux, tourmenté par son ambition durant sa vie, et
tourmenté maintenant dans les enfers, où il porte la peine éternelle d'avoir voulu se faire adorer comme un dieu, soit par
orgueil, soit par politique? Il en est de même de tous ses semblables. Ceux qui désirent de la gloire, la gloire souvent leur est
donnée. « Ils ont reçu leur récompense, » dit le Fils de Dieu ;
ils ont été payés selon leurs mérites. Ces grands hommes, dit
saint Augustin, tant célébrés parmi les gentils, et j'ajoute, trop
estimés parmi les chrétiens, ont eu ce qu'ils demandoient : ils ont
acquis cette gloire qu'ils désiroient avec tant d'ardeur ; et « vains,
» ils ont reçu une récompense aussi vaine que leurs désirs » :
*Quærebant non apud Deum, sed apud homines gloriam.... ; ad*
*quam pervenientes perceperunt mercedem suam, vani vanam.*

Vous voyez, messieurs, l'âme raisonnable déchue de sa première dignité parce qu'elle quitte Dieu, et que Dieu la quitte ;
menée de captivité en captivité, captive d'elle-même, captive de
son corps, captive des sens et des plaisirs, captive de toutes les
choses qui l'environnent. Saint Paul dit tout en un mot, quand
il parle ainsi : « L'homme, dit-il, est vendu sous le péché : »
*Venumdatus sub peccato ;* livré au péché, captif sous ses lois,
accablé de ce joug honteux comme un esclave vendu. A quel prix
le péché l'a-t-il acheté? Il l'a acheté par tous les faux biens qu'il
lui a donnés. Entraîné par tous ces faux biens, et asservi par
toutes les choses qu'il croit posséder, il ne peut plus respirer, ni
regarder le ciel d'où il est venu. Ainsi il a perdu Dieu, et toutefois le malheureux il ne peut s'en passer ; car il y a au fond de
notre âme un secret désir qui le redemande sans cesse.

L'idée de celui qui nous a créés est empreinte profondément
au dedans de nous. Mais, ô malheur incroyable, et lamentable
aveuglement! rien n'est gravé plus avant dans le cœur de l'homme,
et rien ne lui sert moins dans sa conduite. Les sentiments de reli-

gion sont la dernière chose qui s'efface en l'homme, et la dernière que l'homme consulte : rien n'excite de plus grands tumultes parmi les hommes; rien ne les remue davantage, et rien en même temps ne les remue moins. En voulez-vous voir une preuve? A présent que je suis assis dans la chaire de Jésus-Christ et des apôtres, que vous m'écoutez avec attention, si j'allois (ah! plutôt la mort), si j'allois vous enseigner quelque erreur, je verrois tout mon auditoire se révolter contre moi. Je vous prêche les vérités les plus importantes de la religion : que feront-elles? O Dieu! qu'est-ce donc que l'homme? est-ce un prodige? est-ce un composé monstrueux de choses incompatibles? ou bien est-ce une énigme inexplicable?

Non, messieurs; nous avons expliqué l'énigme. Ce qu'il y a de si grand dans l'homme est un reste de sa première institution : ce qu'il y a de si bas, et qui paroît si mal assorti avec ses premiers principes, c'est le malheureux effet de sa chute. Il ressemble à un édifice ruiné qui, dans ses masures renversées, conserve encore quelque chose de la beauté et de la grandeur de son premier plan. Fondé dans son origine sur la connoissance de Dieu et sur son amour, par sa volonté dépravée il est tombé en ruine; le comble s'est abattu sur les murailles, et les murailles sur le fondement. Mais qu'on remue ces ruines, on trouvera dans les restes de ce bâtiment renversé, et les traces des fondations, et l'idée du premier dessein, et la marque de l'architecte. L'impression de Dieu reste encore en l'homme si forte qu'il ne peut la perdre, et tout ensemble si foible qu'il ne peut la suivre : si bien qu'elle semble n'être restée que pour le convaincre de sa faute, et lui faire sentir sa perte. Ainsi il est vrai qu'il a perdu Dieu : mais nous avons dit, il est vrai, qu'il ne pouvoit éviter après cela de se perdre aussi lui-même.

L'âme qui s'est éloignée de la source de son être ne connoît plus ce qu'elle est. Elle s'est embarrassée, dit saint Augustin, dans toutes les choses qu'elle aime, et de là vient qu'en les perdant elle se croit perdue elle-même. Ma maison est brûlée; on se tourmente, et on dit : Je suis perdu! ma réputation est blessée, ma fortune est ruinée, je suis perdu! Mais surtout quand le corps est attaqué, c'est là qu'on s'écrie plus que jamais : Je suis perdu ! L'homme se croit attaqué au fond de son être, sans vouloir jamais considérer que ce qui dit : Je suis perdu, n'est pas le corps : car le corps de lui-même est sans sentiment ; et l'âme qui dit qu'elle est perdue ne sent pas qu'elle est autre chose que celui dont elle connoît la perte future ; c'est pourquoi elle se croit perdue en le perdant. Ah ! si elle n'avoit pas oublié Dieu, si elle avoit toujours songé qu'elle est son image, elle se seroit tenue à lui comme au seul appui de son être ; et, attachée à un principe si haut, elle n'auroit pas cru périr en voyant tomber ce qui est si fort au-dessous d'elle. Mais, comme dit saint Augustin, s'étant engagée tout entière dans son corps et dans les choses sensibles ; roulée et enveloppée parmi les objets qu'elle aime, et dont elle traîne continuellement l'idée avec elle, elle ne s'en peut plus démêler, elle ne sait plus ce qu'elle est. Elle dit : Je suis une vapeur, je suis un souffle, je suis un air délié, ou un feu subtil ; sans doute une vapeur qui aime Dieu, un feu qui connoît Dieu, un air fait à son image. O âme ! voilà le comble de tes maux : en te cherchant, tu t'es perdue, et toi-même tu te méconnois. En ce triste et malheureux état, écoutons la parole de Dieu par la bouche de son prophète : *Convertimini, sicut in profundum recessi eratis, filii Israel!*

Ici il y eut un silence. Bossuet chercha des yeux s'il était compris. Tout le monde semblait illuminé sous le torrent de lumière de son éloquence.

Et en effet, chrétiens, dans cet oubli profond et de Dieu et d'elle-même, où elle est plongée, ce grand Dieu sait bien la trouver. Il fait entendre sa voix, quand il lui plaît, au milieu du bruit du monde : dans son plus grand éclat, et au milieu de toutes ses pompes, il en découvre le fond, c'est-à-dire la vanité et le néant. L'âme, honteuse de sa servitude, vient à considérer pourquoi elle est née ; et recherchant en elle-même les restes de l'image de Dieu, elle songe à la rétablir en se réunissant à son Auteur. Touchée de ce sentiment, elle commence à rejeter les choses extérieures. O richesses! dit-elle, vous n'avez qu'un nom trompeur : vous venez pour me remplir; mais j'ai un vide infini où vous n'entrez pas : mes secrets désirs, qui demandent Dieu, ne peuvent pas être satisfaits par tous vos trésors; il faut que je m'enrichisse par quelque chose de plus grand et de plus intime. Voilà les richesses méprisées.

L'âme, considérant ensuite le corps auquel elle est unie, le voit revêtu de mille ornements étrangers : elle en a honte, parce qu'elle voit que ces ornements sont un piége pour les autres et pour elle-même. Alors elle est en état d'écouter les paroles que le Saint-Esprit adresse aux dames mondaines, par la bouche du prophète Isaïe : « J'ai vu les filles de Sion la tête levée, marchant » d'un pas affecté, avec des contenances étudiées, et faisant signe » des yeux à droite et à gauche : pour cela, dit le Seigneur, je » ferai tomber tous leurs cheveux! » Quelle sorte de vengeance! Quoi! falloit-il foudroyer et le prendre d'un ton si haut pour abattre des cheveux? Ce grand Dieu, qui se vante de déraciner par son souffle les cèdres du Liban, tonne pour abattre les feuilles des arbres! Est-ce là le digne effet d'une main toute-puissante? Qu'il est honteux à l'homme d'être si fort attaché à des choses vaines, que les lui ôter soit un supplice! C'est pour cela que le prophète passe encore plus avant. Après avoir dit : « Je ferai » tomber leurs cheveux; je détruirai, poursuit-il, et les colliers, et » les bracelets, et les anneaux, et les boîtes à parfums, et les vestes, » et les manteaux, et les rubans, et les broderies, et ces toiles si » déliées, » vaines couvertures qui ne cachent rien; et le reste : car le Saint-Esprit a voulu descendre dans un dénombrement exact de tous les ornements de la vanité; s'attachant, pour ainsi parler, à suivre par sa vengeance toutes les diverses parures qu'une vaine curiosité a inventées. A ces menaces du Saint-Esprit, l'âme, qui s'est sentie longtemps attachée à ces ornements, commence à rentrer en elle-même. Quoi! Seigneur, dit-elle, vous voulez détruire toute cette vaine parure? Pour prévenir cette colère, je commencerai moi-même à m'en dépouiller; entrons dans un état où il n'y a plus d'ornement que celui de la vertu.

Ici cette âme dégoûtée du monde, s'avisant que ces ornements

marquent dans les hommes quelque dignité, et venant à considérer les honneurs que le monde vante, elle en connoit aussitôt
le fond. Elle voit l'orgueil qu'ils inspirent, et découvre dans cet
orgueil et les disputes, et les jalousies, et tous les maux qu'il
entraîne : elle voit en même temps que, si ces honneurs ont quelque chose de solide, c'est qu'ils obligent de donner au monde un
grand exemple. Mais on peut en les quittant donner un exemple
plus utile; et il est beau, quand on les a, d'en faire un si bel
usage. Loin donc, honneurs de la terre! tout votre éclat couvre
mal nos foiblesses et nos défauts; il ne les cache qu'à nous seuls,
et les fait connoître à tous les autres. Ah! « j'aime mieux avoir
» la dernière place dans la maison de mon Dieu, que de tenir les
» plus hauts rangs dans la demeure des pécheurs. »

L'âme se dépouille, comme vous voyez, des choses extérieures;
elle revient de son égarement, et commence à être plus proche
d'elle-même : mais osera-t-elle toucher à ce corps si tendre, si
chéri, si ménagé? n'aura-t-on point de pitié de cette complexion
délicate? Au contraire, c'est à lui principalement que l'âme s'en
prend, comme à son plus dangereux séducteur. J'ai, dit-elle,
trouvé une victime : depuis que ce corps est devenu mortel, il
sembloit n'être devenu pour moi qu'un embarras, et un attrait
qui me porte au mal; mais la pénitence me fait voir que je le
puis mettre à un meilleur usage : grâce à la miséricorde divine,
j'ai en lui de quoi réparer mes fautes passées. Cette pensée la
sollicite à ne plus rien donner à ses sens; elle leur ôte tous leurs
plaisirs; elle embrasse toutes les mortifications; elle donne au
corps une nourriture peu agréable; et afin que la nature s'en
contente, elle attend que la nécessité la rende supportable. Ce
corps si tendre couche sur la dure; la psalmodie de la nuit et le
travail de la journée y attirent le sommeil; sommeil léger qui
n'appesantit pas l'esprit, et n'interrompt presque point ses actions.
Ainsi toutes les fonctions, même de la nature, commencent doré-
navant à devenir des opérations de la grâce : on déclare une
guerre immortelle et irréconciliable à tous les plaisirs; il n'y en
a aucun de si innocent, qui ne devienne suspect : la raison, que
Dieu a donnée à l'âme pour la conduire, s'écrie, en les voyant

17

approcher : « C'est ce serpent qui nous a séduits : » *Serpens dece-*
*pit me.* Les premiers plaisirs qui nous ont trompés sont entrés
dans notre cœur avec une mine innocente, comme un ennemi qui
se déguise pour entrer dans une place qu'il veut révolter contre
les puissances légitimes : ces désirs, qui nous sembloient innocents, ont remué peu à peu les passions les plus violentes qui
nous ont mis dans les fers que nous avons tant de peine à rompre.

L'âme, délivrée par ces réflexions de la captivité des sens, et
détachée de son corps par la mortification, est enfin venue à elle-
même : elle est revenue de bien loin, et semble avoir fait un
grand progrès; mais enfin, s'étant trouvée elle-même, elle a
trouvé la source de tous ses maux. C'est donc à elle-même qu'elle
en veut encore : déçue par sa liberté, dont elle a fait un mauvais
usage, elle songe à la contraindre de toutes parts, des grilles
affreuses, une retraite profonde, une clôture impénétrable, une
obéissance entière, toutes les actions réglées, tous les pas comp-
tés, cent yeux qui vous observent; encore trouve-t-elle qu'il n'y
en a pas assez pour l'empêcher de s'égarer : elle se met de tous
côtés sous le joug; elle se souvient des tristes jalousies du monde,
et s'abandonne sans réserve aux douces jalousies d'un Dieu bienfaisant, qui ne veut avoir les cœurs que pour les remplir des
douceurs célestes. De peur de retomber sur ces objets extérieurs,
et que sa liberté ne s'égare encore une fois en les cherchant, elle
se met des bornes de tous côtés : mais, de peur de s'arrêter en
elle-même, elle abandonne sa volonté propre. Ainsi resserrée de
toutes parts, elle ne peut plus respirer que du côté du ciel : elle
se donne donc en proie à l'amour divin; elle rappelle sa connoissance et son amour à l'usage primitif. C'est alors que nous pouvons dire avec David : « O Dieu! votre serviteur a trouvé son
» cœur pour vous faire cette prière. » L'âme, si longtemps égarée
dans les choses extérieures, s'est enfin trouvée elle-même; mais
c'est pour s'élever au-dessus d'elle, et se donner tout à fait à Dieu.

Il n'y a rien de plus nouveau que cet état où l'âme, pleine de
Dieu, s'oublie elle-même. De cette union avec Dieu, on voit naître
bientôt en elle toutes les vertus. Là est la véritable prudence; car
on apprend à tendre à sa fin, c'est-à-dire à Dieu, par la seule

voie qui y mène, c'est-à-dire par l'amour : là est la force et le courage ; car il n'y a rien qu'on ne souffre pour l'amour de Dieu : là se trouve la tempérance parfaite ; car on ne peut plus goûter les plaisirs des sens, qui dérobent à Dieu les cœurs et l'attention des esprits : là on commence à faire justice à Dieu, au prochain et à soi-même : à Dieu, parce qu'on lui rend tout ce qu'on lui doit, en l'aimant plus que soi-même ; au prochain, parce qu'on commence à l'aimer véritablement, non pour soi-même, mais comme soi-même, après qu'on a fait l'effort de renoncer à soi-même ; enfin on se fait justice à soi-même, parce qu'on se donne de tout son cœur à qui on appartient naturellement. Mais, en se donnant de la sorte, on acquiert le plus grand de tous les biens, et on a ce merveilleux avantage d'être heureux par le même objet qui fait la félicité de Dieu.

L'amour de Dieu fait donc naître toutes les vertus ; et pour les faire subsister éternellement, il leur donne pour fondement l'humilité. Demandez à ceux qui ont dans le cœur quelque passion violente s'ils conservent quelque orgueil ou quelque fierté en présence de ce qu'ils aiment ; on ne se soumet que trop, on n'est que trop humble. L'âme possédée de l'amour de Dieu, transportée par cet amour hors d'elle-même, n'a garde de songer à elle, ni par conséquent de s'enorgueillir ; car elle voit un objet au prix duquel elle se compte pour rien, et en est tellement éprise qu'elle le préfère à elle-même, non-seulement par raison, mais par amour.

Mais voici de quoi l'humilier plus profondément encore : attachée à ce divin objet, elle voit toujours au-dessous d'elle deux gouffres profonds : le néant, d'où elle est tirée ; et un autre néant plus affreux encore, c'est le péché, où elle peut retomber sans cesse pour peu qu'elle s'éloigne de Dieu, et qu'elle l'oblige de la quitter. Elle considère que si elle est juste, c'est Dieu qui la fait telle continuellement. Saint Augustin ne veut pas qu'on dise que Dieu nous a faits justes ; mais il dit qu'il nous fait justes à chaque moment. Ce n'est pas, dit-il, comme un médecin qui, ayant guéri son malade, le laisse dans une santé qui n'a plus besoin de son secours ; c'est comme l'air qui n'a pas été fait lumineux

17.

pour le demeurer ensuite par lui-même, mais qui est fait tel
continuellement par le soleil. Ainsi l'âme attachée à Dieu sent
continuellement sa dépendance, et sent que la justice qui lui est
donnée ne subsiste pas toute seule, mais que Dieu la crée en
elle à chaque instant : de sorte qu'elle se tient toujours attentive
de ce côté-là ; elle demeure toujours sous la main de Dieu, toujours attachée au gouvernement et comme un rayon de sa grâce.
En cet état elle se connoît, et ne craint plus de périr de la manière dont elle le craignoit auparavant : elle sent qu'elle est faite
pour un objet éternel, et ne connoît plus de mort que le péché.

Il faudroit ici vous découvrir la dernière perfection de l'amour
de Dieu ; il faudroit vous montrer cette âme détachée encore des
chastes douceurs qui l'ont attirée à Dieu, et possédée seulement
de ce qu'elle découvre en Dieu même, c'est-à-dire de ses perfections infinies. Là se verroit l'union de l'âme avec un Jésus délaissé ;
là s'entendroit la dernière consommation de l'amour divin dans
un endroit de l'âme si profond et si retiré, que les sens n'en
soupçonnent rien, tant il est éloigné de leur région : mais, pour
expliquer cette matière, il faudroit tenir un langage que le monde
n'entendroit pas.

Finissons donc ce discours, et permettez qu'en le finissant je
vous demande, messieurs, si les saintes vérités que j'ai annoncées
ont excité en vos cœurs quelque étincelle de l'amour divin. La
vie chrétienne que je vous propose, si pénitente, si mortifiée, si
détachée des sens et de nous-mêmes, vous paroît peut-être impossible. Peut-on vivre, direz-vous, de cette sorte? peut-on
renoncer à ce qui plaît? On vous dira de là-haut qu'on peut
quelque chose de plus difficile, puisqu'on peut embrasser tout
ce qui choque. Mais pour le faire, direz-vous, il faut aimer
Dieu ; et je ne sais si on peut le connoître assez pour l'aimer
autant qu'il faudroit. On vous dira de là-haut qu'on en connoît
assez pour l'aimer sans bornes. Mais peut-on mener dans le
monde une telle vie? Oui sans doute, puisque le monde même
vous désabuse du monde : ses appas ont assez d'illusions, ses
faveurs assez d'inconstance, ses rebuts assez d'amertume; il y a
assez d'injustice et de perfidie dans le procédé des hommes,

assez d'inégalités et de bizarreries dans leurs humeurs incommodes et contrariantes; c'en est assez sans doute pour nous dégoûter.

Hé! dites-vous, je ne suis que trop dégoûté : tout me dégoûte en effet, mais rien ne me touche; le monde me déplaît, mais Dieu ne me plaît pas pour cela. Je connois cet état étrange, malheureux et insupportable, mais trop ordinaire dans la vie. Pour en sortir, âmes chrétiennes, sachez que qui cherche Dieu de bonne foi ne manque jamais de le trouver; sa parole y est expresse : « Celui qui frappe, on lui ouvre; celui qui demande, on » lui donne; celui qui cherche, il trouve infailliblement. » Si donc vous ne trouvez pas, sans doute vous ne cherchez pas. Remuez jusqu'au fond de votre cœur : les plaies du cœur ont cela qu'elles peuvent être sondées jusqu'au fond, pourvu qu'on ait le courage de les pénétrer. Vous trouverez dans ce fond un secret orgueil qui vous fait dédaigner tout ce qu'on vous dit, et tous les sages conseils; vous trouverez un esprit de raillerie inconsidérée, qui naît parmi l'enjouement des conversations. Quiconque en est possédé croit que toute la vie n'est qu'un jeu : on ne veut que se divertir; et la face de la raison, si je puis parler de la sorte, paroît trop sérieuse et trop chagrine.

Mais à quoi est-ce que je m'étudie? à chercher des causes secrètes du dégoût que vous donne la piété? Il y en a de plus grossières et de plus palpables : on sait quelles sont les pensées qui arrêtent le monde ordinairement. On n'aime point la piété véritable, parce que, contente des biens éternels, elle ne donne point d'établissement sur la terre, elle ne fait point la fortune de ceux qui la suivent. C'est l'objection ordinaire que font à Dieu les hommes du monde : mais il y a répondu, d'une manière digne de lui, par la bouche du prophète Malachie. « Vos paroles se sont » élevées contre moi, dit le Seigneur, et vous avez répondu : » Quelles paroles avons-nous proférées contre vous? Vous avez » dit : Celui qui sert Dieu se tourmente en vain : quel bien nous » est-il revenu d'avoir gardé ses commandements; et d'avoir » marché tristement devant sa face? Les hommes superbes et » entreprenants sont heureux; car ils se sont établis en vivant

» dans l'impiété, et ils ont tenté Dieu en songeant à se faire heu-
» reux malgré ses lois, et ils ont fait leurs affaires. »

Voilà l'objection des impies, proposée dans toute sa force par
le Saint-Esprit. « A ces mots, poursuit le prophète, les gens de
» bien, étonnés, se sont parlé secrètement les uns aux autres. »
Personne sur la terre n'ose entreprendre, ce semble, de répondre
aux impies qui attaquent Dieu avec une audace si insensée; mais
Dieu répondra lui-même : « Le Seigneur a prêté l'oreille à ces
» choses, dit le prophète, et il les a ouïes : il a fait un livre où il
» écrit les noms de ceux qui le servent; et en ce jour où j'agis,
» dit le Seigneur des armées, c'est-à-dire en ce dernier jour où
» j'achève tous mes ouvrages, où je déploie ma miséricorde et
» ma justice; en ce jour, dit-il, les gens de bien seront ma pos-
» session particulière; je les traiterai comme un bon père traite
» un fils obéissant. Alors vous vous retournerez, ô impies, vous
» verrez de loin leur félicité, dont vous serez exclus pour jamais;
» et vous verrez alors quelle différence il y a entre le juste et
» l'impie, entre celui qui sert Dieu et celui qui méprise ses lois. »
C'est ainsi que Dieu répond aux objections des impies. Vous
n'avez pas voulu croire que ceux qui me servent puissent être
heureux : vous n'en avez cru ni ma parole, ni l'expérience des
autres; votre expérience vous en convaincra; vous les verrez
heureux, et vous vous verrez misérables : *Hœc dicit Dominus
faciens hœc :* « C'est ce que dit le Seigneur; il l'en faut croire :
» car lui-même qui le dit, c'est lui qui le fait; » et c'est ainsi
qu'il fait taire les superbes et les incrédules.

Serez-vous assez heureux pour profiter de cet avis, et pour prévenir sa colère? Allez, messieurs, et pensez-y : ne songez point
au prédicateur qui vous a parlé, ni s'il a bien dit, ni s'il a mal
dit : qu'importe qu'ait dit un homme mortel? Il y a un prédicateur invisible qui prêche dans le fond des cœurs; c'est celui-là
que les prédicateurs et les autres auditeurs doivent écouter. C'est
lui qui parle intérieurement à celui qui parle au dehors, et c'est
lui que doivent entendre au dedans du cœur tous ceux qui prê-
tent l'oreille aux discours sacrés. Le prédicateur, qui parle au
dehors, ne fait qu'un seul sermon pour tout un grand peuple :

mais le prédicateur du dedans, je veux dire le Saint-Esprit, fait autant de prédications différentes qu'il y a de personnes dans un auditoire; car il parle à chacun en particulier, et lui applique selon ses besoins la parole de la vie éternelle. Écoutez-le donc, chrétiens; laissez-lui remuer au fond de vos cœurs ce secret principe de l'amour de Dieu.

Esprit saint, Esprit pacifique, je vous ai préparé les voies en prêchant votre parole. Ma voix a été semblable peut-être à ce bruit impétueux qui a prévenu votre descente : descendez maintenant, ô feu invisible! et que ces discours enflammés que vous ferez au dedans des cœurs les remplissent d'une ardeur céleste. Faites-leur goûter la vie éternelle, qui consiste à connoître et à aimer Dieu : donnez-leur un essai de la vision dans la foi; un avant-goût de la possession dans l'espérance; une goutte de ce torrent de délices qui enivre les bienheureux dans les transports célestes de l'amour divin.

Et vous, ma sœur, qui avez commencé à goûter ces chastes délices, descendez, allez à l'autel; victime de la pénitence, allez achever votre sacrifice : le feu est allumé, l'encens est prêt, le glaive est tiré : le glaive, c'est la parole qui sépare l'âme d'avec elle-même, pour l'attacher uniquement à son Dieu. Le sacré pontife vous attend avec ce voile mystérieux que vous demandez. Enveloppez-vous dans ce voile : vivez cachée à vous-même, aussi bien qu'à tout le monde; et, connue de Dieu, échappez-vous à vous-même, sortez de vous-même, et prenez un si noble essor, que vous ne trouviez de repos que dans l'essence du Père, du Fils et du Saint-Esprit.

Oserai-je commenter ce chef-d'œuvre de style sacré? Louerai-je cette mâle fierté qui ne s'humilie pas devant les grands de la terre, qui au contraire domine la royauté, parce que c'est l'esprit de Dieu qui parle? Comparerai-je cette majesté de l'éloquence à ces grandes figures des sculpteurs antiques où le marbre

ne daigne jamais ni rire ni pleurer? C'est beau, c'est
sublime, c'est terrible. Aux dernières paroles, à ces
fortes images du grand prédicateur, toute l'église
trembla, tous les fronts se prosternèrent, toutes les
âmes eurent peur. Descendez à l'autel pour achever
votre sacrifice, le feu est allumé, l'encens est prêt, le
glaive est tiré!

La duchesse de La Vallière descendit toute blanche
et toute pâle, mais plus forte qu'aucune de celles qui
étaient là en spectacle. Elle marcha vaillamment au
sacrifice. L'archevêque fit trois pas à sa rencontre :
on eût dit Dieu lui-même. Elle s'agenouilla, baisa la
terre et reçut le voile consacré. Quand elle le répandit
comme un linceul d'oubli sur la pécheresse, on entendit des sanglots dans l'église. Mais sœur Louise
de la Miséricorde ne pleurait pas.

LA MARQUISE DE MONTESPAN

# VIII.

## GRANDEUR ET DÉCADENCE

DE

## MADAME DE MONTESPAN.

### I.

Pendant que la duchesse de La Vallière pleure ses péchés dans les solitudes « peuplées de prières », que devient sa rivale d'hier? Sans doute son règne est toujours de ce monde. Mais elle aussi verra se lever le jour des pénitences. La première s'appellera mademoiselle de Fontanges, la seconde madame de Maintenon.

Tant que mademoiselle de La Vallière fut à la cour, madame de Montespan craignit pour sa souveraineté. Elle avait beau railler le roi sur ses romanesques amours au clair de la lune, elle s'avouait tout bas que

Louis XIV aimait beaucoup à parler de ses premières
aventures; elle avait peur qu'un jour il ne retombât
sous le joug de celle qui l'enchaînait avec ses bras.
Quand mademoiselle de La Vallière eut franchi le
seuil des Carmélites, elle respira en toute liberté,
comme si le monde était désormais à elle*. Elle s'ha-
billa tout d'or et d'argent; robes battantes, tout battant
d'or; robes lamées d'argent, brodées aux Indes. C'était
un éblouissement à éblouir jusqu'à madame de Sévigné :
« Madame de Montespan portoit une robe d'or sur
or, rebrodé d'or, et par-dessus un or frisé, rebro-
ché d'un or mêlé avec un certain or qui fait la plus
divine étoffe qui ait jamais été imaginée : ce sont les
fées qui ont fait cet ouvrage en secret; âme vivante
n'en avoit connaissance. On voulut la donner aussi
mystérieusement qu'elle avoit été fabriquée. Le tailleur
de madame de Montespan lui apporta l'habit qu'elle lui
avoit ordonné, il en avoit fait le corps sur des mesures
ridicules : voilà des cris et des gronderies, comme

---

* « Les questions de moralité écartées, rien n'est comparable
à la destinée d'une maîtresse de Louis XIV, le plus galant des
hommes quand il n'en était pas le plus indifférent, le plus
égoïste. Tout cédait le pas à ses maîtresses. Avant ses fils, avant
ses bâtards, avant lui-même, il mettait madame de Montespan,
comme il avait mis auparavant mademoiselle de La Vallière,
comme il devait mettre plus tard madame de Maintenon. Madame
de Montespan assistait au conseil des ministres, suivait le roi
à la chasse, ou plutôt était suivie du roi, qui ne lui parlait
jamais que chapeau bas à la portière, la glace à demi soulevée. »
LÉON GOZLAN.

vous pouvez penser; le tailleur dit en tremblant : « Madame, comme le temps presse, voyez si cet autre habit
que voilà ne pourroit point vous accommoder, faute
d'autre. » On découvre l'habit : « Ah! la belle chose!
ah! quelle étoffe! vient-elle du ciel? Il n'y en a point
de pareille sur la terre. » On essaye le corps, il est à
peindre. Le roi arrive, le tailleur dit : « Madame, il
est fait pour vous. » On comprend que c'est une galanterie, mais qui peut l'avoir faite ? »

Madame de Montespan avait inventé les robes flottantes pour cacher ses grossesses, écrivait la Palatine *; mademoiselle de La Vallière disait à ce propos : « Je ne porte pas de robes flottantes, j'ai revêtu
la robe de Nessus. »

Après l'avoir peinte à Versailles et à Paris, madame
de Sévigné l'a peinte en province : « Madame de Montespan partit jeudi de Moulins dans un bateau peint et
doré, meublé de damas rouge, que lui avoit fait préparer
M. l'intendant, avec mille chiffres, mille banderoles
de France et de Navarre : jamais il n'y eut rien de plus
galant; cette dépense va à plus de mille écus; mais il
en fut payé tout comptant, par la lettre que la belle

---

* « Ces robes-là ne laissent pas voir la taille, mais lorsqu'elle
les prenoit, c'étoit comme si elle eût écrit sur son front ce qu'elle
vouloit cacher; tout le monde disoit à la cour : « Madame de
» Montespan a pris sa robe battante, donc elle est grosse. » Je
crois qu'elle le faisoit à dessein et dans l'idée que cela lui donneroit plus de considération à la cour; c'étoit ce qui arrivoit en
effet. » LA PALATINE.

écrivit au roi ; elle n'y parloit, à ce qu'elle lui dit, que
de cette magnificence. Elle ne voulut point se montrer
aux femmes ; mais les hommes la virent à l'ombre de
M. l'intendant. Elle s'est embarquée sur l'Allier pour
trouver la Loire à Nevers, qui doit la mener à Tours,
et puis à Fontevrault, où elle attendra le retour du
roi, qui est différé par le plaisir qu'il prend au
métier de la guerre. Je ne sais si on aime cette
préférence. »

Et, peu de temps après, la divine gazetière suit la
favorite à Bourbon : « Madame de Montespan est à
Bourbon, où M. de La Vallière avoit donné ordre
qu'on vînt la haranguer de toutes les villes de son
gouvernement : elle ne l'a point voulu. Elle a fait
douze lits à l'hôpital ; elle a donné beaucoup d'argent ;
elle a enrichi les Capucins ; elle souffre les visites avec
civilité. Madame Fouquet a été la voir ; madame de
Montespan l'écouta avec douceur et avec une apparence
de compassion admirable. Dieu fit dire à madame
Fouquet tout ce qui peut s'imaginer de mieux au
monde, et sur l'instante prière de s'enfermer avec son
mari, et sur l'espérance qu'elle avoit que la Providence
donneroit à madame de Montespan, dans les occasions,
quelque souvenir et quelque pitié de ses malheurs.
Enfin, sans rien demander de positif, elle lui fit voir
les horreurs de son état, et la confiance qu'elle avoit
en sa bonté, et mit à tout cela un air qui ne peut
venir que de Dieu : ses paroles m'ont paru toutes
choisies pour toucher un cœur sans bassesse et sans

importunité ; je vous assure que le récit vous en auroit
touchée. » Madame de Montespan, touchée elle-même,
ne désarma pas Louis XIV contre Fouquet. Le roi
gardait mieux ses haines que ses amours. Aussi la
royauté absolue de l'altière marquise ne dura pas.

Cependant, que pensait la reine Marie-Thérèse, cette
bonne et sainte femme dont Louis XIV a dit : « Elle
ne m'a donné qu'un seul chagrin dans sa vie, c'est le
jour de sa mort? » Elle avait abdiqué, et se consolait
du trône au pied de l'autel. Quand on lui venait apprendre que le roi était en galanterie avec quelque
dame de la cour, elle répondait d'un air détaché pour
cacher les épines de son cœur : « Cela regarde madame de Montespan. »

Dans son voyage triomphal à travers les Flandres,
le roi emmena madame de Montespan : la marquise
monta dans le carrosse royal à côté de Madame, en
face de la reine, qui ne s'indigna pas d'entendre les
paysans crier au passage : *Voilà les trois reines!* Oui,
les trois reines ; celle qui était, celle qui avait été,
celle qui n'avait pas osé être.

Ce fut en ce voyage que le roi donna des gardes * à

---

* « On avoit placé des gardes du corps chez madame de Montespan, et c'étoit raisonnable, car le roi étoit nuit et jour dans ses
appartements ; il y travailloit avec ses ministres. Mais comme
l'appartement étoit fort grand et se composoit de beaucoup de
chambres, la dame pouvoit bien faire ce qu'elle vouloit. Quand
elle sortoit en voiture, elle avoit des gardes, de peur que son
mari ne lui fît quelque affront. » Le mari n'a été que le prétexte
pour avoir des gardes.

sa maîtresse, décidant qu'il aurait chez elle un cabinet
de travail. Le grand dominateur était subjugué; il
trouvait doux de s'enchaîner dans les fantaisies impé-
rieuses de la marquise. Mademoiselle de La Vallière
ne l'avait retenu qu'avec des roses, il aimait à sentir
les épines de madame de Montespan. Il aimait jusqu'aux orages qu'elle suscitait. Ce fut dans le même
temps que Louis XIV permit à Louvois de parler aussi
haut que lui et de lui insuffler ses colères. C'était
l'heure des tempêtes.

Madame de Montespan, dans une lettre à son frère
le duc de Vivonne, a conté les prouesses de ce voyage
royal. Pourquoi ne pas donner ici madame de Montespan peinte par elle-même?

« Que j'aurois eu tort de suivre votre avis et de
» rester à Paris, où l'on doit s'ennuyer depuis le matin
» jusqu'au soir, la grande majorité des gens aimables
» ayant suivi la cour en Flandre!

» Vous croyez, peut-être, que nous éprouvons ici
» les terreurs attachées à l'état de guerre, que nous
» politiquons, que nous sommes entourés de morts et
» de blessés; non, mon frère, non, rien de tout cela
» ne trouble la joie qui ne nous a pas quittés depuis
» notre départ. D'abord nous avons fait la route très-
» commodément; il n'y avoit dans le carrosse du roi
» que la reine, *Madame* et moi. Les acclamations les
» plus flatteuses précédoient et suivoient Leurs Majestés.
» Madame, qui possède toutes les grâces du corps et
» de l'esprit, avoit sa part des acclamations. Je pour-

» rois aussi vous confier, tout bas, que je crois qu'il y
» avoit quelques petites choses pour moi; car, depuis,
» étant sortie seule, j'ai été accueillie je dirois presque
» avec enthousiasme. Le roi a poussé la bonté jusqu'à
» me donner des gardes; j'en ai toujours quatre aux
» portières de mon carrosse.

   » Dans chaque ville, nous avons un bal paré et
» masqué. M. le Dauphin est arrivé avec toute sa cour.
» *Mademoiselle* l'a suivi de près; elle jouit en silence
» de la faveur de son amant, qui est à la tête de la
» compagnie des gardes, et, en cette qualité, ne
» quitte jamais le roi. Les belles Flamandes sont venues
» visiter cette cour, qui fait des conquêtes en chantant
» et en dansant. Rien n'étoit comparable au dernier
» banquet donné à Dunkerque; Madame étoit rayon-
» nante de joie; la reine avoit aussi un air de fête. La
» belle, la superbe mademoiselle de Keroual étoit à
» côté de Madame, qu'elle accompagne en Angleterre.
» Je crois que toutes les plus belles femmes s'étoient
» réunies pour orner cette fête. Jamais je n'ai vu le
» roi aussi beau. L'on n'eût osé penser que d'aussi
» grands intérêts l'occupoient : galant avec toutes les
» femmes, respectueux au delà de ce qu'on peut dire
» avec la reine; enfin tout le monde a sujet d'être fort
» content de son voyage.

   » La flotte du roi d'Angleterre étoit superbe. Ma-
» dame s'est embarquée avec beaucoup de courage.
» Cependant nous avons cru, toute la cour et moi,
» que son dernier entretien avec le roi avoit été atten-

» drissant, car ses beaux yeux étoient chargés de
» pleurs. La reine l'a tenue longtemps embrassée et
» ne l'a quittée que lorsque le roi lui a dit : « Ce n'est
» pas une séparation éternelle, nous la reverrons bien-
» tôt. » Alors Madame a repris sa sérénité et s'est
» embarquée avec un air tranquille, qui nous a im-
» posé silence sur les dangers de la mer qui nous
» l'enlève.

» La cour est restée sur le port aussi longtemps
» qu'on a pu se faire des signes. Tout à coup le roi a
» pris la reine par le bras, d'un côté, et moi, de
» l'autre. »

Il n'y avait plus que deux reines. Quand Madame
revint d'Angleterre, elle n'eut pas le temps de ressaisir
sa souveraineté. Elle franchit gaiement le seuil du
palais de Saint-Cloud, jeune encore, belle toujours,
rêvant aux fêtes de la vie; mais ce fut la mort qui, le
poison à la main, lui chanta la chanson de l'hospitalité.


## II.


La Palatine, qui va à tort et à travers avec sa plume
tudesque, jette plus d'un trait lumineux sur la vérité.
Selon elle, La Vallière a aimé le roi par amour, « la
Montespan par ambition, la Soubise par intérêt, et
la Maintenon par l'un et l'autre motif. La Fontanges
l'a beaucoup aimé aussi, mais en héroïne de roman ».

Donc la première ne cherchait que l'amour dans l'a-
mour, la seconde l'ambition, la troisième l'argent, la
quatrième l'ambition et l'argent, enfin la cinquième le
romanesque. La Palatine revient sur madame de Montespan et mademoiselle de Fontanges : « La Montespan
étoit un diable incarné, mais la Fontanges étoit bonne
et simple. Toutes deux étoient fort belles. La dernière
est morte, dit-on, parce que la première l'a empoisonnée dans du lait ; je ne sais si c'est vrai, mais ce
que je sais bien, c'est que deux des gens de la Fontanges moururent, et on disoit publiquement qu'ils
avoient été empoisonnés. »

Madame de Montespan était femme à battre mademoiselle de Fontanges, mais non pas à l'empoisonner.
Elle avait des colères soudaines, mais point de sourdes
rancunes. Elle vivait à jour, ne prenant jamais de
masque. « Montons dans le même carrosse, dit-elle un
matin à madame de Maintenon ; nous y causerons, et
nous ne nous en aimerons pas mieux. »

Pendant cinq années l'altière marquise eut un si vif
rayonnement, qu'elle éclipsa le roi lui-même. Toute
la cour était tournée vers cette planète ardente, qui
dérangeait les astres consacrés. Elle régnait impé-
rieusement. Le conseil des ministres était présidé par
elle et chez elle. Jamais Cléopâtre ne s'était nourrie de
si belles perles. Le roi, allant la voir à Clagny, compta
des milliers de maçons, de jardiniers, d'artistes : « C'est
mon Versailles, » lui dit-elle. Le roi eut peur et se
jeta dans le sein de son confesseur, ce qui ne l'empê-

18

cha pas de se jeter le lendemain dans la poussière de
ce char de feu. Il alla si loin dans cette folie royale,
qu'il légitima les enfants qu'elle lui avait donnés, —
enfants nés d'un double adultère !


## III.

Cependant un jour Bossuet osa faire éclater la vérité
au palais de Versailles : « Méditez, Sire, cette parole
du Fils de Dieu : elle semble être prononcée pour
les grands rois et pour les conquérants : « Que sert à
l'homme, dit-il, de gagner le monde, si cependant
il perd son âme? Et quel gain pourra le récompenser
d'une perte si considérable? » Que vous serviroit,
Sire, d'être redouté et victorieux au dehors, si vous
êtes au dedans vaincu et captif? Priez donc Dieu qu'il
vous affranchisse; je l'en prie sans cesse de tout mon
cœur. Mes inquiétudes pour votre salut redoublent de
jour en jour, parce que je vois tous les jours, de plus
en plus, quels sont vos périls. »

C'était Dieu lui-même qui frappait à mort madame
de Montespan. Le roi eut honte d'avoir été si longtemps
« vaincu et captif ». Toutefois il retomba plus d'un
jour encore sous le joug haï et adoré.

L'année 1676 fut marquée par un jubilé. Louis XIV,
qui n'avait pas tout à fait perdu de vue le royaume du
ciel, représenta à sa maîtresse qu'il leur fallait apaiser

la colère de Dieu par un grand acte de contrition. Il
lui conseilla de faire son jubilé à Paris, pendant qu'il
ferait le sien à Versailles, pour ne pas retomber à toute
heure dans le péché. Madame de Montespan obéit :
elle-même avait ses moments de repentir et d'effroi ;
elle alla à Paris, elle s'enferma dans un couvent, elle
mit un cilice, elle pria avec délire. Mais dès que le
temps marqué pour gagner le ciel fut expiré, elle mit
quatre chevaux à son carrosse et courut à Versailles.

Cependant le roi avait prié de son côté. Bossuet,
comme un tonnerre d'éloquence, n'avait pas craint de
lui dire en chaire que la France tout entière serait
châtiée pour les égarements du roi ; il peignit avec son
fier et lumineux pinceau les flammes entrevues par la
porte de l'enfer, cette porte qui s'ouvrait pour tout le
monde, même pour les majestés. Je ne sais pas si
Louis XIV eut peur de Dieu, mais il eut peur du diable ;
il se confessa et promit de ne plus revoir madame de
Montespan. Ce fut alors qu'elle se présenta à Versailles.
Elle eut beau vouloir passer, hautaine comme toujours,
elle ne passa pas. Ce fut toute une affaire d'État ;
la cour rigide, le parti de la reine, les confesseurs,
les amis de la duchesse de La Vallière, tout le monde
se groupa autour du roi. Mais le roi eut peur de s'ennuyer : il demanda que la marquise fut reçue à la cour
comme dame d'honneur, puisque c'était son droit ; il
promit de ne plus lui parler en public, il proposa
même au plus docte de la cour de l'assister pour la
première entrevue. Ce fut solennel ; elle vint comme

18.

une jeune vierge timide et rougissante : il l'attendait
gravement entouré de son conseil extraordinaire. Le
roi commence à parler dans le style de Bossuet, sans
bien savoir ce qu'il disait; la marquise dit que ce n'est
pas la peine de faire un sermon, puisqu'elle a compris que son temps avait passé. Elle qui ne pleurait
jamais, elle trouva ce jour-là l'éloquence des larmes :
Bossuet fut vaincu. « Madame, dit le roi en prenant la
main de celle qu'il ne devait plus voir qu'en public,
j'ai un mot à vous dire. » Il la conduisit dans l'embrasure d'une fenêtre : « Vous êtes fou, lui dit-elle quand
il fut seul pour l'entendre. — Oui, lui répondit-il en
la dévorant des yeux, oui, je suis fou, puisque je t'aime
toujours. » L'altière marquise releva la tête et regarda
victorieusement la pieuse assemblée, comme pour se
venger tout de suite de son quart d'heure d'humiliation. Le roi lui dit mille choses tendres sans penser à
ceux qui faisaient galerie; et tout d'un coup reprenant
la main de sa maîtresse, il fit un profond salut et disparut avec elle, laissant dans la confusion tous les
sermonneurs.

S'il en faut croire madame de Caylus, une fille naquit de cette aventure, celle qui épousa le régent :
aussi dit-elle que cette princesse avait dans sa figure
et dans son caractère je ne sais quelles traces de ce
combat de l'amour et du jubilé.

Cependant le premier coup était porté, la passion.
survécut, mais frappée mortellement. Madame de
Maintenon, qui avait joué son rôle dans le jubilé, savait

maintenant que c'était par la porte de l'enfer qu'elle
aurait raison de Louis XIV. A chaque rencontre elle
lui représentait que Dieu réservait à sa grande âme un
royaume céleste, plus beau encore que le royaume de
France. Elle n'oubliait pas non plus de jeter la terreur
religieuse dans le cœur de madame de Montespan;
aussi vit-on peu à peu la maîtresse du roi se réfugier
à l'église, jeûner, et envier sœur Louise de la Miséricorde. La duchesse d'Uzès lui dit un jour : « Est-ce bien
vous? — Parce qu'on fait un péché, répondit-elle,
croyez-vous qu'on les fasse tous? » Madame de Maintenon l'accompagnait à la messe; un matin, après
avoir communié, elle cria gaiement à son cocher :
« A Versailles! — Non, madame! s'écria avec indignation celle qui la donnait à Dieu pour ne plus la
rencontrer sur le chemin du roi, vous ne ferez pas
cela! — J'en ferai bien d'autres, » reprit madame de
Montespan en se jetant dans son carrosse.

Elle ne communiait pas tous les jours si facilement :
le curé de Bourbon, où elle allait tous les ans, ne
voulut pas lui donner l'absolution, sous prétexte
qu'elle scandalisait toute la France. Elle se plaignit à
Louis XIV, qui porta ses griefs au tribunal de Bossuet;
Bossuet dit que le prêtre méritait un évêché. Montausier,
qui était présent, osa dire que la marquise devait remercier un prêtre qui lui avait épargné un sacrilége.

L'amour du roi déclina vite *, la servante devint la

---

* « Tout le monde croit que l'étoile de *Quanto* pâlit. Il y a
des larmes, des chagrins, des gaietés affectées, des bouderies;

maîtresse, la maîtresse ne voulut pas devenir la servante, comme la douce, silencieuse et résignée La
Vallière. Aux fêtes d'automne 1679, le nom de madame
de Montespan n'était pas sur les listes dictées par le
roi. « Sire, lui dit-elle avec sa raillerie plus amère
que jamais, j'ai une grâce à vous demander : permet-
tez-moi d'amuser les gens du dernier carrosse, et de
présider dans l'antichambre. — Non, lui dit le roi,
car avec vous le dernier carrosse seroit le premier, et
l'antichambre seroit le salon. »

Cependant elle fut du premier carrosse, elle eut la
joie de tourmenter cette bonne madame de Maintenon
qui avait autant d'esprit qu'elle, mais qui, par humilité chrétienne, éteignait ses mots dans l'eau bénite.
C'était désormais une lutte mortelle entre ces deux
femmes. On a accusé madame de Montespan d'avoir
empoisonné mademoiselle de Fontanges : si elle avait
voulu verser la mort, c'eût été dans la coupe de madame de Maintenon.

Le roi n'eut donc pas sitôt raison d'elle ; il lui permit quelque temps après d'acheter de la comtesse de
Soissons la charge de surintendante de la maison de

enfin, ma chère, tout finit. On regarde, on juge, on devine, on
croit voir des rayons de lumière sur des visages que l'on trouvoit
indignes, il y a un mois, d'être comparés aux autres. On joue
fort gaiement, quoique la belle garde sa chambre. Les uns trem-
blent, les autres rient ; les uns souhaitent l'immutabilité, les
autres un changement de théâtre ; enfin, voici le temps d'une
crise digne d'attention, s'il faut en croire les plus fins. » MADAME
DE SÉVIGNÉ.

la reine. Çà et là il se laissait reprendre à toutes les séductions de ce vif et cruel esprit, à tout le charme fantasque de cette beauté qui défiait les hivers. Madame de Maintenon devait arriver jusque sur le trône, mais elle faisait son trou sous terre et perdait beaucoup de temps dans les ténèbres.


## IV.

Madame de Montespan jouait à jeu découvert comme son ami Lauzun, deux ambitieux de la même force, qui s'imaginèrent s'aimer au début, tant ils avaient les mêmes aspirations. Ils s'aimaient parce qu'ils retrouvaient l'un dans l'autre toute la folie de leur orgueil. La grande Mademoiselle avait tort d'être jalouse de madame de Montespan, et Louis XIV, quand il surprenait Lauzun sous le lit de la marquise, avait tort de l'envoyer à Pignerol : l'ambition n'a jamais enfanté l'amour *.

---

* Madame de Montespan s'est elle-même, dans une lettre à la marquise de Thianges, défendue de l'amour de Lauzun :

« C'est à tort, ma sœur, que vous me reprochez d'avoir
» abusé de mon crédit auprès du roi, pour empêcher le mariage
» de *Mademoiselle*. Que me fait ce mariage? et qui auroit pu
» m'engager à le rompre? La calomnie a répandu que M. de
» Lauzun avoit été mon amant, et qu'un reste d'amour avoit
» réglé ma conduite dans cette alliance. Il faut que ceux qui
» ont imaginé cette fable connoissent bien peu ma manière de
» penser! En supposant que j'eusse aimé M. de Lauzun, et que

Madame de Montespan, avec toute sa beauté et tout
son esprit, ne pouvait lutter longtemps devant le roi
contre cette femme moitié dieu et moitié démon, qui
montrait le ciel à Louis XIV à travers le ciel de son
lit; cette donneuse d'eau bénite qui écrivait à sa
confidente * : « Je le renvoie toujours affligé et jamais
désespéré. »

L'abbé de Choisy a conté une page de l'histoire de
cette décadence : « Madame de Maintenon n'étoit plus
dans une fort grande jeunesse, mais elle avoit les yeux
si vifs, il paroissoit tant d'esprit sur son visage quand
elle parloit d'action, qu'il étoit difficile de la voir souvent sans prendre de l'inclination pour elle. Le roi,

» la jalousie m'eût suggéré de rompre son union avec celle que
» j'aurois regardée comme ma rivale, je me serois comportée en
» femme calculant peu ses intérêts, car mon amant infidèle of-
» frant son hommage à une femme dont le rang commande le
» respect, et qui, conséquemment, se trouvait à l'abri de mes
» sarcasmes et de mes plaintes, me rendoit toute liberté de me
» plaindre; et, du moment que *Mademoiselle* fût devenue madame
» de Lauzun, la petite-fille de Henri IV devenoit mon égale; ma
» faveur la mettoit même au-dessous de moi. Vous conviendrez,
» d'après cela, que j'aurois eu beaucoup de tort, pour moi,
» de m'y opposer, et qu'au contraire, j'aurois dû profiter de
» l'ascendant que j'ai sur l'esprit du roi pour l'engager de laisser
» terminer un mariage qui illustroit son favori. Je suis d'un rang
» qui me dispense de briguer la protection de *Mademoiselle*;
» néanmoins, je sais que, telle place que le sort nous destine, il
» faut avoir des amis, et une amie du caractère de *Mademoiselle*
» peut balancer beaucoup de traits malins lancés dans l'obscurité,
» et dont je ne suis pas plus à l'abri qu'un autre. »

* Madame de Fontenay, cousine de madame de Maintenon.

accoutumé dès son enfance au commerce des femmes, avoit été ravi d'en trouver une qui ne lui parloit que de vertu ; il ne craignoit point qu'on dît qu'elle le gouvernoit, il l'avoit reconnue modeste et incapable d'abuser de la familiarité du maître. D'ailleurs, il étoit temps pour la santé de son corps et pour celle de son âme qu'il songeât à l'autre vie, et cette dame étoit assez heureuse pour y avoir songé de bonne heure. La retraite austère à laquelle les personnes en faveur sont presque toujours condamnées, ne lui faisoit aucune peine ; ce fut une grande distinction pour elle d'être nommée pour faire le voyage de Baréges avec le roi, et d'autant plus grande, qu'il fit dire en même temps à madame de Montespan qu'elle n'iroit pas, ce qui lui donna de furieuses vapeurs, la préférence d'une personne qu'elle estimoit beaucoup au-dessous d'elle la mettant hors des gonds. »

Mais le roi décida de ne point faire le voyage, « il eut la bonté ou la foiblesse de le mander à madame de Montespan, qui étoit encore à Rambouillet, et qui partoit le lendemain pour Fontevrault ; elle fut transportée de joie, et revint toute courante à Versailles. Là elle espéroit encore de rengager un prince qui avoit pour elle tant d'égards ; et se flattant d'être encore aimable, elle attribuoit à un reste de passion ce qui ne venait que de politesse. Le roi l'avoit quittée de pure lassitude. Dès qu'elle fut revenue à Versailles, le roi alla chez elle, et continua à y passer tous les jours en allant à la messe ; mais il n'y étoit qu'un moment et toujours avec les courtisans, de peur qu'on ne le soupçonnât de reprendre ses chaînes rompues depuis longtemps. » De peur surtout de madame de Montespan.

Louis XIV d'ailleurs ne se croyait plus aimé de madame de Montespan. « Madame, lui disait-il, les femmes qui aiment le jeu n'aiment que le jeu. » Ce fut alors que La Bruyère, qui étudiait les femmes à l'œuvre, écrivit cette pensée : « Il est étonnant de voir dans le cœur de certaines femmes quelque chose de plus vif et de plus fort que l'amour pour les hommes, je veux dire l'ambition et le jeu : de telles femmes rendent les hommes chastes; elles n'ont de leur sexe que les habits. »

Le moraliste se trompait, madame de Montespan était trop femme pour ne pas l'être toujours, même à travers le jeu et l'ambition.

Madame de Sévigné ne se trompait pas : « On me mande qu'on est à Fontainebleau au milieu des plaisirs sans avoir un moment de joie. La faveur de madame de Maintenon croît toujours; celle de *Quanto* va diminuant à vue d'œil. Celle de Fontanges est au plus haut degré. *Quanto* dansa au dernier bal toutes sortes de danses, comme il y a vingt ans, et dans un ajustement extrême. Tout le monde croit... Enfin, adieu, je me porte bien. »

Je ne redirai pas toutes les péripéties de cet amour, qui avait commencé par un éclat de rire et qui devait finir dans un océan de larmes.

Une des pages du dénoûment fut un acte de comédie. Bossuet avait dit au roi, qui se plaignait des hommes et des choses : « Sire, tant que les ministres de vos passions seront plus puissants que vos ministres d'État, vos passions troubleront l'État. » Le roi s'écria : « Eh bien, je vous abandonne mes passions ! »

Bossuet exigea une lettre d'adieu à madame de Montespan. Le roi prit une plume et écrivit la lettre la plus tendre. Bossuet « la remit à madame de Montespan, et en rapporta une réponse encore plus tendre. Ce commerce dura quelques jours : on se faisoit des promesses de s'aimer chastement; on se donnoit des rendez-vous pour les violer. Racine mettoit en vers les billets du roi; et M. de Condom, le courrier, sans le savoir, des deux amants, couvert d'un manteau gris, alloit tous les soirs de Clagny à Versailles. »

Madame de Sévigné n'osait rire tout haut des choses de la cour. La Bruyère mettait des masques à ses vérités. Boileau riait en prose, mais s'enthousiasmait en vers. Racine versait à tous le mensonge ambroisiaque de sa poésie. Bossuet lisait timidement quelques prophéties d'Isaïe. Molière, Molière lui-même, répandait sa gaieté sur toutes ces fêtes. Il n'y avait qu'un sage en France qui osât jeter un rire moqueur sur ce long carnaval.

Ce sage c'était une courtisane, mais c'était la courtisane Aspasie, — je veux dire Ninon de l'Enclos.

Le roi avait peur de cet esprit qui frappait juste et qui courait le monde comme une monnaie sans alliage.

Il avait l'habitude de demander à chaque événement du sérail : « Qu'a dit Ninon? »

Singulier temps : Ninon était la conscience du roi et l'opinion publique !

## V.

Cependant, un jour, Bossuet vint apporter l'extrême-onction à madame de Montespan, à ce cœur qui voulait persister dans son agonie : « Ne parlez pas, dit-elle au grand prédicateur, je sais bien que vous venez prononcer mon oraison funèbre. — Oui, madame la marquise, le roi ne vous aime plus. »

Bossuet fut doux et terrible : il échoua.

Madame de Maintenon vint la seconde : « Je sais bien ce qui vous amène, dit la marquise de Montespan qui avait été instruite la veille; l'amour du roi est mort et vous m'apportez une lettre de faire part; allez, madame, vous n'obtiendrez rien, je meurs où je m'attache. »

Le croira-t-on, le troisième ce fut le duc du Maine, le fils du roi et de madame de Montespan : « Cher enfant, lui dit-elle en l'embrassant, quelle bonne nouvelle m'apportes-tu? » On lui avait dit toute cette odieuse comédie, préparée par madame de Maintenon; on lui avait dit que le fils viendrait lui-même dire à la mère qu'il fallait qu'elle se résignât à quitter le monde, que le grand roi était tourmenté par ses remords, que Dieu voulait une expiation.

Le duc du Maine n'eut pas le courage d'ouvrir son cœur ; il avait été à bonne école pour suivre les sentiers tortueux : madame de Maintenon avait appris à son élève le grand art de parler pour déguiser sa pensée. Aussi, après avoir embrassé sa mère, le duc du Maine lui dit, avec l'accent de M. Tartuffe, qu'elle n'avait plus qu'une seule branche de salut pour se rattraper à l'amour du roi : c'était de lui faire croire qu'elle ne voulait plus le voir jamais. « Il sera offensé de cet adieu silencieux, il sera irrité de cet exil prémédité, il sera désolé de cette absence imprévue, il rappellera pour son triomphe celle qu'il a le plus aimée. » Ainsi parlait le fils à la mère ; la mère aurait voulu étouffer le fils sur son cœur dans sa colère, mais elle aussi elle dissimula. Elle promit au duc du Maine de quitter Versailles ; peut-être croyait-elle que son fils lui donnait un bon conseil sans le vouloir ; elle ne désespérait pas encore de voir le roi revenir si elle fuyait.

Elle monta dans son carrosse, — madame de Maintenon elle-même avait veillé à ce que les chevaux fussent attelés, — elle regarda une dernière fois le château de Versailles, — et elle s'éloigna pour jamais de ce paradis perdu *.

---

* « Elle s'habille, elle gronde les femmes déjà du ton aigre d'une dévote ; elle projette d'embellir Fontevrault ; elle trouve qu'il est bien dur de ne pas voir achever le château de Versailles. Elle

Dès qu'elle fut partie, le duc du Maine donna l'ordre que tous les meubles, toutes les robes, toutes les parures de sa mère la suivissent le même jour à Paris : « pour lui ôter tout prétexte de revenir à la cour, dans la crainte que si le roi la revoyoit, il lui rendît ses bonnes grâces. »

Digne fils d'une telle mère.

Une fois seule à Paris, madame de Montespan chercha ses amis, elle s'aperçut ce jour-là qu'elle n'en avait pas : « J'oubliais, dit-elle, il m'en reste une ! »

Elle courut aux Carmélites se jeter dans les bras de mademoiselle de La Vallière : « Vous pleurez, lui dit sœur Louise de la Miséricorde, moi je ne pleure plus. — Vous ne pleurez plus; ah! moi je pleurerai toujours. »

interrompt des actes de contrition par des plaintes secrètes contre cette grâce qui choisit si mal son temps; elle n'a jamais été si aimable, elle n'a jamais été si aimée, et peut-être n'a-t-elle jamais tant aimé. Encore si elle pouvoit se flatter que le roi sera fidèle à sa première douleur. Elle le voit voler à de nouvelles amours, chercher une femme qui lui accorde les premières faveurs sans scrupule et les suivantes sans remords, la combler de ces grâces, de ces honneurs qu'on regrette encore plus que l'amant qui les dispense. En vain madame de Maintenon dit : « Hé, que vous importe que cette place soit remplie, pourvu qu'elle ne le soit pas par vous? » — « On voit bien, lui répond-elle, que vous n'avez jamais aimé un roi, pas même un homme. » Et selon le même historien, madame de Montespan jeta un triste regard d'adieu au lit qui avait endormi l'orgueil de Louis XIV. « Il faut donc quitter ce pays-ci pour jamais! — Vous lui faites bien de l'honneur de le regretter, » reprit madame de Maintenon.

## VI.

Maintenant la marquise de Montespan est sur le chemin de sa croix; elle souffrira mille morts à chaque station, elle arrivera au calvaire les pieds en sang, toute déchirée et toute maudite, ayant répandu sur la route toutes les larmes de la pénitence.

Dans la pieuse solitude des Carmélites, mademoiselle de La Vallière a pu souvent se reposer en Dieu, sans être agitée encore par les orages du cœur; mais madame de Montespan s'est épuisée à chercher le rivage; elle a trouvé tous les vents contraires. Elle a essayé de fuir le monde, et elle a eu peur d'elle-même dans sa solitude; elle a demandé la mort, et elle a eu peur de la mort; elle a appelé Dieu, et Dieu n'est pas venu à elle, parce qu'elle n'a eu ni la foi ni la douceur, parce qu'elle est restée toujours sur le volcan des colères, parce que son cœur altier ne s'est pas humilié jusque dans la poussière.

La pauvre femme! quand elle est tombée de son règne, elle n'a trouvé que le néant; elle a cherché un cœur pour y appuyer son front; un cœur, ce divin oreiller de ceux qui souffrent; elle n'a trouvé, je l'ai dit, que celui de mademoiselle de La Vallière : c'est donc en Dieu qu'il faut se réfugier. Elle s'est jetée avec fureur, non pas aux Carmélites, car elle avait peur

d'être raillée à son tour, mais à la communauté des
dames de Saint-Joseph, qu'elle avait rétablie naguère,
un jour de repentir, comme si toutes les prières de la
communauté dussent s'élever pour elle à Dieu.

Mais cette âme inquiète était en proie aux aspirations les plus opposées. Quand elle s'était longtemps
tournée vers Dieu, elle se tournait vers le monde ;
comme elle n'était pas touchée du don de la grâce,
elle reprenait sa volée vers les régions profanes.
Ce fut un va-et-vient perpétuel : hier au couvent,
aujourd'hui dans le monde, demain en voyage. Elle
cherchait toujours, elle ne trouvait pas. Il aurait fallu
que Versailles se rouvrît pour elle, que Louis XIV la
rappelât, qu'elle vécût plus que jamais en souveraine.
Dans ses douleurs, dans ses colères, elle écrivit au
roi une lettre d'injures, ce qui fit dire à Louis XIV :
« Est-ce que la marquise de Montespan m'aimerait
encore * ? » Qui sait ? elle ne l'aimait peut-être que
depuis le jour de l'exil.

* M. de Chateaubriand, parlant des cris de madame de Montespan quand elle fut exilée de la cour, lui oppose cette noble et
touchante figure qui, abandonnée de François Ier, ne s'emporta
pas en vaines colères quand le roi lui fit redemander les joyaux
chargés de devises qui avaient consacré les beaux jours de leur
passion ; elle les renvoya, selon Brantôme, « fondus et convertis
en lingots. » — « Portez cela au roi, dit-elle à l'ambassadeur.
Puisqu'il lui a plu de me révoquer ce qu'il m'avait donné si libé-
ralement, je les lui rends et lui renvoie en lingots d'or. Quant
aux devises, je les ai si bien empreintes en ma pensée, et les y
tiens si chères, que je n'ai pu permettre que personne en disposât
et jouît, et en eût de plaisir que moi-même. »

Elle avait peur de tout, peur de Dieu, peur d'elle-même. Les ténèbres la souffletaient de leurs ailes de chauves-souris, les orages la terrifiaient de leur voix de tonnerre. Pendant la nuit, deux jeunes filles veillaient à son lit, — vestales profanes, — et entretenaient autour d'elle la lumière de vingt bougies ; pendant l'orage, deux jeunes vierges se couchaient sur elle pour la préserver des colères du ciel.

Elle croyait que son plus grand crime était d'avoir outragé le sacrement du mariage. Aussi elle cherchait à marier les gens. Elle dotait les pauvres filles ; mais comme elle avait toujours la main ouverte aux aumônes, elle les dotait mal, ce qui fait dire à Saint-Simon qu'elle mariait souvent la faim à la soif.

Dans ses *Châteaux de France,* M. Léon Gozlan a peint avec beaucoup de couleur et de sentiment les premières pénitences de madame de Montespan : « Un jour cependant il lui fallut quitter les Tuileries, Versailles, Marly, les brillants carrousels où elle était toujours remarquée ; il fallut faire ses adieux à la grandeur et à la puissance sous toutes ses formes, éprouver tout ce qu'il y a d'affreux et d'amer dans le triomphe de ses ennemis, et tout ce qu'il y a d'amer et d'affreux dans l'indifférence de ses amis. Chassée de la cour, des carrosses du roi, de sa pensée et de son cœur, madame de Montespan alla où allaient alors toutes les courtisanes en disgrâce, tous les favoris usés, toutes les maîtresses flétries, épées rouillées, fleurs de la veille ; elle se retira au couvent.

19

Cette reine dépossédée avait prévu de si loin sa chute sans oser y croire, qu'elle avait fait bâtir de ses épargnes la communauté où elle se retira le voile au front, le dépit aux lèvres et une colère pleine d'espérance dans le cœur. Pendant de longues années elle invoque en vain dans ses courses inquiètes le baume de la religion. On n'oublie pas si vite qu'on a été la maîtresse d'un roi de France, surtout qu'on est encore belle! Quel amour console de cet amour perdu? Des hauteurs de Petit-Bourg, à travers ces bois qu'elle parcourait sans cesse, elle cherchait Paris, la ville où elle avait régné. Ceux qui, par une douce soirée d'été, passent en chantant sur le bateau à vapeur aux flancs de cette admirable propriété, ne savent pas toutes les larmes qui ont été répandues dans cet espace par une femme, blessée du mépris d'un roi. On la voyait fuir comme une ombre désolée le soir derrière les arbres de son parc, ou descendre à pas rapides jusqu'aux bords de la Seine, dont les ondes chargées de ses regrets et de ses murmures devaient les porter jusqu'aux pieds du palais de son infidèle amant. »

## II.

Elle subit l'oubli du roi et le mépris de son mari. Un jour de jeûne et de cilice, elle écrivit au marquis de Montespan qu'elle le suppliait de lui rouvrir sa porte; qu'elle irait, humble et repentante, vivre sous son toit comme la dernière de ses servantes *. C'était le dernier mot du renoncement à soi-même.

Elle tenta pourtant de se refaire une souveraineté; elle ouvrit ses salons, pour que tout le Paris bruyant lui vînt prouver qu'elle n'avait pas abdiqué. Elle eut le beau monde comme à la cour, comme à l'hôtel Rambouillet; on joua la comédie chez elle. « Toute la France y alloit. Je ne sais par quelle fantaisie cela s'étoit tourné de temps en temps en devoir. Elle parloit à chacun comme une reine qui tient sa cour et qui honore en adressant la parole; c'étoit toujours avec un air de grand respect, qui que ce fût qui entrât chez elle; et de visites elle n'en faisoit jamais, non pas même à Monsieur, ni à Madame, ni à la grande Mademoiselle, ni à l'hôtel de Condé. Elle envoyoit aux occasions aux gens qu'elle vouloit favoriser, et point à tout ce qui la voyoit. Un air de grandeur répandu partout chez elle, et de nombreux équipages toujours en désarroi; belle comme le jour jusqu'au dernier moment de sa vie, sans être malade et croyant toujours l'être et aller mourir. » C'est

---

* « Elle lui écrivit elle-même dans les termes les plus soumis, et lui offrit de retourner avec lui s'il daignoit la recevoir, ou de se rendre en quelque lieu qu'il voulût lui ordonner. A qui a connu madame de Montespan, c'étoit le sacrifice le plus héroïque. Elle en eut le mérite sans en essayer l'épreuve; M. de Montespan répondit qu'il ne vouloit ni la recevoir, ni lui prescrire rien, ni ouïr parler d'elle de sa vie. A sa mort, elle en prit le deuil. » Saint-Simon.

19.

toujours Saint-Simon qui parle. La Fontaine *, Boileau, Lulli, Mignard, Coysevox, Girardon, furent de
sa cour. Il ne lui manqua guère que Racine, —
Racine qui était tout à madame de Maintenon, Racine qui devait mourir de sa servitude. — Mais au
milieu de ces fêtes elle cherchait toujours comme si
Louis XIV dût venir lui-même. Le lendemain elle avait
honte de se rattacher ainsi au passé, elle se rejetait
au couvent, où elle inventait un nouveau supplice pour
son corps. Ses colliers, ses jarretières, ses bracelets,
ses ceintures avaient des pointes de fer, des épines
imperceptibles qui lui rappelaient la couronne de

---

\* La Fontaine, l'ami des sacrifiés, lui dédia le septième livre
de ses Fables :

> Olympe, si ma muse
> A quelquefois pris place à la table des dieux,
> C'est de vous que mes vers attendent tout leur prix;
> Il n'est beauté dans nos écrits
> Dont vous ne connoissiez jusques aux moindres traces;
> Et qui connoît sans vous les beautés et les grâces?
> Paroles et regards, tout est charme dans vous.
> Ma muse, en un sujet si doux,
> Voudroit s'étendre davantage;
> Mais il faut réserver à d'autres cet emploi,
> Et d'un plus grand maître que moi
> Votre louange est le partage.

Il la supplie de protéger ses nouvelles fables :

> Je ne mérite pas une faveur si grande;
> La fable en son nom le demande.
> Vous savez quel crédit ce mensonge a sur nous,
> S'il procure à mes vers le bonheur de vous plaire,
> Je croirai lui devoir un temple pour salaire,
> Mais je ne veux bâtir de temples que pour vous.

Jésus-Christ *. Elle avait des chemises de toile rude qui déchiraient le satin de son beau corps, elle couchait sur un lit de paille d'avoine comme les dernières paysannes de ses terres. Mais sa beauté luttait et triomphait. Elle qui jamais n'avait fait œuvre de ses dix doigts, elle filait de l'étoupe, mouillant ce fil grossier sur ses lèvres toutes de pourpre. Même en ses retours au monde, elle avait toujours son étoupe dans sa corbeille. C'était tout ce qui lui restait de ses moissons de roses !

* « Peu à peu elle en vint à donner presque tout ce qu'elle avoit aux pauvres. Elle travailloit pour eux plusieurs heures par jour à des ouvrages bas et grossiers, comme des chemises et d'autres besoins semblables, et y faisoit travailler ce qui l'environnoit. Sa table, qu'elle avoit aimée avec excès, devint la plus frugale, ses jeûnes fort multipliés; sa prière interrompoit sa compagnie et le plus petit jeu auquel elle s'amusoit; et à toutes les heures du jour, elle quittoit tout pour aller prier dans son cabinet. Ses macérations étoient continuelles; ses chemises et ses draps étoient de toile jaune la plus dure et la plus grossière, mais cachée sous des draps et une chemise ordinaire. Elle portoit sans cesse des bracelets, des jarretières et une ceinture à pointes de fer, qui lui faisoient souvent des plaies; et sa langue, autrefois si à craindre, avoit aussi sa pénitence. Elle étoit, de plus, tellement tourmentée des affres de la mort, qu'elle payoit plusieurs femmes dont l'emploi unique étoit de la veiller. Elle couchoit tous ses rideaux ouverts avec beaucoup de bougies dans sa chambre, ses veilleuses autour d'elle qu'à toutes les fois qu'elle se réveilloit elle vouloit trouver causant, joliant ou mangeant, pour se rassurer contre leur assoupissement. » SAINT-SIMON.

### III.

Je vais dire une des plus douloureuses pénitences de madame de Montespan.

Quand le souvenir de ses triomphes aiguillonnait son cœur, quand les couleurs de son éventail miroitaient sous ses yeux comme la queue du paon, quand le démon saisissait son âme et lui chantait les heures des conquêtes évanouies, elle s'humiliait jusqu'à prier ses enfants, jusqu'à prier le duc du Maine, jusqu'à prier madame de Maintenon de lui avoir une invitation pour Versailles ou pour Fontainebleau. On daignait lui laisser ses entrées à la cour, mais seulement les jours solennels où tout le monde était reçu. Où elle voulait revenir, c'était à la cour intime, c'était aux fêtes familières ; c'était aux chasses de Fontainebleau, c'était aux soupers de Versailles. Mais pour y être admise désormais, il faudra trente-six quartiers de noblesse et trente-six quartiers de vertu. Madame de Maintenon, qui veille sur les destinées de la France, ne permettra plus que des figures scandaleuses comme celle de madame de Montespan viennent contraster dans la pieuse galerie qui amortit les dernières aspirations du grand roi.

Cependant voilà le cor qui retentit dans la forêt de Fontainebleau, les chevaux hennissent et piaffent, les

chiens s'élancent comme un torrent, avec ce terrible
aboiement qui est le glas funèbre du cerf et du san-
glier. Tout le château est en fête, le roi part gaiement
comme en ses jeunes années. Va-t-il donc rencontrer
*Madame* et ses filles d'honneur sous le chêne royal?
Mademoiselle de La Vallière fuira-t-elle tout à l'heure,
comme la jeune fille de Virgile, sous les ténébreuses
ramées? Le beau temps est-il revenu du ballet des
Saisons, où le roi dansait si bien sous la figure du
Printemps; où le duc de Guiche dansait si mal, —
le courtisan! — lui dont on disait qu'il dansait comme
un dieu, quand on avait dit de Louis XIV qu'il dansait
comme un roi!

Non, Louis XIV ne veut pas refaire le passé; Racine
lui a lu le matin une page d'histoire qui lui rappelle
qu'il est le plus grand roi du monde; Boileau le lui
dira ce soir en vers. Madame de Maintenon, si discrète
et si voilée, viendra la nuit oublier ses scrupules. Que
sais-je? son horizon est déjà si sombre, à ce grand
roi, qu'il ne lui faut peut-être pour le mettre en belle
humeur qu'une lumineuse matinée d'automne. Donc
il s'en va gaiement, emporté par un cheval familier,
dans le cortége accoutumé.

Non loin de lui, dans le château de Petit-Bourg, au
bout du parc, sur la forêt même, une femme est là
qui attend et qui pleure : c'est la marquise de Montespan. Tous les bruits de la chasse ont retenti dans
son cœur, car elle se souvient, elle! Qui lui eût dit,
quand elle régnait avec despotisme dans tous les palais

du roi, qu'un jour elle viendrait jouer ce rôle d'élégie
en deuil*?

Elle a appris que la cour partait pour Fontainebleau,
et elle est partie pour son château de Petit-Bourg; elle
vivra quelques jours sous le même rayon de soleil, elle
respirera comme le roi l'air de la forêt; elle verra de
loin le spectacle cher à sa grandeur déchue; si le roi
vient de son côté, elle pourra saluer de la main le
plumet de son chapeau. Qui sait? n'a-t-elle pas lu
dans les contes de fées l'histoire des rois égarés à la
chasse, qui vont frapper à la porte du château bâti
sur leur chemin? Qui sait si le roi n'aura pas une heure
de curiosité; s'il ne viendra pas avec toute sa cour
demander un verre d'eau à celle qui a été pour lui la
fontaine des délices, car il doit bien penser qu'elle est
là. Ce château, n'est-ce pas lui qui l'a payé? Ne sera-
t-il pas chez lui à tous les titres? Ne peut-il pas pour
une heure oublier l'étiquette? Madame de Maintenon,
qui est allée à la messe, ne l'empêchera pas d'entrer.
Ah! s'il venait, comme il serait accueilli! comme on
courrait à sa rencontre; comme on se jeterait dans
ses bras pour y mourir! Mais aurait-on la force
d'aller jusque-là? Ah! s'il venait, comme il compren-
drait que la blessure de ce pauvre cœur est toujours

---

* « Quand le roi alloit chasser à Fontainebleau, elle couroit à
Petit-Bourg pour voir de loin son cher infidèle, heureuse même
quand elle voyoit sa meute. Elle a toujours espéré que le roi
viendroit un jour en son château. Mais le roi n'avoit pas la religion du passé. » Madame de Caylus.

vive, en voyant ces bustes et ces portraits du roi. Ce jardin, c'est une illusion, car c'est tout à la fois Versailles et Fontainebleau. Ce salon, c'est le petit salon de Louis XIV! Qui donc a si bien imité les peintures du plafond? C'est le même sculpteur qui a travaillé la cheminée : le roi ne manquerait pas de s'écrier : « Marquise, vous avez ma pendule, » et madame de Montespan ne manquerait pas de dire : « Sire, c'est la même pendule, mais ce n'est plus la même heure *. »

Mais le roi n'ira pas plus à Petit-Bourg qu'il n'est allé aux Carmélites. Quand il n'aime plus, ci-gît la femme qu'il a aimée ; — six pieds de terre la séparent de lui, — et il ne remue jamais la terre où il a passé.

Non, Louis XIV n'ira pas à Petit-Bourg, même s'il s'égare à la chasse; madame de Montespan pleurera toutes ses larmes et tendra les bras avec désespoir ; elle verra les chiens du roi dans les clairières ; elle verra le roi lui-même; mais Louis XIV ne s'arrêtera pas une seule fois pour regarder, lui qui aime l'architecture, la façade de Petit-Bourg.

---

* Cette belle heure qui chantait encore un si doux carillon dans le cœur de madame de Montespan, Racine l'avait marquée dans une de ses tragédies. Quand Roxane s'écrie :

Moi la première esclave, hélas! de ma rivale !

c'est mademoiselle de La Vallière qui annonce le règne de l'impérieuse marquise.

Je me trompe ; le roi alla une fois à Petit-Bourg, mais madame de Montespan n'y était plus *.

Que ceux qui seraient tentés de crier au romanesque, en lisant cette page où je n'ai réussi qu'à moitié à peindre les regrets de la marquise de Montespan, retournent à ses historiens ou ses historiographes, depuis Saint-Simon jusqu'à Léon Gozlan : tous ont fait résonner cette note mélancolique.

---

* « On sait le trait de courtisan que fit le duc d'Antin, lorsque le roi vint coucher à Petit-Bourg, et qu'ayant trouvé qu'une grande allée de vieux arbres faisait un mauvais effet, M. d'Antin la fit abattre et enlever la même nuit ; et le roi, à son réveil, n'ayant plus trouvé son allée, il lui dit : « Sire, comment vouliez-vous qu'elle osât paraître devant vous ? elle vous avait déplu. » VOLTAIRE.

# IX.

## LA MORT

## MADAME DE MONTESPAN.

La mort de madame de Montespan fut un coup de tonnerre. Il n'y a pas dans toute la Bible de page plus effrayante. Jamais la main de Dieu ne se montra plus terrible et plus vengeresse.

Cette reine d'aventure qui avait raillé la France à ses pieds, cette amoureuse du roi, qui d'un seul coup de ses dents aiguës avait dévoré tous les soupers de Lazare, cette marquise insolente qui avait mis huit chevaux à la roue d'or de sa fortune, elle mourut assassinée par une saignée et pillée par son fils sans avoir le temps de se recommander au ciel. — Elle mourut un jour d'orage, et ses entrailles furent jetées aux chiens. — Elle mourut sans oser regarder son

Dieu et sans oser se regarder elle-même, tant elle était
horrible à voir. J'en prends à témoin madame de
Sévigné : « Madame de Montespan est partie de ce
monde avec une contrition fort équivoque, et fort
confondue avec la douleur d'une cruelle maladie. Elle
a été défigurée avant que de mourir. Son desséche-
ment a été jusqu'à outrager la nature par le déran-
gement de tous les traits de son visage. » Et plus loin :
« Madame de Montespan, en mourant, n'avait aucun
trait ni aucun reste qui pût faire souvenir d'elle : c'était
une tête de mort gâtée par une peau noire et sèche ;
c'était enfin une humiliation si grande pour elle, que
si Dieu a voulu qu'elle en ait fait son profit, il ne lui
faut point d'autre pénitence. Elle a eu beaucoup de
fermeté. » La fine gazetière ne put s'empêcher de
finir par un trait : « Le père Bourdaloue dit qu'il y
avait beaucoup de christianisme. »

Saint-Simon, qui ne conte cette mort que par ouï-
dire, affirme que madame de Montespan est partie en
état de grâce après une confession publique de ses
péchés devant tous ses domestiques, « jusqu'au plus
bas, » après avoir remercié Dieu de la rappeler pendant ce voyage où elle était loin « des enfants de son
péché ; » mais selon la maréchale de Cœuvres et selon
sa tradition, cette mort ne fut rien moins qu'édifiante.
Madame de Montespan ne voulait pas mourir, et son
horreur des ténèbres la prenait à la gorge *. Madame

---

* « Elle ne pouvait rester seule un moment sans frissonner.
Elle ne dormait jamais qu'entre deux femmes. Elle ne pouvait

de Montespan allait tous les ans prendre les eaux de
Bourbon, contre le conseil des médecins, s'imaginant
qu'elle revenait plus jeune de la fontaine de Jouvence.
Elle n'a jamais désespéré de reprendre sa place
devant madame de Maintenon, disant que les yeux du
roi se rouvriraient à la lumière. C'était elle qui ne
voyait plus. En 1707 les eaux de Bourbon furent la
fontaine de la mort : elle y alla avec quelques pressen-
timents funèbres ; elle doubla ses aumônes le jour du
départ ; elle recommanda à ses veilleuses de ne pas
l'abandonner aux heures nocturnes ; elle relut son
testament et l'emporta dans sa cassette dont elle portait toujours la clef dans son sein.

Dès son arrivée, elle dit à la maréchale de Cœuvres,
qui était de sa compagnie : « Comme je suis mal où je
suis ! comme je suis bien où je ne suis pas ! » A quoi
la maréchale répondit : « Vous êtes mal même où vous
n'êtes pas. »

Pour se distraire elle appelle un médecin de campagne et lui demande pourquoi elle est toute coupe-
rosée. « C'est le sang, » dit le médecin. Elle lui
ordonna de la saigner, ce qu'il fit jusqu'à ce qu'elle
s'évanouît. Elle ne revint à elle qu'avec un transport
au cerveau. — « Vous m'avez assassinée ! » dit-elle en
chassant l'assassin.

Elle dépêcha un courrier à son fils. Le duc d'Antin,
sachant déjà qu'elle avait emporté son testament,

entendre parler de la mort sans jeter des cris horribles. » HIPPOLYTE
FORTOUL. *Les Fastes de Versailles.*

partit sans perdre une heure. Quand il arriva, il
courut à la cassette; mais la clef... « Madame se
meurt! madame est morte! » lui dit-on. Il va au lit
de sa mère. Madame de Montespan, voyant son air
de surprise, lui dit : « Tu ne me reconnais plus? c'est
le sang, comme a dit le médecin. » La mère croit que
son fils la regarde, mais le fils ne regarde que la clef
de la cassette qu'elle a mise à son cou, à côté d'une
croix d'or de Notre-Dame de Bon-Secours. D'Antin n'a
qu'une idée au cœur, c'est de lire le testament et de le
déchirer. Arrachera-t-il la clef pendant qu'il est seul
avec sa mère? attendra-t-il qu'elle soit morte? Il pourrait bien se passer de la clef en emportant la cassette;
mais on dira qu'il a emporté la cassette et le roi lui
fera des remontrances; il aime mieux l'ouvrir, prendre
le testament et la refermer pour que d'autres viennent
y chercher le dernier mot de sa mère.

Que fit-il? prit-il la clef? déchira-t-il le testament?
on ne sait. La Beaumelle ne met pas en doute que le
duc d'Antin n'ait pris la clef « dans le sein de sa mère
agonisante, » qu'il n'ait vidé la cassette, qu'il ne l'ait
refermée et qu'il ne soit parti sans dire les prières des
agonisants. Saint-Simon est plus éloquent et moins
explicite : « Le deuil épouvantable dont il affecta de
s'envelopper pour plaire aux enfants de sa mère et pour
dissimuler l'aise qu'il ressentoit, ne les put cacher à
eux ni au monde. Il ne vouloit pas, d'autre part,
avoir le démérite de l'affliction devant l'insensibilité
du roi, ni devant l'ennemie de sa mère. La difficulté

d'ajuster deux choses si peu alliables le trahit; et le
monde, follement accoutumé à la vénération de madame
de Montespan, ne pardonna pas à son fils, qui en
tiroit si gros, de s'être remis sitôt au jeu, sous prétexte de la partie de Monseigneur, de laquelle il étoit.
L'indécence des obsèques, et le peu qui fut distribué
à ce nombreux domestique qui perdoit tout, fit beaucoup crier contre lui. Il crut l'apaiser par quelques
largesses de Gascon à quelques-uns des plus attachés.
Il porta même à M. du Maine un diamant de grand
prix, lui dit qu'il savoit qu'il avoit toujours aimé ce
diamant, et qu'il ne pouvoit ignorer qu'il ne lui eût
été destiné. M. du Maine le prit, mais vingt-quatre
heures après le lui renvoya par un ordre supérieur.
Tout cela ne fut rien en comparaison de l'affaire du
testament. On savoit que madame de Montespan en
avoit fait un, il y avoit longtemps; elle ne s'en étoit
pas cachée; elle le dit même en mourant, mais sans
ajouter où on le trouveroit, parce qu'il étoit apparem-
ment dans ses cassettes avec elle; il y en avoit un,
et il étoit enlevé et supprimé pour toujours. Le
vacarme fut épouvantable, les domestiques firent de
grands cris, et les personnes subalternes attachées à
madame de Montespan, qui y perdirent tout, jusqu'à
cette ressource. Ses enfants s'indignèrent de tant
d'étranges procédés et s'en expliquèrent durement à
d'Antin lui-même. Il ne fit que glisser et secouer les
oreilles sur ce à quoi il s'étoit bien attendu; il avoit
été au solide, et il se promettoit bien que la colère

passeroit avec la douleur et ne lui nuiroit pas en choses
considérables. La perte commune réunit pour un
temps madame la duchesse d'Orléans et madame la
duchesse. D'Antin n'en fut pas quitte sitôt ni si à bon
marché qu'il s'en étoit flatté avec les enfants de sa
mère; mais à la fin tout sécha, passa et disparut.
Ainsi va le cours du monde. »

Ainsi va le cours du monde! Qu'y a-t-il à dire de plus?

Si nous retournons au lit de mort de madame de
Montespan, nous la retrouverons expirante dans l'horreur des ténèbres, appelant Dieu et ses enfants, et ne
trouvant ni Dieu ni ses enfants, pas même le duc
d'Antin, qui n'est venu que pour fouler aux pieds ses
dernières volontés. J'oubliais : dans son testament
elle voulait que ses entrailles fussent portées à la communauté de Saint-Joseph. D'Antin donna l'ordre d'exécuter le vœu de la marquise; mais l'estafier chargé
de ces dépouilles empoisonnées par la maladie et
l'orage, revint après une demi-lieue, disant qu'il va
mourir s'il fait un pas de plus avec une telle peste.
On porte les entrailles aux capucins de Bourbon, avec
prière de les enterrer dans leur chapelle. On annonce
une messe, mais avant la messe, le gardien des entrailles les jette aux chiens dans un fossé aux orties.

Quand vint la nouvelle à la cour de Louis XIV, un
ancien courtisan de la marquise, selon madame de
Caylus, dit à demi-voix : « Ses entrailles? est-ce qu'elle
en avait * ! »

* Ce mot fut aussi attribué à Fontenelle et à madame de Tencin.

Si les entrailles furent jetées aux chiens, le corps
ne fut guère plus respecté. Dès que madame de Montespan eut rendu le dernier soupir, tout son monde
s'envola, de peur de la peste. D'Antin ne fut pas le
dernier. « Les obsèques, dit Saint-Simon, le duc
des préséances, furent à la discrétion des moindres
valets. Le corps demeura longtemps sur la porte de la
maison, tandis que les chanoines de la Sainte-Chapelle
et les prêtres de la paroisse disputaient de leur
rang jusqu'à plus que de l'indécence. » Après la
messe, où l'église était déserte, on mit le corps dans
le caveau commun, — presque la fosse commune, —
où il demeura jusqu'au jour où d'Antin se rappela que
le tombeau de la famille de sa mère était à Poitiers.
Il écrivit qu'on l'y conduisît, mais sans pompe, ce
qui cachait « une parcimonie indigne ».

Qui le croirait! ce ne fut pas le roi, ce fut madame
de Maintenon qui pleura en apprenant la mort de
madame de Montespan. « Madame de Maintenon,
délivrée d'une ancienne maîtresse dont elle avoit pris
la place, qu'elle avoit chassée de la cour, et sur
laquelle elle n'avoit pu se défaire de jalousies et d'inquiétudes, sembloit devoir se trouver affranchie. Il en
fut autrement; les remords de tout ce qu'elle lui avoit
dû et de la façon dont elle l'en avoit payée l'acca-
blèrent tout à coup à cette nouvelle. Les larmes la
gagnèrent, que, faute de meilleur asile, elle fut cacher
à sa chaise percée; madame la duchesse de Bourgogne,
qui l'y poursuivit, en demeura sans parole d'étonne-

20

ment. » C'est Saint-Simon qui peint à vif ce petit
tableau de cour.

Le roi dit pour madame de Montespan ce qu'il avait
dit naguère pour mademoiselle de La Vallière. « Il y
a trop longtemps qu'elle est morte pour moi, pour
que je la pleure aujourd'hui. »

Les femmes qui font de l'amour l'histoire de leur
vie doivent écrire leur épitaphe le jour où elles ne
sont plus aimées.

# X.

# MADEMOISELLE DE FONTANGES.

## I.

Le roman du roi avec mademoiselle de Fontanges fut en quelques jours l'histoire de Versailles et de Paris. On le conta jusque dans les solitudes des Carmélites. Le dirai-je ? sœur Louise de la Miséricorde, qui se croyait si loin dans le chemin du ciel et qui ne voulait plus se retourner vers le *campo santo* de sa jeunesse, ressentit à cette nouvelle une dernière épine au cœur, — ce cœur déjà sanctifié par des siècles de pénitence. — Elle voulait bien ne plus régner, elle subissait le règne de madame de Montespan, mais elle fut jalouse de cette jeune fille qui peut-être allait effacer par sa beauté et par sa grâce le souvenir de la grâce et de la beauté qu'elle avait sacrifiées à l'amour du roi. Comme ce jour-là elle n'avait plus peur de ses

20.

entraînements, elle se retourna vers le passé et y
vécut toute une heure, pécheresse encore par les
aspirations coupables d'un amour mille fois étouffé et
toujours renaissant. Le lendemain, le cilice fut plus
aigu, la prière plus expansive, le jeûne plus absolu.
Mais la figure de mademoiselle de Fontanges ne s'évanouit pas encore. Son oncle, évêque de Nantes, étant
allé aux Carmélites, elle lui dit que pour le salut du
roi il lui fallait faire des remontrances à Sa Majesté ;
l'évêque, sous prétexte d'œuvre de charité, parla au
roi des œuvres du salut, et lui représenta le danger
de plus en plus terrible de traverser l'enfer des passions. Le roi interrompit brusquement l'évêque : « Vous
me ferez plaisir, Monsieur, de renfermer votre zèle
dans votre diocèse. »

La cour de Louis XIV resplendit sous le règne des
blondes. Le roi-soleil aimait la moisson dorée. Mademoiselle de Fontanges était blonde comme la Violante
du Titien, — presque rousse, — ce beau blond de
Venise qui ruisselle dans les Décamerons du Giorgione,
et qui est la fête des yeux pour les coloristes. On n'a
pas de portraits authentiques de mademoiselle de Fontanges. Mais a-t-elle eu le temps de poser *? Tous les

* On me communique une grande miniature représentant
mademoiselle de Fontanges dans le parc de Versailles. Elle se
croit seule et elle regarde le portrait du roi. Des Amours armés
et désarmés veillent sur elle et protégent sa solitude. Dans ce
portrait elle est tout à fait rousse, ce qui donne à sa beauté un
accent étrange.

contemporains, même les femmes, même madame de
Sévigné, la représentent comme la plus belle femme
de son temps, — son temps qui ne dura qu'un matin !
Madame de Sévigné la trouve si belle qu'elle la sur-
nomme *la belle Beauté*. Quel était le caractère de cette
beauté ? « Belle comme un ange et sotte comme un
panier, » dit l'abbé de Choisy. Voilà tout un portrait
qui se détache du cadre ; mais ce n'est pas là un portrait ressemblant. Je dirai plus loin que mademoiselle
de Fontanges n'était pas sotte. Si j'en crois d'autres
portraitistes à la plume du même temps, elle était en
effet belle comme un ange, « toute parée de sa candeur et de sa virginité, » blanche avec des tons roses,
pâlissant et rougissant tour à tour, n'étant maîtresse ni
de son cœur, ni des mouvements de son cœur. Grande
comme mademoiselle de La Vallière, elle n'avait pas
sa grâce de roseau penché, mais elle avait cette charmante maladresse des filles qui entrent à peine à
l'école de l'amour. Elle fut dépaysée à Versailles jusqu'au jour où elle y fut la reine. On riait d'abord de
la voir si timide au milieu de toutes ces belles familières. Elle n'osait ni aller ni venir ; elle craignait les
moqueries ; il semblait qu'elle marchait sur les flots
tant elle avait peur d'avancer, mais enfin elle fit le pas
des dieux.

Le roi aimait toutes les filles d'honneur de la cour.
On ne disait plus filles d'honneur de la reine, mais
filles d'honneur du roi, par antiphrase.

## II.

Marie-Angélique de Scoraille de Roussille, duchesse
de Fontanges dans le grand livre héraldique des
*Nuits* de Versailles, débuta comme mademoiselle de
La Vallière dans la troupe empanachée des filles
d'honneur de *Madame*. Mais ce n'était plus la belle
*Madame :* la Palatine avait succédé à Henriette d'Angleterre. Selon la chronique, mademoiselle de Fontanges avait été destinée par sa mère à devenir
maîtresse du roi, mais l'histoire repousse cette opinion, faute de preuves. Et d'ailleurs l'histoire ne
s'amuse pas à ces détails. La même chronique affirme
que, devenue fille d'honneur de la reine, elle fut jetée
dans les bras du roi par madame de Montespan, un
jour que Sa Majesté s'ennuyait. Je ne crois pas non
plus à cette version. Louis XIV n'avait pas besoin de
collaboratrice pour ses œuvres de séduction, et madame
de Montespan se fût bien gardée d'allumer une passion
qui la rejeta toute une saison sur la dernière marche
du trône.

Dès que madame de Montespan vit venir cette belle
fille, elle la voulut peindre par un mot railleur, selon
sa coutume. Elle dit au roi que *Madame* avait pris
pour nouvelle fille d'honneur une provinciale qui était
une vraie idole de marbre, avec des cheveux dorés
comme les antiques. « Quel sera le Pygmalion? »

demanda le roi qui ne savait qu'une histoire, l'histoire
des dieux. Dès qu'il vit mademoiselle de Fontanges, il
jura qu'il la ferait bientôt descendre de son piédestal.
Madame de Montespan la lui amena au jeu de la reine
comme une curiosité. « Voyez donc, Sire, quelle
majesté! quelle fraîcheur! quelle merveilleuse sculpture! La marquise jouait sur le mot pour exprimer
que la jeune fille était de marbre, mais bien sculptée.
« Mais voyez donc, Sire. » Et la marquise soulevait la
dentelle qui voilait le sein de vingt ans. Le roi, voyant
rougir mademoiselle de Fontanges, dispensa madame
de Montespan du reste de sa description. « Je sais
mieux que vous, madame, voir les œuvres parfaites. »
Dès ce soir-là le duc de Saint-Aignan dit à la duchesse
d'Arpajon en lui montrant le ciel : « Regardez, duchesse, nous avons là-haut une nouvelle étoile. »

Madame de Sévigné a vu les premiers scintillements
de cette étoile : « Sa Majesté partit lundi pour nous
aller quérir la Dauphine. Il se trouva le matin, dans
la cour de Saint-Germain, un très-beau carrosse tout
neuf, à huit chevaux, avec des chiffres, plusieurs
chariots et fourgons, quatorze mulets, beaucoup de
gens autour, habillés de gris; et dans le fond de ce
carrosse monta la plus belle personne de la cour, avec
des Adrets seulement, et des carrosses de suite pour
leurs femmes. Il y a apparence que les soirs on ira
voir cette personne; et voilà un changement de théâtre :
l'eussiez-vous cru le soir que nous étions chez madame
de Flamarens? »

Et plus loin : « Mademoiselle de Fontanges est d'une beauté *singulière :* elle paroît à la tribune comme une divinité ; madame de Montespan de l'autre côté, autre divinité. La *singulière* a donné pour six mille pistoles d'étrennes. »

Madame de Sévigné n'est pas au bout de ses admirations : « Le *char gris* \* est d'une beauté étonnante ; elle vint l'autre jour au travers d'un bal, par le beau milieu de la salle, droit au roi, et sans regarder ni à droite ni à gauche ; on lui dit qu'elle ne voyoit pas la reine, il étoit vrai : on lui donne une place ; et quoique cela fit un peu d'embarras, on dit que cette action d'une *imbevedica* fut extrêmement agréable : il y auroit mille bagatelles à conter sur tout cela. »

## III.

Le comte de Bussy-Rabutin, — par la plume de Sandras, — raconte les premières aurores de ce renouveau du roi.

Ce fut de Paris à Versailles, « dans un tête-à-tête amoureux, que nos amants se jurèrent une affection éternelle ; et l'entretien de mademoiselle de Fontanges eut des charmes si doux pour le roi que, pendant qu'il dura, il fut entièrement attaché à renouveler à cette

---

\* Mademoiselle de Fontanges avait choisi le gris-perle pour sa livrée.

aimable personne toutes les protestations du plus tendre
amour. Ils se séparèrent, et cette belle disant à son
amant un adieu tendre des yeux, elle le laissa le plus
amoureux de tous les hommes. Il envoya à mademoiselle de Fontanges un habit dont la richesse ne se peut
priser, non plus que l'éclat de la garniture qui l'accompagnoit ne se peut trop admirer. Ce fut un jeudi,
après midi, que cette place d'importance, après avoir
été reconnue, fut attaquée dans les formes. On peut
dire que jamais conquête ne lui donna tant de peine.
Quoi qu'il en soit, cette grande journée se passa au
contentement de nos deux amants; il y eut bien des
pleurs et des larmes versés. Cette fête fut suivie pendant huit jours de toutes sortes de jeux et de divertis-
sements; la danse n'y fut pas oubliée, et mademoiselle
de Fontanges y parut merveilleusement et se dis-
tingua parmi les autres. Le duc de Saint-Aignan s'étant
trouvé au lever du roi le lendemain de la noce, d'abord
que le roi l'aperçut il sourit; et, le faisant approcher
de lui, l'assura que jamais il n'avoit plus aimé, et il
lui dit que, selon les apparences, il ne changeroit
jamais d'inclination. Le duc suivit le roi chez sa nouvelle maîtresse; ils la trouvèrent qui considéroit atten-
tivement les tapisseries faites d'après M. Le Brun, qui
représentoient les victoires de Sa Majesté; elles faisoient la tenture de son appartement; le roi lui-même
lui en expliqua plusieurs circonstances, et voyant
qu'elle y prenoit plaisir, il dit au duc de faire un
impromptu sur ce sujet. La vivacité de l'esprit de

M. le duc de Saint-Aignan parut et se fit admirer; car,
dans un moment, il écrivit sur ses tablettes les vers
suivants :

> Le héros des héros a part dans cette histoire.
> Mais quoi? je n'y vois point sa dernière victoire !
> De tous les coups qu'a faits ce généreux vainqueur,
> Soit pour prendre une ville ou pour gagner un cœur,
> Le plus beau, le plus grand et le plus difficile,
> Fut la prise d'un cœur qui sans doute en vaut mille,
> Du cœur d'Iris enfin, qui mille et mille fois
> Avoit bravé l'amour et méprisé ses lois.

Le duc de Saint-Aignan fut le Benserade de mademoiselle de Fontanges. Il fit tout un poëme sur le
*Triomphe de l'Amour dans le cœur d'Iris.* C'est un
long poëme à la mode du temps, où toutes les galan-
teries et toutes les vertus sont symbolisées :

> L'Amour, cet aimable vainqueur,
> A qui tout cède et que rien ne surmonte,
> Étoit près de jouir d'un extrême bonheur,
> Lorsqu'il se souvint à sa honte
> Que, bien que tout lui fût soumis,
> Il n'avoit point le cœur d'Iris.
> Il voyoit mille cœurs qui s'empressoient sans cesse
> De venir en foule à sa cour,
> Car les cœurs ont cette foiblesse,
> Depuis que l'univers est soumis à l'Amour.
>
> Le cœur d'Iris ne pouvoit se contraindre,
> Il les regardoit tous avec quelque mépris;
> Il n'appartient qu'au cœur d'Iris
> De connoître l'Amour et de ne le pas craindre.
> Ce conquérant avoit droit de s'en plaindre;

Que l'on ne soit donc pas surpris,
Si, rempli d'une noble audace,
Il voulut attaquer cette invincible place :
    Il le voulut, en effet,
    Et ce que l'Amour veut est fait.

Avant que d'entreprendre une si juste guerre,
    Il fit assembler son conseil;
    Ce conseil n'a point de pareil,
    Ni dans les cieux, ni sur la terre.

Ici la description des vertus cardinales de l'Amour :
la Flatterie, la Tendresse, la Magnificence, la Hardiesse.

    Or ces guerrières se rendirent
Dans le lieu du conseil, le jour qu'on avoit pris.
    On y parla du cœur d'Iris,
    Et quelques-unes d'abord dirent
    Qu'il étoit honteux à l'Amour
    De laisser encor plus d'un jour
Cette place en état de pouvoir se défendre;
Qu'il falloit désormais ou périr ou la prendre,
    Qu'en vain l'Amour avoit fait tant d'exploits
Si ce cœur refusoit d'obéir à ses lois.

    Quelques autres, plus retenues,
    Leur répondirent hautement
Que, bien que ces raisons fussent assez connues,
    On devoit agir prudemment;
    Qu'on ne prenoit pas de la sorte
    Une place si forte :
Et que le cœur d'Iris pouvoit bien plus d'un jour
Opposer ses remparts aux forces de l'Amour;
    Que la place étoit bien gardée;
Que par la Vertu même elle étoit commandée,
    Et que l'Amour avoit été battu
    Plus d'une fois par la Vertu.

Mais comment douter de ce vaillant Amour qui emporta d'assaut le cœur de Mancini, — qui prit plus doucement celui de La Vallière, — qui prit sans sourciller celui de Montespan, — qui accepta les clefs de celui de mademoiselle de Ludre?

Enfin les troupes se rendirent
Auprès du cœur d'Iris, qui ne les craignoit pas,
    Et dans les formes l'investirent,
Après avoir donné quelques légers combats.
Le cœur d'Iris est fait sur un parfait modèle,
C'est une place forte, aimable, noble et belle,
Qui va même de pair avec les plus grands cœurs.
Elle n'est en état que depuis quatre lustres :
        Mais le sang de ses fondateurs
Tient rang, depuis longtemps, parmi tous les illustres.

        Cette place a de beaux dehors,
        Et cinq portes très-régulières;
La porte de la vue est une des premières,
Et ne sauroit céder qu'à de puissants efforts.
        C'est là que sans cesse se montrent
        Une troupe de doux regards,
        Qui, sans avoir nuls égards,
Volent innocemment tous ceux qui s'y rencontrent.

        Cent fois l'Amour, ce conquérant rusé,
        Après s'être bien déguisé,
        Voulut entrer par cette porte;
        Mais la Vertu, qu'on trompe rarement,
        Le reconnut toujours déguisé de la sorte,
        Et le chassa honteusement.

        La porte de l'ouïe est étroite et petite,
        Il faut passer par cent jolis détours,

Et c'est en vain qu'on sollicite
D'y pouvoir entrer tous les jours.
On n'entre pas dès qu'on ose y paroître,
Il faut parler et se faire connoître.

Celle du goût a ses beautés
Et mille régularités,
La nature la fit avec un soin extrême :
C'est un ouvrage sans égal,
Et cette porte enfin d'ivoire et de corail
S'ouvre à propos et se ferme de même.

Celle de l'odorat exhale des odeurs
Plus douces que celles des fleurs.
La porte du toucher est extrèmement forte,
Mais tout le monde sait, sans en être surpris,
Que ce n'est point par cette porte
Qu'on entre dans le cœur d'Iris.

Je ne suivrai pas plus loin le poëte dans cette autre
carte du Tendre. On se croirait plutôt chez un marchand de bonbons qu'à la cour de Louis XIV. On
regrette Benserade, qui était assez poëte pour l'être
encore en rimant des madrigaux à Versailles.

## IV.

Durant tout un mois, ce ne furent que fêtes, chasses,
soupers et bals. Elle était souveraine et donnait la
mode. Un jour de chasse, une bouffée de vent dénoua
sa coiffure; elle la fit rajuster avec un ruban dont les

nœuds lui voltigèrent sur le front. C'était poétique comme l'ombrage mystérieux de l'amour royal. Les fronts voilés donnent plus d'éclat aux regards et de volupté à l'expression. Voici comment Bussy conte cette page d'histoire des modes : « Elle étoit vêtue, ce jour-là, d'un justaucorps en broderie d'un prix considérable, et la coiffure étoit faite des plus belles plumes qu'on eût pu trouver. Il sembloit, tant elle avoit bon air avec cet habillement, qu'elle ne pouvoit pas en porter un qui lui fût plus avantageux. Il s'éleva un petit vent qui obligea mademoiselle de Fontanges de quitter sa capeline. Elle fit attacher sa coiffure avec un ruban dont les nœuds tomboient sur le front, et cet ajustement de tête plut si fort au roi, qu'il la pria de ne se coiffer point autrement de tout ce soir. Le lendemain, toutes les dames de la cour parurent coiffées de la même manière. Voilà l'origine de ces grandes coiffures qu'on porte encore, et qui, de la cour de France, ont passé dans presque toutes les cours de l'Europe. »

Bussy, cette mauvaise langue, en dit bien d'autres sur cette chasse : « La crainte qu'avoit son amant qu'il n'arrivât quelque accident à cette nouvelle chasseresse, l'obligea à rester toujours à ses côtés; il ne l'abandonna point; et, après lui avoir donné le plaisir de faire passer devant elle le cerf que l'on couroit, il s'écarta avec elle dans le lieu le plus couvert du bois pour lui faire prendre quelque rafraîchissement. Nous avons sujet de croire que le fruit qui naîtra de

ce passe-temps n'en sera pas plus sauvage pour avoir
pris son origine dans les bois. »

Quand mademoiselle de Fontanges vit le roi à ses
pieds, elle leva la tête beaucoup plus haut. Elle prit
devant sa rivale les grands airs dont celle-ci abusait si
impunément; elle dépensa cent mille écus par mois,
et fit porter par des duchesses la queue de sa robe.
Elle se fit nommer duchesse elle-même. Ce fut une
surprise et un éblouissement à la cour. Mademoiselle
de La Vallière n'avait eu que deux chevaux à son carrosse; madame de Montespan allait à quatre chevaux;
mademoiselle de Fontanges arriva un jour dans la
cour de Versailles dans un carrosse doré à huit
chevaux !

Mademoiselle de La Vallière avait noué des rubans
et des roses à la jupe de madame de Montespan; la
voilà vengée, car c'est aujourd'hui madame de Montespan qui noue des roses et des rubans aux jupes de
mademoiselle de Fontanges. Lisez plutôt madame de
Sévigné : « On m'a dit de bon lieu qu'il y avoit eu un
bal à Villers-Cotterets : il y eut des masques. Mademoiselle de Fontanges y parut brillante et parée des
mains de madame de Montespan. »

A ce bal masqué de Villers-Cotterets, mademoiselle
de Fontanges fut vaincue par madame de Montespan
sur le champ de bataille de la danse. « La belle marquise dansa très-bien : Fontanges voulut danser un
menuet; il y avoit longtemps qu'elle n'avoit dansé,
il y parut; ses jambes n'arrivèrent pas comme vous

savez qu'il faut arriver; la courante n'alla pas mieux,
et enfin, elle ne fit qu'une révérence. »

Madame de Sévigné n'a pas compté toutes les révé-
rences qui furent faites ce soir-là à mademoiselle de
Fontanges.

Madame de Montespan entreprit une campagne
sérieuse contre sa rivale de vingt ans. Elle eut
pour auxiliaire le duc de Mazarin, mais pour ennemi
le P. de La Chaise. Le duc de Mazarin demanda audience à Versailles, et dit au roi, avec tout le beau
sérieux d'un esprit convaincu, que Dieu l'avait averti
en songe que si le roi son maître ne renonçait pas à
mademoiselle de Fontanges, une révolution éclaterait
sur la France. « Et moi, dit Louis XIV, je vous avertis,
tout éveillé, qu'il est temps de mettre de l'ordre dans
votre cerveau. » Le P. de La Chaise n'eut donc pas de
peine à battre la marquise, si mal servie. Il représenta au roi que l'amour à trois était moins criminel
encore que l'amour à quatre, puisque dans ce dernier
amour il y avait un double adultère. Le roi voulut
faire ses Pâques en cette année de grâce 1681; il ne
les fit qu'à la Pentecôte. On cria au sacrilége; madame
de Montespan dit un mot cynique sur le P. La Chaise;
madame de Sévigné écrivit : « Le roi communia : le
crédit de mademoiselle de Fontanges est solide et
brillant. »

## I.

Madame de Maintenon, qui voulait être aimée, qui
savait déjà que l'heure sonnerait pour elle, jouait
encore les confidentes. Le roi venait tous les jours la
voir pour lui parler de ses deux maîtresses, pour la
prier de les réconcilier, afin qu'il pût vivre en paix
avec leurs jalousies. Madame de Maintenon écrivait à
madame de Coulanges : « Le roi vient tous les jours
chez moi, malgré moi. » Elle ne disait pas qu'elle fût
morte de chagrin, comme plus tard son ami Racine,
si le roi n'y fût pas retourné. Sa politique était qu'il
vécût avec elle seule et qu'il éloignât de lui les autres.
En attendant qu'il se décidât à s'ensevelir dans « la
feuille morte », elle travaillait à débarrasser la place.
« Vous aimez ou vous n'aimez pas le roi, disait-elle à
mademoiselle de Fontanges. Si vous l'aimez, vous
devez le sauver et nous sauver avec lui; si vous ne
l'aimez pas, à quoi bon jouer ce jeu périlleux ? Ah !
ce serait une belle action que de quitter le roi ! »
Mademoiselle de Fontanges, impatientée du sermon,
s'écria : « Ne dirait-on pas qu'il est aussi aisé de
» quitter un roi que de quitter sa chemise ! »

« Belle et bête comme une statue, » disait madame
de Montespan de mademoiselle de Fontanges. Selon
la Palatine, « elle était belle depuis les pieds jusqu'à

21

la tête. On ne pouvait rien voir de plus merveilleux, mais elle était sotte comme un petit chat. » — « La belle sotte, » disait l'abbé de Choisy. Il disait aussi : « Belle comme un ange et sotte comme un panier. » C'est encore une réputation usurpée : mademoiselle de Fontanges n'était pas sotte, c'est tout au plus si elle était bête.

A l'heure de sa mort, quand le roi vint la voir à Port-Royal, et qu'il lui montra ses larmes : « Je meurs contente, dit-elle, puisque mes derniers regards ont vu pleurer le roi. » Beaucoup de mots qui ne sont pas des *concetti,* mais qui marquent juste, pourraient être pris dans ses vingt ans, pour donner un démenti à l'abbé de Choisy et à madame de Montespan. Quand on sacra sa sœur abbesse de Chelles, toute la cour était présente, avec la musique du roi. Une femme de province, tout enivrée par les parfums, tout éblouie par les diamants des dames, s'écria : « C'est donc ici le paradis ! » Mademoiselle de Fontanges se retourna : « Eh non ! madame, dit-elle étourdiment : il n'y aurait pas tant d'évêques. » Madame de Montespan n'eût pas mieux dit.

Dans son portrait de mademoiselle de Fontanges, La Fontaine, qui l'avait vue chez madame de Montespan, infirme par avance le jugement de l'abbé de Choisy :

A MADAME DE FONTANGES.

Charmant objet, digne présent des cieux,
Et ce n'est point langage de Parnasse,
Votre beauté vient de la main des dieux,

Vous l'allez voir au récit que je trace.
Puissent mes vers mériter tant de grâce,
Que d'être offerts au dompteur des humains
Accompagnés d'un mot de votre bouche,
Et présentés par vos divines mains,
De qui l'ivoire embellit ce qu'il touche.

Je me trouvai chez les dieux l'autre jour,
Par quel moyen, j'en perdis la mémoire ;
Il me suffit que de l'humain séjour
Je fus porté dans ce lieu plein de gloire.
Un dieu s'en vint, et m'ayant abordé :
« Mortel, dit-il, Jupin m'a commandé
De te montrer par grâce singulière
L'Olympe entier, et tout le firmament. »
Ce dieu, c'étoit Mercure, assurément ;
Il en avoit tout l'air et la manière.

Je vis encore une jeune merveille ;
Si ce n'est vous, c'en est une pareille ;
Mais c'est vous-même, et Mercure me dit
Comment le ciel un tel œuvre entreprit.
« Mortel, dit-il, il est bon de t'apprendre
Par quel motif ce chef-d'œuvre fut fait.
Un jour Jupin se trouvant satisfait
Des vœux qu'en terre on venoit de lui rendre,
Nous dit à tous : Je veux récompenser
De quelque don la terrestre demeure.
Le don fut beau, comme tu peux penser :
Minerve en fit un patron tout à l'heure.
L'éclat fut pris des feux du firmament ;
Chaque déesse et chaque objet charmant,
Qui brille au ciel avec plus d'avantage,
Contribua du sien à cet ouvrage ;
Pallas y mit son esprit si vanté,
Junon son port, et Vénus sa beauté,
Flore son teint, et les Grâces leurs grâces. »

21.

Et pourtant, aujourd'hui, le jugement injuste de
l'abbé de Choisy est confirmé par la tradition.

Toutes les maîtresses de Louis XIV avaient eu leur
songe, comme dans la tragédie. « Moi, disait mademoiselle de Fontanges à son confesseur, j'ai eu un
songe inexplicable. J'étais emportée sur une haute
montagne, où je fus prise d'un terrible éblouissement.
C'était à perdre la vue; mais tout à coup me voilà
dans la nuit, ce qui me fit peur et me réveilla. » Son
confesseur lui dit qu'il ne fallait pas un devin pour
expliquer un tel songe. « La montagne, c'est la cour;
le soleil c'est le roi; les ténèbres, c'est le péché. »

On crut au règne de mademoiselle de Fontanges,
parce que c'était une aurore; mais les nuages de la
mort l'ensevelirent à son premier éclat. Ce ne fut
qu'une apparition.


## VI.


Mademoiselle de Fontanges devint duchesse à son
tour; elle eut la France à ses pieds, elle fut la dis-
pensatrice des grâces, elle nomma les généraux et les
évêques; mais un jour le roi lui dit qu'il ne l'aimait
plus. Elle fut frappée mortellement et se tourna vers
Dieu, comme hier mademoiselle de La Vallière, comme
demain madame de Montespan. Elle prit aussi le chemin de la rue Saint-Jacques. Elle fit une halte à Port-
Royal dans son voyage vers le ciel.

Madame de Sévigné a écrit à vol d'oiseau l'histoire de cette autre décadence : « Vous apprendrez une nouvelle qui n'est pas un secret, et vous aurez le plaisir de la savoir des premières. Madame de Fontanges est duchesse avec vingt mille écus de pension; elle en recevoit aujourd'hui les compliments dans son lit. Le roi y a été publiquement; elle prend demain son tabouret, et s'en va passer le temps de Pâques à une abbaye que le roi a donnée à une de ses sœurs. Voilà une manière de séparation qui fera bien de l'honneur à la sévérité de son confesseur. Il y a des gens qui disent que cet établissement sent le congé; en vérité, je n'en crois rien. Le temps nous l'apprendra. » Le temps le lui apprit bien vite. Après une si belle ascension, quel rapide déclin ! « Le *médecin forcé* traite madame de Fontanges, continue madame de Sévigné, Cependant madame de Coulanges me mande qu'*en faisant ses fagots,* il a guéri madame de Fontanges, qui est revenue à la cour, où elle a reçu d'abord publiquement une fort belle visite. »

Mais c'est le mensonge de la santé et de la faveur : « Madame de Fontanges est partie pour Chelles; elle a quatre carrosses à six chevaux, le sien à huit; toutes ses sœurs y étoient avec elles : mais tout cela si triste qu'on en avoit pitié; la belle perdant tout son sang, pâle, changée, accablée de tristesse; méprisant quarante mille écus de rente, et un tabouret qu'elle a, et voulant la santé et le cœur du roi, qu'elle n'a pas : votre *médecin forcé* a fait là une belle cure. »

Et madame de Grignan rit en lisant ce numéro de
son journal : « Vous avez ri de cette personne blessée
dans le service; elle l'est au point qu'on la croit
invalide. » Pauvre Fontanges, si tu avais lu ce bulle-
tin de ta santé ! « Blessée dans le service ! » C'est que
le service des filles d'honneur était rude en l'an de
grâce 1680. Un peu plus tard, la spirituelle gazetière
ajoute : « Nous aurions entendu de notre abbaye les
triomphes, les fanfares et la musique de Chelles, au
sacre de l'abbesse. On dit que la *belle Beauté* a pensé
être empoisonnée, et que cela va droit à demander des
gardes; elle est toujours languissante, mais si touchée
de la grandeur, qu'il faut l'imaginer précisément le
contraire de cette petite *violette* qui se cachoit sous
l'herbe. » Enfin, pour dernier mot : « On me mande
que madame de Fontanges est toujours dans une extrême tristesse : la place me paroît vacante, et, avec
elle, une espèce de rouée, comme la Ludre; elles ne
feront peur à personne, ni l'une ni l'autre. »

Cette extrême tristesse, c'était l'extrème-onction de
l'amour.


VII.


Quand le roi apprit qu'on désespérait de sauver sa
maîtresse, il lui envoya trois fois la semaine le duc de La
Feuillade lui porter les plus tendres paroles. La dernière
fois que vint l'ambassadeur, elle lui prit la main et y

mit un billet où elle priait le roi de venir lui dire adieu.
Sans doute le billet était éloquent, car le roi dit à son
ambassadeur qu'il voulait revoir la duchesse de Fontanges, qu'il voulait l'aimer encore, qu'il voulait
qu'elle vécût. Paroles d'amant qui espère, paroles de
roi qui commande. Le duc de La Feuillade avertit par
une dépêche la mourante que le lendemain le roi irait
au couvent. « Demain, dit-elle, il sera trop tard. » En
effet, le médecin avait prédit qu'elle ne passerait pas
la nuit; elle passa la nuit comme par miracle, un
pied dans le paradis, un pied dans l'enfer. Le matin
elle se fit coiffer et habiller dans son lit presque funéraire. On lui mit ses nœuds de ruban sur le front,
des belles de nuit à ses oreilles, un collier de perles
qui devait rappeler au roi les premiers jours de sa
passion. Quand elle fut habillée et parée, elle se mira
et dit : « Voilà une belle morte sur un lit de parade. »
A chaque minute elle regardait l'heure. La mort était
là qui attendait, mais l'âme demandait grâce et se
retenait au rivage.

Enfin le bruit des carrosses dans la cour du couvent
l'avertit que sa dernière heure avait sonné. Le roi
entra. Il ne croyait pas que ce fût elle. Tant de beauté
sitôt flétrie! tant de jeunesse sitôt fauchée! tant de
grâce sitôt évanouie! Il alla s'asseoir dans un fauteuil
tout préparé. « Plus près, » dit-elle en essayant un dernier sourire. C'était la voix de la tombe, sourde,
lente, funèbre. « Je vous attendais pour partir, vous
êtes venu, j'oublie toutes mes douleurs. » Le roi ne

trouvait pas une parole : il était effrayé de voir la
mort de si près. Mademoiselle de Fontanges lui tendit
sa main, il la porta à ses lèvres, mais l'effleura à
peine, comme s'il eût craint de n'être pas assez
détaché de sa passion.

Dans les yeux déjà voilés de la mourante, il reconnaissait un accent trop humain. Elle le dévorait. Le
repentir n'avait pas entamé ce cœur tout à l'amour
profane. Elle mourait pour lui, rien que pour lui.
Dieu n'avait pas sa part du sacrifice. Elle sacrifiait jusqu'au salut de son âme. Le roi, d'abord plus surpris
que touché, s'attendrit peu à peu jusqu'aux larmes.
« Ah! je meurs contente, dit-elle, puisque mes derniers regards ont vu pleurer mon roi. » Ce furent là
ses dernières paroles.

Madame de Thianges, qui l'a comparée à un cygne,
auroit pu parler du chant du cygne. Madame de Montespan écrivit : « Si elle a bien parlé, c'est qu'elle
alloit mourir, car de toute sa vie elle n'a pu dire
un mot. »

Mademoiselle de Fontanges était née aux premiers
jours de la passion du roi et de mademoiselle de La
Vallière. Elle fut la dernière maîtresse de Louis XIV,
car madame de Maintenon ne fut que la femme
occulte.

Quand il revint de Port-Royal après avoir posé ses
lèvres sur le front de la morte, le grand roi, qui ne
voulait plus aimer, repassa sans doute par tous les
méandres du passé, ce passé de vingt ans qui était

toute sa vie. Durant ces vingt ans, n'avait-il pas vécu vingt siècles de gloire et d'amour? Toute la grandeur et tout l'enchantement de son règne est dans cette belle période. Le soleil va décliner, lentement il est vrai, mais il a dépassé le zénith. On remarqua à la cour que du jour où le roi s'encapuchonna avec madame de Maintenon, il mit de côté le vin de Champagne pour le vin de Bordeaux, le vin tapageur des belles folies, des vaillantes batailles, des jeunes ivresses, pour le vin des esprits timides et des estomacs inquiets.

Pour oraison funèbre de tant de jeunesse, de tant de beauté, mises si vite au tombeau, Saint-Simon se contente de dire : « Mademoiselle de Fontanges ne fut pas si heureuse que madame de Montespan, ni pour le vice, ni pour la pénitence. »

On se passa alors cette épitaphe de main en main :

> Vous qui ne pensez qu'à l'amour,
> Belles! qu'un autre soin en ce lieu vous appelle.
> Approchez, et voyez dans ce miroir fidèle
> Ce que vous devez être un jour.
>
> Jalouses autrefois du bonheur de ma vie,
> Ayez pitié d'un sort dont vous eûtes envie.
> Le bonheur m'enivroit, le sort me détrompa.
> Ce Dieu dont la main me frappa
> Veut qu'à lui seul on sacrifie.
>
> Si l'Amour m'éleva dans un illustre rang,
> J'en devins bientôt la victime :
> Et si l'ambition me conseilla le crime,
> Il m'en a coûté tout mon sang.

> À la cour je n'eus point d'égale ;
> Maîtresse de mon roi, je défis ma rivale.

> Jamais un temps si court ne vit un sort si beau :
> Jamais fortune aussi ne fut sitôt détruite.

> Ah! que la distance est petite
> Du faîte des grandeurs à l'horreur du tombeau!

Mademoiselle de Fontanges mourut à vingt ans. Si on n'avait peur d'ennuyer Malherbe, on lui ferait encore une fois redire ces quatre vers, qui sont toute sa poésie :

> Elle était de ce monde où les plus belles choses
> Ont le pire destin ;
> Et rose elle a vécu ce que vivent les roses,
> L'espace d'un matin.

De tant de beauté et de jeunesse mises au tombeau, de ce coup de soleil qui illumina Versailles toute une matinée, de ce règne « si vite dévoré », de ces trois millions jetés si gaiement du haut de son balcon, que resta-t-il? Une coiffure.

« Je ne pense pas, écrivait madame de Sévigné, qu'il y ait d'exemple d'une si heureuse et si malheureuse personne. » C'est en deux mots l'histoire de mademoiselle de Fontanges.

# XI.

# MADEMOISELLE DE LA VALLIÈRE AUX CARMÉLITES.

## I.

Et maintenant que nous avons vu mourir l'impérieuse rivale à son tour abandonnée du roi, abandonnée de ses enfants, abandonnée d'elle-même ; — maintenant que nous avons vu mourir celle qui n'eut pas le temps de vivre : la rivale posthume, — nous irons retrouver, pour nous habituer aux grandes leçons de la vie contemplative, celle qui trouva Dieu quand elle perdit Louis XIV.

Mademoiselle de La Vallière n'avait pas trente ans quand elle entra aux Carmélites.

L'humble violette ne se sentit jamais assez étouffée dans l'herbe : elle cherchait ardemment toutes les

humiliations; elle avait espéré que les pénitences de
la règle lui seraient plus dures : « Ce ne sont que
chaînes de roses pour aller à Dieu. » Elle avait voulu
qu'on lui accordât la grâce de faire profession comme
sœur converse : la supérieure, qui lui dit la mieux
connaître qu'elle-même, ne voulut pas de ce nouveau
sacrifice; mais elle ne put empêcher sœur Louise de
la Miséricorde d'aider les sœurs converses dans le travail le plus rude, au jardin, à la lingerie, à la cuisine.
C'était pour elle une joie singulière que de gâter ses
belles mains blanches, naguère si dédaigneuses.

Tout Versailles voulait la voir. « Si le roi venait,
disait-elle quelquefois dans les premiers jours de sa
retraite, je me cacherais si bien dans la prière qu'il
lui serait impossible de me trouver. » Elle ne fut pas
réduite à se cacher, car le roi n'alla jamais la voir.

Le marquis de La Vallière, qui aimait tendrement
sa sœur, disait qu'il donnerait tout au monde pour
l'embrasser une dernière fois, comme s'il eût pressenti
qu'il allait mourir. La reine voulut elle-même le conduire le lendemain aux Carmélites. « Je vous donnerai
la main, ce qui vous autorisera à entrer avec moi. »
Mais le lendemain, sœur Louise de la Miséricorde fut
avertie à temps. Elle accourut à la porte de la clôture
et rappela à la reine, avec beaucoup de respect quoique
avec beaucoup de force, que Sa Majesté elle-même
ne pouvait pénétrer au bras d'un homme dans l'inté-
rieur des grandes Carmélites. « Mais votre frère ? »
dit la reine. — Mon frère sait combien je l'ai aimé;

je ne suis plus de ce monde, ou plutôt, puisque je
l'aime encore, en refusant de le voir, c'est un nouveau sacrifice que je veux offrir à Dieu.

Le marquis de La Vallière mourut sans revoir sa
sœur *. Peu de jours après, la Palatine ** conduisit aux
Carmélites le jeune comte de Vermandois qui n'avait pas
huit ans, et qui parlait toujours de sa mère. A la clôture, la duchesse d'Orléans prit l'enfant dans ses bras
pour entrer avec lui, mais une sœur converse vint
avertir la Palatine que sœur Louise de la Miséricorde ne
voulait pas voir son fils. Elle était là agenouillée, toute

---

* « Sœur Louise de la Miséricorde fit supplier le roi de conserver le gouvernement pour acquitter les dettes, sans faire
mention de ses neveux. Le roi lui a donc donné ce gouvernement
et lui a mandé que, s'il étoit assez homme de bien pour voir une
carmélite aussi sainte qu'elle, il iroit lui dire lui-même la part
qu'il prend à la perte qu'elle a faite. » LA PALATINE.

** La duchesse d'Orléans était devenue l'amie de mademoiselle de La Vallière depuis sa prise de voile. « J'étois si touchée
de voir prendre cette résolution à une si charmante personne,
qu'au moment où on la mit sous le drap mortuaire, mes pleurs
coulèrent avec tant d'abondance, ma douleur fut si amère, que
je fus obligée de me cacher. La cérémonie étant finie, La Vallière vint me trouver pour me consoler, et me dit que je devois
me réjouir avec elle plutôt que de la pleurer, puisqu'elle com-
mençoit à être heureuse. Peu de jours après j'allai la voir;
j'étois curieuse de pénétrer les motifs qui l'avoient déterminée
à être si longtemps comme la suivante de la Montespan. Elle
me dit que Dieu ayant touché son cœur, lui ayant fait connoître
ses péchés, elle avoit pensé qu'elle devoit en faire une grande
pénitence, et souffrir ce qu'il y avoit de plus douloureux pour
elle, ce qui étoit la perte du cœur du roi. » LA PALATINE.

en Dieu, qui écoutait les prières de la duchesse d'Orléans et les pleurs de son fils. Mais ni les pleurs ni les
prières ne purent vaincre cet héroïque détachement,
ce fanatisme de la pénitence. Ce fanatisme, ou cet
héroïsme, ne cachait-il pas la faiblesse du cœur? ce
cœur à demi mort et à demi vivant, qui n'était pas
encore gagné au ciel, selon l'expression de saint
François de Sales.

La duchesse de La Vallière ne voulait même pas
voir sa fille; mais le roi se fâcha tout haut; et comme
sa volonté s'imposait partout, même au fond des couvents, mademoiselle de La Vallière subit l'obligation de
voir ses enfants. Cette obligation ne lui pesa pas longtemps pour le comte de Vermandois. Quand la Mère de
Bellefonds dut lui annoncer la mort de cet enfant dont
elle avait été si peu la mère, elle ne savait comment
l'aborder. Elle la rencontra qui sortait du chœur et lui
dit de l'air le plus triste : « J'ai des nouvelles. — J'entends bien, » murmura sœur Louise de la Miséricorde.
Elle savait son fils malade, elle avait compris. Elle
n'ajouta pas un mot et retourna dans le chœur, où elle
demeura prosternée toute une heure sans verser une
larme. Quand la Mère de Bellefonds vit cette sérénité
angélique, elle lui dit que Dieu permettait les pleurs,
même pour les choses de la terre; mais la religieuse
lui dit qu'elle ne pleurait pas parce que sa douleur était
plus grande ainsi. « Je n'ai pas trop de larmes pour
moi-même, et c'est sur moi que je dois pleurer. » Le
même jour Bossuet vint à elle, croyant lui dire le pre-

mier la mort du comte de Vermandois. Devant Bossuet,
qui ce jour-là fut éloquent par son silence, elle ne
put retenir ses larmes, mais elle s'offensa à l'instant
même de sa faiblesse. « C'est trop pleurer la mort
d'un fils dont je n'ai pas assez pleuré la naissance *. »

A la mort de son frère, à la mort du prince de
Conti, à la mort de sa mère, elle ne montra pas un
regret, comme si elle les trouvait trop heureux d'être
partis avant elle pour le voyage de l'éternité.

* « Tout ce qu'elle employa pour empêcher le roi d'éterniser
la mémoire de sa foiblesse et de son péché en reconnoissant et en
légitimant les enfants qu'il eut d'elle ; ce qu'elle souffrit du roi
et de madame de Montespan ; ses deux fuites de la cour, la première aux Bénédictines de Saint-Cloud [1], où le roi alla en personne se la faire rendre, prêt à commander de brûler le couvent ; l'autre aux Filles de Sainte-Marie de Chaillot, où le roi
envoya M. de Lauzun, son capitaine des gardes, avec main-forte
pour enfoncer le couvent, qui la ramena [2] ; cet adieu public si
touchant à la reine, qu'elle avoit toujours respectée et ménagée,
et ce pardon si humble qu'elle lui demanda prosternée à ses
pieds, devant toute la cour, en partant pour les Carmélites ; la
pénitence si soutenue tous les jours de sa vie, fort au-dessus des
austérités de sa règle ; cette fuite exacte des emplois de la maison, ce souvenir si continuel de son péché, cet éloignement constant de tout commerce, et de se mêler de quoi que ce fût, ce
sont des choses qui pour la plupart ne sont pas de mon temps,
ou qui sont peu de mon sujet, non plus que la foi, la force et
l'humilité qu'elle fit paroître à la mort du comte de Vermandois,
son fils. » SAINT-SIMON.

[1] Mademoiselle de La Vallière se réfugia-t-elle la première fois à
Sainte-Marie de Chaillot ou aux Bénédictines de Saint-Cloud? Madame
de Sévigné ne parle que de Chaillot à la première et à la seconde fuite.

[2] Saint-Simon se trompe. Lauzun échoua. Ce fut Colbert qui ramena
mademoiselle de La Vallière.

## II.

Je dirai ici quelques mots de ses enfants. Elle en
mit au monde quatre. Le premier mourut au berceau.
Elle accoucha du second avant le terme parce qu'elle
avait eu peur d'un coup de tonnerre. L'enfant ne
vécut qu'un jour, « cela ne marquait pas qu'il dût être
un grand capitaine, ni qu'il tînt du roi, » dit la batail-
leuse Palatine. Elle ajoute : « Aussi, je crois que l'on
s'en consola. » On a retrouvé les actes de baptême de
ces deux enfants, qui eurent pour parrains et marraines
des gens obscurs. Mademoiselle de La Vallière les
voulait cacher au monde après avoir caché leur naissance. Elle ne leur donne qu'un titre : le titre de
« pauvres ». Les deux autres, mademoiselle de Blois
et le comte de Vermandois, furent reconnus par le roi.
Anne de Bourbon, qui épousa le prince de Conti, était
née en 1666. Ce fut une des jeunes merveilles de la
cour devenue plus sérieuse. La Fontaine, qui avait dit
de la mère qu'elle était la grâce, *plus belle encor que
la beauté,* a dit de la fille :

> L'herbe l'auroit portée; une fleur n'auroit pas
> Reçu l'empreinte de son pas.

Mademoiselle de La Vallière la trouvait trop jolie :
« Je n'ai plus qu'un pas à faire, écrit madame de
La Vallière au maréchal de Bellefonds; mais j'ai de

la sensibilité, et l'on a eu raison de vous dire que
mademoiselle de Blois m'en a beaucoup inspiré. Je
vous avoue que j'ai eu de la joie de la voir jolie comme
elle l'étoit, je m'en faisois en même temps un scrupule. Je l'aime, mais elle ne me retiendra pas un seul
moment; je la vois avec plaisir, et je la quitterai sans
peine. Accordez cela comme il vous plaira; mais je le
sens comme je vous le dis. »

Mademoiselle de Blois épousa le prince de Conti,
qui aimait la débauche à l'orientale, dit la Palatine.
« Il avoit de l'esprit, du courage, étoit agréable dans
toutes ses manières et se faisoit aimer; mais ses mauvaises qualités étoient qu'il étoit faux, qu'il n'aimoit
que lui-même et qu'il profanoit l'amour. Il a pris à
Fontainebleau des cantharides qui l'ont empoisonné. »

Il y eut plus de romanesque encore dans la vie de
la princesse de Conti que dans celle de sa mère. Le
roi de Maroc, un tyran, Muley-Ismaël, devint amoureux d'elle sur son portrait[*], et la fit demander en
mariage à Louis XIV. Cette histoire fut consacrée par
des vers de Jean-Baptiste Rousseau :

> Votre beauté, grande princesse,
> Porte les traits dont elle blesse
> Jusques aux plus sauvages lieux.
> L'Afrique avec vous capitule,
> Et les conquêtes de vos yeux
> Vont plus loin que celles d'Hercule [**].

[*] *Relation historique de l'amour de l'empereur du Maroc pour
la princesse de Conti.* Cologne, MDCC.

[**] Ce portrait en fit bien d'autres. « Trouvé dans les Indes au

22

Le comte de Vermandois fut le quatrième enfant
de La Vallière. Le roi rétablit pour lui l'office d'amiral de France. Il naquit en 1667 et mourut à quinze
ans. Il ne laissa que le souvenir de ses folies. Il ne
connaissait que la salle d'armes, l'église et l'orgie.
Des historiens romanesques l'ont voulu retrouver sous
le célèbre Masque de fer, cette énigme sans OEdipe. Il
ne semblait digne ni de Louis XIV ni de mademoiselle
de La Vallière. Selon mademoiselle de Montpensier :
« il y avoit peu de temps que M. de Vermandois étoit
revenu à la cour; le roi n'avoit pas été content de sa
conduite : il s'étoit trouvé dans des débauches, et le
roi ne le vouloit point voir. Il ne sortoit que pour
aller à l'académie, et le matin pour aller à la messe;
ceux qui avoient été avec lui n'étoient pas agréables
au roi. Ce sont de ces histoires que l'on ne sait point,
et que l'on ne voudroit point savoir. Cela donna beaucoup de chagrin à madame de La Vallière. Il fut fort
prêché; il fit une confession générale, et on croyoit
qu'il se fût fait un fort honnête homme. Après que le
roi fut guéri, j'allai à Eu, fort fatiguée des cérémonies
des morts : elles m'avoient donné des vapeurs; c'étoit
après la Notre-Dame de septembre. Madame de Mon-

bras d'un armateur françois, par don Joseph Valeïo, Castillan,
fils de don Alphonse, mort vice-roi de Lima, il lui inspira une
passion violente, qui a longtemps diverti la cour et Paris. » On
trouve encore çà et là un petit livre imprimé en 1698, sous le
nom de *la Déesse Monas, ou Histoire du portrait de madame la
princesse de Conti.* Le prince indien, dans son admiration, sub-
stitua l'image de la princesse « à celle de l'idole du pays ».

tespan m'envoya un courrier. Elle m'écrivit que M. de
Vermandois étoit mort, que le roi avoit donné sa
charge d'amiral à M. le comte de Toulouse. Il tomba
malade au siége de Courtray, d'avoir trop bu d'eau-
de-vie. On dit qu'il avoit donné de grandes marques de
courage, et on ne parloit de son esprit et de sa conduite que comme l'on a accoutumé selon que l'on
aime les gens. » Le roi ne pleura pas son fils, parce
que « la Montespan et la vieille lui firent croire que
cet enfant n'étoit pas à lui, mais à Lauzun, » dit la
Palatine. Je crois que le roi ne pleurait déjà plus et
que la mort même ne lui fit pas pardonner à cet enfant
gâté ses bruyantes orgies.


### III.


Que si on veut étudier aux Carmélites les pieuses
années de la duchesse de La Vallière, il faudra faire
un pèlerinage idéal à ce couvent ruiné et rebâti : on
y trouvera je ne sais quel vivant souvenir de sœur
Louise de la Miséricorde. Là, elle priait; ici, elle
pleurait; là, fut le réfectoire où elle écoutait les saintes
lectures; ici, fut la cellule où si souvent les épines du
cilice l'ont mordue jusqu'au sang; là, fut le jardin où,
armée de la bêche, celle qui n'avait appris qu'à soulever l'éventail, remuait la terre laborieuse, non
pour creuser sa fosse, mais pour donner aux pauvres
le fruit de ses peines.

22.

C'est encore dans les lettres de mademoiselle de La Vallière que j'ai commencé à étudier sa vie aux Carmélites. La première, écrite au couvent, est datée du 22 avril 1674, elle exprime déjà sa joie d'avoir touché le rivage : « Il y a deux jours que je suis ici, » j'y goûte une tranquillité et une satisfaction si » pures et si parfaites, que je suis dans une admira- » tion des bontés de Dieu qui tient de l'enthousiasme. » Mes liens sont rompus par sa grâce, et je vais tra- » vailler sans cesse à lui rendre toute ma vie agréable » pour lui marquer ma reconnoissance. » Ses liens sont rompus; toutefois, quelques lignes après, elle ne se regarde encore que comme une demi-pénitente.

A trois mois de là, elle est dans l'ardeur enthou- siaste de la jeune vierge qui se donne toute au Sei- gneur; les plus vives images la tourmentent et la caressent, elle cherche les embrasements de l'amour divin, elle veut être consumée par la soif du paradis. Elle vient de quitter Dieu pour écrire, elle n'écrit que pour parler de Dieu, elle cesse d'écrire pour retourner à Dieu. « Adieu, je vais de ce pas vous recommander » à Celui à qui nous devons tout. »

Du 13 juillet 1674 au 24 juin 1675, les lettres écrites ne se sont pas retrouvées; mais voici les pages admirables tombées de ce cœur déjà sanctifié au len- demain de la prise de voile. « C'est à l'heure qu'il » est que je puis dire avec vérité que je suis à Dieu » pour jamais : je suis à lui par des liens si forts que » rien ne les peut rompre. Liée par des vœux et

» encore plus par la grâce, rien ne peut me séparer
» de la charité de Jésus-Christ; c'est en lui seul que
» j'espère, et en lui seul que je veux vivre. »

Sainte Thérèse fut-elle plus enflammée?

Le souvenir de Louis XIV vient passer dans ses
visions extatiques : « Il ne me reste qu'à perdre la
» mémoire de tout ce qui n'est pas Dieu, mais cette
» importune mémoire que je voudrois si loin de moi
» me distrait à tout moment et me livre d'éternels
» combats. » Quelque profond que soit le cloître, le
souvenir du roi y vient encore; quelque lumineux que
soit ce nouveau printemps qui va s'épanouir en Dieu,
l'abondance des primevères et des lis ne cache pas les
dernières feuilles flétries de la moisson des roses.

Mais la religieuse va meurtrir sous le cilice cette
chair pécheresse qui garde encore les souillures des
folles années. « Toutes les souffrances, toutes les
» austérités du corps n'ont rien, ce me semble, qui
» égale la peine et l'humiliation du péché. »

Le péché est comme le sang qui rouille la clef :
on a beau la laver, même avec ses larmes, la rouille
marque toujours. Aussi sœur Louise de la Miséricorde
s'écrie : « Aimer Dieu ardemment et oublier tout le
» reste ! » Elle aimera Dieu, mais elle n'oubliera pas.
En vain elle dit avec l'Apôtre : « Ce n'est plus moi qui
vis, c'est Jésus-Christ qui vit en moi. » Elle a beau
faire de ses mains devenues chastes un lit nuptial à cet
amant qui va l'emporter dans l'infini, Louis XIV peut
dire toujours de sa maîtresse : « Mademoiselle de

La Vallière, c'est moi. » Non, mademoiselle de La
Vallière, ce n'est pas vous, Sire, car il y a un souverain qui règne de plus haut et qui aime de plus près !
c'est vers le Roi des rois que s'est tournée la pauvre
femme brisée à demi par les passions périssables. Elle
espère et elle tremble : « Tout nous sera compté ; le
» temps fuit et n'est plus : l'éternité s'avance... L'éter-
» nité !... ce mot me fait trembler ; c'est le terme fatal
» où tout doit aboutir, vers lequel chaque instant
» nous précipite, où nous touchons peut-être, où finit
» la vie du monde, et où dans toute l'étendue de son
» immensité commence le règne à jamais triomphant
» du Père des miséricordes et du Dieu des ven-
» geances. »

La jeunesse, en ses dernières aspirations, luttait
toujours en elle et voulait vivre même dans le tombeau. Mais elle avait sa jeunesse en haine et la punis-
sait en ses rébellions. « Elle demandoit sans cesse la
permission de jeûner au pain et à l'eau, et de se servir
de toutes les macérations capables de faire souffrir une
chair criminelle. On peut dire qu'elle se crucifioit
tous les jours ; les derniers démons qui étoient en elle
subissoient une torture de tous les instants. Elle se
levoit les matins deux heures avant la communauté,
et passoit ce temps à prier devant le saint sacrement,
et à joindre en secret ses larmes au sang de son Sauveur, sans que les plus rudes hivers lui fissent rien
relâcher d'une pratique si pénible. Elle enduroit le
froid, jusque-là qu'on l'a souvent trouvée saisie et

évanouie, soit dans l'église, soit dans les greniers où elle étendoit le linge. »

Mais qu'était-ce que toutes ces pénitences pour celle qui avait rattaché les nœuds, devant toute la cour, à la robe de madame de Montespan!

## IV.

Ce fut dans le sein de mademoiselle d'Épernon que mademoiselle de La Vallière versa son cœur. Ce fut son dernier confesseur de l'ordre profane, si on peut dire ainsi d'une sainte fille qui n'était plus du monde. Mais mademoiselle d'Épernon avait été du monde et elle avait aimé, elle aussi, jusqu'à en mourir. Ne sait-on pas que le duc de Joyeuse, quand il était le chevalier de Fiesque, aima mademoiselle d'Épernon et lui prit son cœur. Mademoiselle raconte que cette passion s'alluma dans les bals de l'hiver 1644. Mademoiselle d'Épernon fut frappée de la petite vérole. « Le chevalier eut pour elle tous les soins imaginables. La considération du péril pour lui ne l'empêcha pas d'aller la visiter tous les jours. Il témoigna pour elle une passion incroyable qui dura encore tout l'hiver suivant. » Le mariage fut empêché par la sœur du chevalier, qui comptait bien vaincre la résistance de sa famille ; mais il fut tué au siége de Mardyck. Mademoiselle d'Épernon ne se consola pas dans une autre passion. Comme

mademoiselle de La Vallière, elle ne pouvait aimer
qu'une fois sur la terre : elle se tourna vers le ciel.
Elle vint chercher Dieu aux Carmélites.

Mademoiselle d'Épernon avait déjà un peu plus tôt
confessé madame de Longueville. Elle-même aimait à
dire son roman sitôt fini.

Quelques livres pénétraient dans la bibliothèque
chrétienne des Carmélites. Mademoiselle de La Vallière
avait connu La Bruyère à l'hôtel Condé à Versailles.
Elle voulut lire les *Caractères;* sans doute elle relut
plus d'une fois le quatrième chapitre, où sous le titre
*du Cœur,* le moraliste a pensé souvent comme un
homme et comme une femme tout à la fois. La pénitente a pu inscrire cette maxime sur ses pages volantes,
car elle écrivait toujours un peu :

*Vouloir oublier quelqu'un, c'est y penser.*

N'aimait-elle pas à se consoler et à se désoler dans
La Bruyère de n'être plus à la cour, en lisant le chapitre huitième :

*La cour ne rend pas content : elle empêche qu'on
ne le soit ailleurs.*

Mais c'était surtout l'Évangile, cette cour céleste,
qui consolait mademoiselle de La Vallière de la cour
de Louis XIV.

Le culte des images n'était pas banni du couvent
des Carmélites. Les saintes filles qui vivaient en Dieu
avaient voulu parer leur église, leur oratoire, leur
chapelle, leur cloître, de statues et de tableaux qui formaient tout un musée chrétien. Elles voulaient ainsi

vivre en la sainte compagnie des vierges et des martyres, dont l'image périssable, immortalisée par le ciseau ou le pinceau, leur rappelait mieux les luttes et les souffrances. Dans les réfectoires et les cellules, il y avait des portraits : les saintes de l'avenir. Mademoiselle de La Vallière y était peinte deux fois[*], sans

[*] J'ai déjà dit que le portrait de Mignard, que possède aujourd'hui le couvent, était un portrait de cour plus tard habillé par L'Eutef.

L'Eutef avait peint mademoiselle de La Vallière sur une même toile avec mademoiselle d'Épernon.

On pouvait remarquer parmi les portraits ceux de mademoiselle d'Épernon : sœur Anne-Marie, par Mignard. On y voyait toutes les grandes prieures, mademoiselle de Fontaine : mère Madeleine de Saint-Joseph ; la marquise de Bréauté : mère Marie de Jésus ; mademoiselle de Bains : mère Marie-Madeleine ; mademoiselle de Bellefonds : mère Agnès de Jésus-Maria. Ces portraits sont demeurés aux Carmélites.

Dans l'Appendice de l'Histoire de madame de Longueville, M. Victor Cousin donne le catalogue des tableaux et statues que les Carmélites ont pu sauver en 1793.

La sculpture ne se compose aujourd'hui que des statues de saint Denis ; de la Vierge Reine des Anges, un sceptre à la main ; d'une autre Vierge avec un Enfant Jésus ; du cardinal de Bérulle, par Sarrasin, un chef-d'œuvre que rehaussent quatre bas-reliefs de Lescocart. M. Victor Cousin a vanté cette belle chose dans son livre : *Du Vrai, du Beau et du Bien*.

Le cardinal de Bérulle avait été le premier supérieur des Carmélites. Il leur avait légué son cœur, qu'elles conservèrent pieusement dans un reliquaire. En 1793, on leur enleva le reliquaire, mais on leur laissa le cœur du cardinal, qu'elles ont encore aujourd'hui dans une boîte d'argent.

Pour les peintures je reproduis la liste même des religieuses :

« Un portrait peint sur pierre de la sainte Vierge tenant l'En-

parler de la Madeleine, où Le Brun avait à peine réussi
à la représenter.

## V.

C'est un beau spectacle que la lutte héroïque de
cette femme contre les souvenirs de la cour, contre

fant Jésus. Cette peinture est fort ancienne, et une tradition la
fait remonter à saint Luc lui-même, et la fait apporter en Gaule
par saint Denis, qui l'aurait laissée dans la cave souterraine où
il se réfugiait pour éviter la persécution.

» Deux tableaux sur bois attribués à Le Brun. L'un représente
sainte Thérèse priant pour les âmes détenues en purgatoire, et
voyant plusieurs d'entre elles sortir de ce lieu d'expiation et s'é-
lever vers le ciel. L'autre représente la même sainte en oraison;
un séraphin lui perce le cœur d'un dard enflammé.

» Un tableau beaucoup plus ancien représente le même sujet;
on ignore le nom de l'artiste.

» Dans le sanctuaire de l'église actuelle, près de la grille du
chœur, est un grand tableau de Le Brun : Jésus-Christ apparais-
sant à la mère Anne de Jésus, carmélite espagnole, disciple de
sainte Thérèse, et à la mère Anne de Saint-Barthélemy, leur pré-
disant à l'une et à l'autre la fondation de l'ordre en France, et leur
apprenant que sa volonté était qu'elles y fussent envoyées.

» Deux portraits de mademoiselle d'Épernon, sœur Anne-Marie.

» Un portrait de madame de La Vallière, de Mignard.

» Mademoiselle de Bains, la mère Marie-Madeleine de Jésus.
Un portrait de madame de Bréauté, la mère Marie de Jésus. Plusieurs portraits de mademoiselle de Fontaines, la vénérable mère
Madeleine de Saint-Joseph, première prieure française du grand
couvent. Un portrait de mademoiselle de Bellefonds, la mère Agnès
de Jésus-Maria. La sœur Catherine de Jésus en extase. Un por-

tout ce qui fut son bonheur, contre tout ce qui fut
sa vie. Il est doux quand on marche vers la mort,
quand on gravit l'âpre montagne tout envahie de
ronces, toute couronnée de rochers, de se retourner vers les chemins parcourus, vers les sentiers
aimés qui ont gardé de notre jeunesse les plus chers
lambeaux. Il est doux d'évoquer dans les ténèbres du
passé les images, embellies par le lointain, de ceux

trait de mademoiselle de Maulevrier, la mère Anne-Thérèse de
Saint-Augustin, portrait attribué à Largillière. »

L'inventaire des archives et celui donné par les Carmélites à
M. Victor Cousin ne mentionnent pas toutes les richesses d'art
possédées par la communauté. La tradition cite de Simon Vouet
quatre tableaux entourés d'arabesques dorées : les Anges après
l'Ascension ; David avec l'ange qui répand le fléau de la peste ;
Tobie tirant le poisson de l'eau ; Zacharie devant l'apparition de
l'ange. De Pieter de Cortone, une Sainte Catherine de Sienne ;
de Carlo Dolci, un Ecce Homo ; de Sasso Ferrato, une Vierge.
Enfin des tableaux espagnols et des miniatures, dont une représentant la princesse de Condé, mère de madame de Longueville.

Le philosophe historien qui a fait pieusement son pèlerinage
au couvent des Carmélites rapporte que les dames du Carmel
lui ont parlé « d'une statue en marbre de Girardon, Jésus-Christ
ressuscitant, qui était placée dans le jardin avec une Sainte Thérèse et une Madeleine en pierre. Il y avait aussi aux Carmélites
deux tableaux de Le Brun, représentant, l'un la Résurrection de
Jésus-Christ ; l'autre, Jésus-Christ attaché à la colonne du pré-
toire pour subir la flagellation. Quelqu'un s'en empara, et ils
furent trouvés au commencement de ce siècle chez un marchand
de bric-à-brac, reconnus et achetés par la mère Camille, madame de Soyecourt, prieure des Carmélites de la rue de Vaugi-
rard, et on peut les voir encore aujourd'hui dans l'église extérieure
de ce couvent. »

qui ont pris notre cœur, de ceux qui ont été nous-
mêmes. Sur le versant de l'âpre montagne, sœur Louise
de la Miséricorde ne voulait pas se retourner; mais çà
et là, saisie par le vertige, elle tombait agenouillée et
jetait un regard effaré sur les mirages de la cour :
« Je fais tous mes efforts, mais c'est en vain; je trouve
» dans mon cœur un ennemi qui me détourne du bien
» que je veux et me fait faire le mal que je ne veux
» pas. » Elle fait cette confession le 4 novembre 1675,
et pourtant il y a cinq mois qu'elle se cache sous le
voile sacré : « Eh quoi donc! j'aimerai la loi de Dieu,
» elle fera les délices de mon esprit, et je fléchirai
» indignement sous la loi du péché! »

Ne voit-on pas autour d'elle le cortége des criminelles rêveries? Elle ne veut pas regretter la cour;
mais son âme n'y va-t-elle pas follement aux heures de
méditation : « Je suis une malheureuse qui commence
» à souhaiter faire le bien, et qui n'en ai point encore
» fait. Je vois bien que je ne mérite que des châtiments,
» et cependant je reçois des biens, et des biens pour
» la vie éternelle. Je m'abîme dans ces considérations,
» et je m'y perds. Mais si nous ne pouvons rien faire
» qui puisse nous acquitter, Jésus-Christ est mort pour
» payer toutes nos dettes. Il a brisé le joug de notre
» esclavage, et nous a fait ses enfants d'adoption.
» Mettons toute notre confiance en ce souverain libé-
» rateur. »

Plus loin, elle se trouve tiède « au service du divin
Maître ». Cependant rien ne lui fait peur : « quel que

» soit le chemin, j'y passerai sans peine. » Mais elle
se promet d'être forte et ne peut pas le devenir.
« Vous me parlez comme vous auriez fait à saint Paul
» à son retour du troisième ciel, et je suis la plus cri-
» minelle des créatures, pleine de faiblesses et d'in-
» fidélités ; toute terrestre, et, malgré les grâces du
» Seigneur, rampante parmi tant de personnes qui
» volent dans la voie étroite. »

Faut-il commenter ces paroles si expressives ; ne
disent-elles pas toute l'âme de celle qui n'a pas encore
tué le dragon ?

Elle raconte plus loin les visites des curieuses qui
lui viennent parler du doux soleil de la cour. Mais
avant l'heure des visites, elle va se jeter aux pieds de
Dieu, pour le prier de la garder, tant elle a peur des
entraînements. Quoi qu'elle fasse, elle ne peut empêcher
les visiteuses de l'émouvoir en lui rouvrant le livre du
monde ; elle ferme les yeux, mais elle lit. Dès qu'elle
est seule, elle retourne à Dieu et s'efforce d'oublier. Si
le soir elle écrit à son ami le maréchal, à son maître
Bossuet, à sa belle-sœur la marquise de La Vallière, elle
ne parle que de ce qui la touche au couvent, tantôt une
prise de voile, tantôt une mort de religieuse. Elle veut
prouver que son esprit ne dépasse pas le seuil sacré.
Et quand elle voit que le démon ne veut pas mourir
en elle, elle s'enflamme d'une sainte fureur, elle
s'écrie qu'enfin elle comprend l'Apôtre, jusque-là
pour elle si incompréhensible, qui demande à être
anathème pour ses frères : « Je consens à l'être,

» oui, mon Dieu, je vous en conjure si c'est votre
» plus grande gloire. » Elle s'élève à l'éloquence
de Bossuet lui-même : « Faisons parler le sang de
» Jésus-Christ, implorons sa miséricorde, prions,
» gémissons, pleurons, désarmons sa justice. Je fré-
» mis quand je vois à quel point est montée la cor-
» ruption ; elle monte tous les jours et j'ai le cœur
» déchiré de voir les gens de bien se laisser entraîner
» au torrent. » Le torrent, c'est la cour ; c'est toujours
le roi qu'elle regarde. Elle ne veut plus l'aimer qu'en
Dieu, elle ne veut plus lui parler que par la prière.
« Aimons avec transport ce que nous avons tant offensé,
» et prions avec compassion pour ce que nous avons
» tant aimé. »

Pendant toutes ces luttes désespérées, pendant toutes
ces secousses du démon, pendant toutes ces angoisses,
quand le vent d'ouest lui apportait de Versailles, jusque
dans le jardin des Carmélites, des bouffées de ses
belles saisons, que disait Louis XIV de cette femme
qui avait été la vie de sa jeunesse? Le roi n'était plus
romanesque : mademoiselle de Scudéry avait passé de
mode, madame de Montespan avait raillé les sentiments chevaleresques, le roi ne parlait de sœur Louise
de la Miséricorde que comme d'une héroïne à mourir
d'ennui.

A la cour ce ne sont que carrousels, spectacles et
mascarades ; le bruit de ces fêtes vient frapper par son
écho les pierres du cloître, il s'arrête aux pieds de
sœur Louise de la Miséricorde sans monter jusqu'à son

cœur : « La cour s'est rapprochée, et je loue Dieu
» de m'en être éloignée pour jamais ; j'entends parler
» de mille plaisirs, et je ne puis compter que ceux
» qui se goûtent dans la maison du Seigneur. »
Mais la cour se montrait aux Carmélites. Je lis dans
le journal du temps, je veux dire dans les lettres de
madame de Sévigné * : « La reine a été deux fois aux
Carmélites avec *Quanto;* cette dernière se mit à la
tête de faire une loterie, elle se fit apporter tout ce qui
peut convenir à des religieuses ; cela fit un grand jeu
dans la communauté. Elle causa fort avec sœur Louise
de la Miséricorde ; elle lui demanda si tout de bon elle
étoit aussi aise qu'on le disoit. « *Non*, répondit-elle, *je
ne suis point aise, mais je suis contente.* » *Quanto*
lui parla fort du frère de Monsieur, et si elle vouloit
lui mander quelque chose, et ce qu'elle désiroit pour
elle. L'autre d'un ton et d'un air tout aimable, et
peut-être piquée de ce style : « *Tout ce que vous voudrez,
madame ; tout ce que vous voudrez.* » Mettez dans cela
toute la grâce, tout l'esprit et toute la modestie que
vous pourrez imaginer. *Quanto* voulut ensuite manger ;

---

* Madame de Sévigné fut de celles que la curiosité, la compassion, l'amitié peut-être, conduisirent souvent au parloir des
Carmélites pour voir sœur Louise de la Miséricorde. Après l'avoir
raillée sur ses masques de dévotion quand elle était à la cour,
madame de Sévigné reconnaît que le voile de religieuse cachait
un ange. Et comme elle peignit bien la femme par ces quelques
mots d'une de ses lettres à sa fille : « Pour la modestie, elle
n'est pas plus grande que quand elle donnoit au monde une
princesse de Conti. »

elle envoya chercher ce qu'il falloit pour une sauce qu'elle fit elle-même et qu'elle mangea avec un appétit admirable. Je vous dis le fait sans aucune paraphrase. »

Que de paraphrases on pourrait trouver dans cette visite de la reine et de la maîtresse à celle qui fut la reine et la maîtresse, à celle qui n'est plus que la plus humble des servantes de Dieu!

## VI.

Cependant mademoiselle de La Vallière croit qu'elle se détache d'elle-même et qu'à chaque station de sa croix elle foule d'un pied victorieux les flammes du passé. Elle a inscrit ces saintes paroles dans sa cellule : « Si quelqu'un veut venir après moi, qu'il » prenne sa croix et qu'il me suive. »

Mais le lendemain elle se réveille tout envahie encore par les songes profanes : « Qui me délivrera » de ce corps de mort dont la pesanteur m'accable! » Voici les fêtes de la Pentecôte, elle se dégage des liens terrestres et s'écrie : « Mon esprit s'est élevé jus- » qu'au Seigneur, parce qu'il a daigné s'abaisser jus- » qu'à moi! » Elle a fait un grand pas; elle a vu briller l'étoile du salut : le Saint-Esprit la transporte, elle ne tient plus à la terre; mais elle retombe bientôt du haut de ses extases, « accablée sous la chaîne du péché ».

On la dirait pourtant morte à elle-même, tant elle

s'inquiète peu de son fils et de sa fille. Elle n'a pas
une larme pour son frère qui se meurt. Sœur Anne de
Jésus, qui comme elle a été fille d'honneur d'Henriette
d'Angleterre, va mourir sous ses yeux dans les plus
grandes souffrances, après avoir vécu « six ans et
demi d'une vie toute pleine de croix ». Elle la regarde mourir sans un battement de cœur, en disant
« que la mort des saints est précieuse, et qu'il est plus
» sûr de mettre son espoir en Dieu que dans les
» princes de la terre. »

Trois années déjà se sont écoulées, de nouveaux
souvenirs envahissent peu à peu les anciens, comme
les lianes et les ronces couvrent les ruines aban-
données. Elle se lève avant les plus matinales, elle
s'humilie à la chapelle, elle travaille au jardin. A
l'heure des aumônes, ce ne sont pas ses pauvres qui
l'attendent, c'est elle qui attend ses pauvres. Les
heures oisives ne sonnent plus pour elle.

Cependant longtemps après, le 11 juillet 1684, elle
écrit : « Je me sens encore toute vivante dans le cer-
» cueil de la pénitence. » Elle a quarante ans. Ni la
haire, ni le cilice, ni les larmes, ni les désespoirs,
n'ont pu flétrir avant l'heure ce beau corps fait pour
l'amour profane. La nature maintient ses droits, la vie
monte toujours. Chaque fois qu'avril revient, il ramène la séve dans cet arbre battu des vents qui vainement s'est dépouillé de son feuillage. Sœur Louise de
la Miséricorde ne regarde jamais dans un miroir celle
qui fut mademoiselle de La Vallière, mais celles qui

viennent la voir lui disent toujours qu'elle est belle :
elle dit qu'elle a sa beauté en horreur, puisque pour
elle c'est l'image de son péché. Mais çà et là, la femme
se réveille, elle se console d'être belle, et remercie
Dieu de l'avoir appelée jeune encore.

On a marié sa fille à un prince : que lui importe à
elle qui ne connaît plus que le royaume de Dieu?

La dernière lettre au maréchal de Bellefonds est
datée du 17 novembre 1693 ; elle lui parle de la mort
de la jeune sœur Anne-Marie de Jésus comme si elle
parlait de sa mort à elle-même. Anne-Marie de Jésus
était la fille du maréchal de Bellefonds.

« Qu'elle est heureuse de toucher au dernier mo-
» ment d'une vie si pure et si innocente! Elle quitte
» une dépouille mortelle pour aller recevoir des
» mains de son divin Époux une couronne de gloire
» immortelle; car vous m'avouerez, Monsieur, que
» vous voyez tous les caractères des prédestinés dans
» votre chère enfant. Je supplie la divine Bonté d'a-
» chever son œuvre en miséricorde, et que sa sainte
» volonté détruise tellement la nôtre en tout, que ce
» ne soit plus nous qui vivions, mais Jésus-Christ qui
» vive en nous. »

Ce sont les derniers mots tombés de cette plume
sanctifiée, du moins c'est la dernière lettre retrouvée*.

---

* Toutes les lettres que j'ai eues dans les mains sont des lettres
de la demi-pénitente ou de la jeune repentie. Devenue vieille,
Louise de la Miséricorde n'écrivait que des billets où la femme
ne se montrait plus.

Mademoiselle de La Vallière écrivit sans doute encore à la marquise de La Vallière et à la princesse de Conti; que sont devenues ces lettres? Ce n'est donc plus elle-même qu'il faut interroger sur sa vie aux Carmélites. Mais n'a-t-elle pas dit tous ses combats, tous ses désespoirs, tous ses déchirements, toutes ses aspirations? Sainte Thérèse ne s'est pas mieux peinte, saint Augustin n'a pas mieux dévoilé son âme.

Si j'interroge les contemporains, je ne la retrouve pas si vivante que dans ses lettres; ils ne me disent que les rares événements de sa vie, les paroles arrachées à son silence, les visites au parloir, les labeurs au jardin, les derniers rayonnements de cette beauté qui transperçait sous le voile comme le soleil couchant sous le nuage.

# XII.

## LA MORT

DE

## MADEMOISELLE DE LA VALLIÈRE.

Mademoiselle de La Vallière demeura trente-six années aux Carmélites, la plus humble de toutes, la plus inquiète et pourtant la plus près de Dieu. Le désert où se réfugia Madeleine ne fut pas plus inondé de larmes pénitentes que la cellule de mademoiselle de La Vallière. Je ne parlerai pas de tous les cilices qu'elle imposa à son esprit comme à son corps. C'était la plus faible, mais l'amour de Dieu lui donna tous les courages. « Pauvre femme, lui dit un jour madame d'Armagnac en la voyant filer de l'étoupe, voilà donc ce que vous faites de ces mains qui ont joué avec le sceptre? — Pourquoi vous étonner? dit la carmélite. N'ai-je pas été à la cour la servante de madame de Montespan? Ici je ne suis que la servante des pauvres. »

Quand on apprit à Louis XIV, déjà penché vers la tombe, que celle qu'il avait le plus aimée avait enfin gagné le ciel, il dit à madame de Maintenon, sans être attendri, que tout cela lui semblait si loin qu'il n'y croyait plus. En effet, Louis XIV avait vécu plusieurs existences. Cependant, quel que fût son éloignement de tout ce qui avait été la religion de sa jeunesse, peut-être aurait-il retrouvé une dernière larme si on lui eût dit comment était morte la duchesse de La Vallière? Elle mourut de soif.

Un jour, dans le jardin des Carmélites, elle vit une jeune sœur qui puisait de l'eau et qui buvait dans sa main. Ce tableau lui rappela une des meilleures journées de ses beaux jours. C'était à Fontainebleau. Elle se promenait dans la forêt avec toute la cour. Comme elle aimait la solitude et la rêverie, elle s'était éloignée pendant qu'on jouait à la main chaude. Le roi, qui ne l'avait pas perdue de vue, la rejoignit sous les ramées, devant une petite fontaine, à l'instant même où elle se penchait pour y puiser de l'eau avec sa main. Le roi trouva la coupe digne d'un roi. Il s'agenouilla et but à diverses reprises, en disant que l'eau se changeait en vin.

Elle avait oublié ce tableau romanesque, comme tant d'autres; mais après un demi-siècle, ce tableau avait reparu plus poétique que jamais dans la mémoire de la carmélite. « O mon Dieu, dit-elle, pardonnez-moi ce retour vers un temps si fatal! Puisque le roi a eu tant de joie à boire dans ma main, je vous promets, Seigneur, de ne plus boire jamais. »

Elle ne voulait plus boire qu'à l'eau vive du divin amour, comme la Samaritaine.

Cette histoire a été diversement racontée; voici la version de l'abbé Lequeux : « Un jour donc de vendredi saint qu'elle étoit au réfectoire, elle se ressouvint que dans le temps qu'elle étoit à la cour, elle se trouva dans une partie de chasse pressée d'une si grande soif qu'elle n'en pouvoit plus, et qu'elle se fit apporter des rafraîchissements et des liqueurs délicieuses, dont elle but avec beaucoup de plaisir et de sensualité. Ce souvenir, joint à la pensée de la soif que Jésus-Christ avoit bien voulu éprouver à la croix, et du fiel et du vinaigre qu'on lui avoit présentés pour tout soulagement, la pénétra d'un si vif sentiment de componction, qu'elle forma dans le moment l'étonnante résolution de ne plus boire du tout*. »

---

* Selon Saint-Simon, « sa délicatesse naturelle avoit infiniment souffert de la sincère âpreté de sa pénitence de corps et d'esprit, et d'un cœur fort sensible dont elle cachoit tout ce qu'elle pouvoit. Mais on découvrit qu'elle l'avoit portée jusqu'à s'être entièrement abstenue de boire pendant toute une année, dont elle tomba malade à la dernière extrémité. Ses infirmités s'augmentèrent, elle mourut enfin dans de grandes douleurs, avec toutes les marques d'une grande sainteté, au milieu des religieuses dont sa douleur et sa vertu l'avoient rendue les délices, et dont elle se croyoit et se disoit sans cesse être la dernière, in-

L'historien raconte ensuite que sœur Louise de la
Miséricorde fut plus de trois semaines sans boire une
goutte d'eau, et plus de trois ans à n'en boire qu'un
demi-verre par jour. Mais selon cette version, Dieu ne
voulait pas encore de sa pénitente; elle avait beau
s'attacher violemment à la mort, elle se survivait

digne de vivre parmi des vierges. Madame la princesse de Conti
ne fut pas avertie de sa maladie, qui fut fort prompte, qu'à l'extrémité. Elle y courut et n'arriva que pour la voir mourir. Elle
parut d'abord fort affligée, mais elle se consola bientôt. Elle
reçut sur cette perte les visites de toute la cour. Elle s'attendoit
à celle du roi, et il fut fort remarqué qu'il n'alla point chez elle.

» Il avoit conservé pour madame de La Vallière une estime
et une considération sèche dont il s'expliquoit même rarement
et courtement. Il voulut pourtant que la reine et les deux
Dauphines l'allassent voir et qu'elles la fissent asseoir, elle et
madame d'Épernon, quoique religieuses, comme duchesses
qu'elles avoient été. »

La folie des étiquettes royales envahit toujours la sagesse de
Saint-Simon.

« Les enfants de madame de Montespan furent très-mortifiés
de ces visites publiques reçues à cette occasion, eux qui en pareille circonstance n'en avoient osé recevoir de marquée. Ils le
furent bien autrement quand ils virent madame la princesse de
Conti draper, contre tout usage, pour une simple religieuse,
quoique mère; eux qui n'en avoient point, et qui, pour cette
raison, n'avoient osé jusque sur eux-mêmes porter la plus petite
marque de deuil à la mort de madame de Montespan. Le roi ne
put refuser cette grâce à madame la princesse de Conti, qui le
lui demanda instamment, et qui ne fut guère de son goût. Les
autres bâtards essuyèrent ainsi cette sorte d'insulte que le simple
adultère fit au double dont ils étoient sortis, et qui rendit sensible
à la vue de tout le monde la monstrueuse horreur de leur plus
que ténébreuse naissance, dont ils furent cruellement piqués. »

malgré elle ; elle avait beau se rouler sur les épines de
la mortification, elle retrouvait toujours des roses sur
ce lit douloureux. Elle avait beau, selon l'expression
de Jésus-Christ, « creuser bien avant dans la terre, »
ses yeux mortels ne voulaient pas encore se fermer à
la lumière. Elle avait beau s'enfermer dans le tombeau
de Notre-Seigneur, les anges rebelles venaient à toute
heure soulever le couvercle et lui chanter les hymnes
du passé.

Enfin, son jour est venu, le jour tant espéré.

La surveille de sa mort, le 4 juin 1710, on l'avait
comme toujours vue la première à matines. Dans la
journée elle était si pâle et si chancelante, qu'on ne
doutait plus que l'âme ne s'envolât bientôt. Le lendemain encore, elle se leva à trois heures du matin,
mais elle ne put arriver jusqu'au chœur de la chapelle.
Une sœur converse la rencontra qui s'évanouissait,
comme si elle eût voulu mourir sur le chemin de
Dieu.

On la porta à l'infirmerie. Elle passa la journée
et la nuit toute en prières, heureuse de souffrir, heureuse de mourir. Comme on pleurait autour d'elle,
« Ne pleurez pas pour moi, mes sœurs, puisque je
pars avant vous. » Le supérieur des Carmélites lui donna
le saint viatique et lui administra l'extrême-onction,
tout édifié des belles paroles de cette admirable
pénitente.

On courut avertir sa fille. Quand arriva la princesse
de Conti, sœur Louise de la Miséricorde ne parlait

plus ; ses dernières paroles avaient été pour Dieu, mais ses derniers regards humains furent pour sa fille. Le supérieur, qui ne la voulait plus quitter, lui donna une prière à dire : elle lui exprima par un regard qu'elle n'avait plus de voix même pour prier. Presque au même instant elle leva la main vers sa fille, et mourut en Dieu. Il était midi.

Le lendemain, « on exposa son corps auprès de la grande grille du chœur, selon l'usage ». Tout Paris vint pour la saluer, cette illustre victime de la pénitence. Du matin jusqu'au soir, les quatre religieuses qui la gardaient n'eurent pas le temps de prier, occupées qu'elles furent sans relâche « à recevoir et à rendre les reliquaires, médailles, livres, images, qu'on leur donnait pour toucher à ce corps qu'on regardait comme celui d'une victime qui s'était volontairement immolée à la justice divine et crucifiée avec Jésus-Christ. »

Quand on descendit la dépouille de mademoiselle de La Vallière sous ces froides dalles où elle avait usé ses genoux, il s'éleva dans toute l'église comme un hymne à sa louange. La multitude qui priait pour elle aurait voulu canoniser sœur sainte Louise de la Miséricorde.

Déjà l'ambassadeur de Venise, touché des incroyables austérités de cette pénitence, avait juré à la cour qu'à son voyage à Rome il obtiendrait du pape que la maîtresse de Louis XIV fût canonisée.

La sœur Magdeleine du Saint-Esprit, « carmélite

indigne », dit-elle d'elle-même dans son humilité,
écrivit sur les registres du couvent la vie et la mort
de sœur Louise de la Miséricorde. Ce document authen-
tique, le seul qui reste aux Carmélites, a été retrouvé
à la bibliothèque du palais de Versailles. J'en veux
donner le commencement et la fin.

JESUS MARIA.

MA REVERENDE ET TRES-CHERE MERE,

Paix en Jésus-Christ. C'est avec une douleur bien juste et bien
amere, que nous vous demandons les prieres de l'Ordre pour
nôtre tres-honorée sœur Louise de la Misericorde, Professe de ce
Monastere, qu'une maladie de trente heures vient de nous enlever; elle a été un des plus parfaits modeles de penitence, que
Dieu ait fait voir de nos jours. Nous avons appris d'elle-même
que plusieurs personnes d'une grande pieté desirants fort sa conversion, la demandoient sans cesse à Dieu par de ferventes
prieres. Quelques années s'écoulerent sans que leurs vœux fussent exaucés. Elle entroit quelque-fois dans le Monastere des
Reverendes Meres Capucines, elle connoissoit leur vertu, et avoit
pour ces saintes Religieuses toute l'estime qu'elles meritent; elle
délibera quelque tems entre leur saint Ordre et le nôtre; mais
elle resolut enfin de choisir cette Maison. Dans les commencements de sa conversion son amour pour Dieu étoit déja si grand,

qu'écrivant à un de ses amis en qui elle avoit une entiere confiance, *Dieu est si bon*, lui disoit-elle, *qu'au lieu des châtiments
que j'ai méritez, il m'envoïe des consolations, mon amour pour
lui redouble à chaque instant; on ne goûte de plaisir parfait,
que lorsqu'on est à lui sans reserve; quelle grace de n'aimer
que Dieu, et par où pourroit-on la meriter? Je devrois me sacrifier toute entière pour reconnoitre la moindre de ses faveurs;
que ne dois-je donc pas faire pour reparer le nombre des années
que j'ai passé à l'offenser? Malgré la grandeur de mes pechez
qui me sont toûjours présens, je sens que l'amour aura plus de
part à mon sacrifice, que la crainte de ses jugements.* Nos Meres
à qui elle avoit ouvert son cœur, ne pouvant douter de sa vocation, lui promirent de la recevoir; elle entra avec beaucoup de
fermeté; plusieurs personnes voulant l'effraïer sur son entreprise, lui avoient dit qu'elle seroit bien étonnée lorsqu'elle
entendroit fermer sur elle nôtre porte de clôture; mais Dieu,
qu'elle venoit uniquement chercher, ne lui fit sentir que de la
joïe de se voir pour toujours séparée du monde. Elle demanda
comme une grace de porter nôtre habit avant que de le prendre
en ceremonie; elle y fut d'abord accoutumée, excepté à nôtre
chaussure dont elle a souffert jusqu'à sa mort. Notre nourriture
ne lui fit point de peine; dans les commencements même elle n'y
voulut aucun adoucissement. Porter la serge, coucher sur la
dure, l'assiduité au travail qui n'est interrompu que par la lecture et par la prière; un jeûne austère, un silence continuel
devinrent ses délices, elle ne manqua jamais aux plus petits
assujetissements des Novices. Un désir insatiable de souffrances
la consumoit. La sainte Penitente de l'Evangile devint son modele,
elle aima, elle pleura comme elle aux pieds de Jesus-Christ. On
la trouvoit souvent dans des lieux retirez prosternée contre terre,
le visage tout baigné de larmes. La veüe de ses pechez passez
l'humilioit sans la décourager. Elle avoit, selon l'avis du Sage, des
sentimens de Dieu dignes de sa bonté, le cherchant avec un
cœur simple. Son progrès dans l'amour, et dans l'humilité faisoit nôtre étonnement; Elle souhaitait d'être rassasiée d'oppro-
bres; persuadée qu'il n'y avoit rien de trop bas et de trop penible

pour elle, Elle demanda à faire Profession en qualité de Converse. Nòtre tres-honorée Mere Agnés de *Jesus Maria*, qui venoit d'être éleüe Prieure, l'assura que cet état n'étoit pas sa vocation ; Ma sœur Loüise de la Misericorde, qui avoit un respect et une confiance particulière pour elle, se rendit à ses lumieres, mais cette sage Prieure, pour donner quelque chose à sa faveur, lui permit d'aider nos sœurs du voile blanc, et de s'emploïer au travail le plus pénible de la Maison, ce qu'elle a continué de faire tout le tems que ses forces le lui ont pû permettre. Comblée de faveurs, enyvrée du vin de l'Epoux, les temoignages de sa bonté ne lui ôterent jamais la veüe de sa justice. Elle ne fut pas plûtot Professe, qu'elle livra une nouvelle guerre à ses sens ; on la vit plus attentive que jamais aux occasions de se mortifier, et elle n'en laissoit passer aucune. Elle demandoit sans cesse à jeûner au pain et à l'eau, à porter la haire et le cilice, des ceintures et des bracelets de fer, et à faire beaucoup d'autres macerations, Nòtre Mere Agnés respectant en elle l'esprit de penitence qui l'animoit se rendoit souvent à ses désirs ; quand elle étoit refusée : *Vous m'épargnez beaucoup*, lui disoit-elle, *mais, ma Mere, Dieu y supplera*. Elle se levoit tous les jours deux heures devant la communauté, et passoit ce tems en prières devant le Saint-Sacrement. Les plus rudes hyvers ne lui firent rien relâcher d'une pratique si pénible ; on l'a souvent trouvée presque évanoüie de froid ; une fois même étant au grenier où elle étendoit du linge mouillé, elle s'évanoüit entierement. Un jour du Vendredi Saint elle se sentit si portée à honorer la soif de Jésus-Christ sur la croix, que pour y rendre quelque hommage, et expier le plaisir qu'elle avoit pris autrefois à boire des liqueurs, elle fut plus de trois semaines sans boire une goutte d'eau, et trois ans entiers à n'en boire par jour que la valeur d'un demi verre. Cette affreuse penitence aïant enfin été découverte, une de mes sœurs lui demanda si elle avoit crû le pouvoir faire sans permission et de son propre mouvement. *J'ai agi sans réflexion*, lui répondit-elle, *je n'ai été occupée que du désir de satisfaire à la justice de Dieu*. . . . . . . . . . . . . . . . . . .

. . . . . . . . . . . . . . . . . . .

Sa tendre piété pour le S. Sacrement lui fit donner il y a fort long-tems le soin de notre Oratoire, elle prit plaisir à l'orner et à l'embellir, et, en préparant à Jésus-Christ une demeure au milieu de ses Epouses, elle ne cessoit de lui demander de préparer son cœur pour le recevoir : Elle se nourrissoit avec ardeur de son corps et de sa parole. Jésus-Christ dans l'Eucharistie étoit sa force et sa consolation; sa vie cachée, dans ce sacrement, son silence, sa patience, son obéissance, son dénüement, son état de mort étoient aussi son modéle, l'unique étude de cette sainte Religieuse étoit de l'imiter : Jésus-Christ bénit son travail, sa fidélité à pratiquer les vertus dont il nous donne l'exemple dans cet adorable mystère rendit en elle ces mèmes vertus comme naturelles. Son détachement des créatures et son désir d'en être plus séparée lui firent demander d'être envoïée dans un de nos couvents les plus pauvres de l'Ordre, et des plus éloignés. Cette permission ne lui fut point accordée, son exemple nous étoit trop utile et sa personne trop chère pour consentir à son éloignement. Elle n'alloit jamais au Parloir que par obéissance et par charité, elle y demeuroit le moins qu'il lui étoit possible; les gens du monde respectant enfin son goût pour la solitude la détournoient beaucoup moins depuis quelques années. Charmée du repos dont elle joüissait, elle passoit les journées entieres à répandre son cœur devant Dieu. Pénétrée de reconnoissance des graces qu'elle en avoit reçües, elle imploroit sans cesse la même miséricorde pour les pécheurs. Vraïe fille de notre Mere sainte Therese, les besoins de l'Eglise, ceux de l'Etat, le désir de la conversion des infideles étoient pour elle une source intarissable de prières. Touchée jusqu'au fond du cœur de la misére des pauvres qu'elle ne pouvoit plus secourir, elle demandoit à Dieu de les soûlager par d'autres mains que les siennes, et de leur donner la patience. Elle avoit à la Sainte Vierge un recours continuel et plein de confiance, et la regardant comme le refuge des pécheurs, et la consolation des affligez, elle s'adressoit à elle dans toutes ses peines. Elle avoit encore une devotion fort particuliére à nôtre Pere saint Joseph, à nôtre Mere sainte Therese, à saint Augustin, sainte

Magdeleine, et à tous les saints Pénitents, dont elle a suivi les traces avec une fidélité qui ne s'est jamais démentie. Ma sœur Loüise de la Misericorde aïant épuisé ses forces par ses grandes austeritez étoit devenüe fort infirme ; un mal de tête habituel, une sciatique douloureuse, un rhumatisme universel, et un grand nombre d'autres maux exercerent long-tems sa patience ; elle n'en laissa voir que ce qu'elle ne pût cacher, jamais aucune plainte ne sortoit de sa bouche, et quand on l'exhortoit à prendre quelque repos ; *il n'y en peut avoir pour moi sur la terre,* nous répondoit-elle : Son desir de posséder Dieu, la crainte de le perdre, lui faisoient desirer la mort avec ardeur. *Que mon exil est long,* disoit-elle souvent avec le Prophete. Ses souffrances augmentoient toùjours, et ses souffrances faisoient sa ‘joïe : *Que celui qui a commencé acheve de me réduire en poudre,* disoit-elle avec Job. La surveille de sa mort paroissant fort abattuë, une de mes sœurs lui témoigna être touchée de l'état ou elle la voïoit ; levant les yeux et les mains vers le ciel elle ne répondit que ce verset du Psaume : *Virga tua et baculus tuus ipsa me consolata sunt.* Elle se leva encore hier à trois heures du matin pour continuer ses exercices de piété ordinaire ; mais se trouvant beaucoup plus mal, elle ne pût aller jusqu'au chœur ; une de mes sœurs la rencontra ne pouvant plus se soûtenir, et pouvant à peine parler tant les douleurs étoient pressantes ; elle en avertit ma sœur l'infirmiere, le mal étoit déjà si grand qu'il fallut l'emporter à l'infirmerie ; Malgré l'état où elle étoit, on eût peine à obtenir d'elle d'user de linge et de quitter la serge. Les medecins étant appelés la firent d'abord saigner ; mais ils s'aperçurent bien-tôt que leurs remedes étoient inutiles ; l'inflamation étoit déjà formée. Ma sœur Loüise de la Misericorde vit bien que sa derniere heure étoit proche, elle accepta la mort avec joie, et toutes les circonstances qui l'accompagnoient, repetant plusieurs fois, *expier dans les plus vives douleurs, voila ce qui convient à une pecheresse.* Le mal aïant fait la nuit un progrès fort considerable, elle a demandé ce matin les derniers sacremens. *Dieu a tout fait pour moi,* nous a-t-elle dit, *il a reçu autrefois dans ce même tems le sacrifice de ma profession, j'espere qu'il recevra encore le sacrifice de justice que je suis prête de lui offrir.*

. . . . . . . . . . . . . . . . . . . . . . . . . . .

Elle s'est confessée et a receu le saint viatique avec toutes les marques possibles de pieté et de religion. Nous esperions avoir du tems pour tenter de nouveaux remedes, mais une grande foiblesse nous aïant fort alarmé, quoi qu'elle ait tres-peu duré, Monsieur l'abbé Pirot, nôtre Superieur, qui venoit de sortir de l'infirmerie après lui avoir donné le saint viatique, est rentré sur l'heure pour lui administrer l'Extrême-Onction, qu'elle a receu avec une pleine connoissance devant sa mort. De tems en tems elle perdoit encore la parole; mais elle entendoit fort bien, et quand Monsieur l'abbé Pirot lui inspiroit de faire à Dieu cette priére, *Seigneur, si vous augmentez les souffrances, augmentez aussi la patience,* elle témoignoit par signes qu'elle faisoit intérieurement de tout son cœur la même priére. Elle a expiré aujourd'hui six juin, à midy, âgée de soixante et cinq ans et dix mois, et trente six de religion, laissant la Communauté aussi affligée de sa perte, qu'édifiée de sa penitence. Nous vous demandons pour elle, les suffrages ordinaires de l'Ordre, avec une communion de votre sainte Communauté que nous salüons tres humblement. Nous sommes en nòtre Seigneur avec bien du respect,

Ma Reverende et tres-chere Mere,

Votre tres-humble et tres-obeissante servante,

SOEUR MAGDELEINE DU SAINT-ESPRIT,
Religieuse Carmelite indigne.


Louis XIV ne détourna pas la tête à la mort de mademoiselle de La Vallière. « Il parut peu touché et en dit même la raison, c'est qu'elle étoit morte pour lui du jour de son entrée aux Carmélites. » C'est le témoignage de Saint-Simon. Je crois sans peine que

le roi, qui n'avait pas revu sa maîtresse depuis
trente-six ans, qui avait passé par tant d'autres passions, qui avait assisté trois fois au renouvellement
de sa cour, qui s'étonnait de vivre à travers tant de
métamorphoses, qui ne s'étonnait plus ni des victoires
ni des revers, vit partir sans un regret et sans une
larme celle qui avait été l'âme de sa jeunesse. Que de
siècles orageux sur son front depuis ces belles folies!
Lui-même, d'ailleurs, allait mourir en Dieu, détaché
du néant des grandeurs humaines.

# XIII.

# LA COUR DU VIEUX ROI.

.

## LE SOLEIL COUCHANT A VERSAILLES.

### I.

Ce beau ciel, où le roi soleil montait dans l'or et l'azur comme l'Apollon antique, s'obscurcit un jour par les orages. Et une fois envahi par les nuées, il ne retrouva jamais sa sérénité radieuse.

Mademoiselle de La Vallière apparaît sous le ciel bleu du matin, madame de Montespan dans le zénith orageux, madame de Maintenon dans le gris désolé du soir d'automne.

Louis XIV eut son rayonnement suprême au milieu de sa carrière, comme le soleil au milieu de sa course; il put regarder le monde sans voir un nuage. L'Espa-

24

gne avait dit son dernier mot, l'Allemagne bégayait,
et la Russie n'avait pas encore parlé. L'Angleterre ne
vivait qu'à demi et ne songeait qu'à la transfusion du
sang écossais dans ses veines appauvries. Louis XIV
pouvait ne pas trop s'enorgueillir de sa force au milieu
de toutes ces faiblesses, mais il aimait mieux se redire
le vers de Boileau :

> Grand roi, cesse de vaincre, ou je cesse d'écrire.

Et pourtant, s'il eût pressenti le lendemain, s'il eût
jeté un regard profond sur cette voisine altière qui
voulait à son tour illuminer le monde, il aurait jugé
qu'une nation qui avait eu son Homère dans Shakspeare et qui venait d'allaiter de son lait vivifiant Locke
et Newton, une nation qui avait vaincu la mer invincible, allait dire bientôt à la France les paroles bibli-
ques : « Tu n'iras pas plus loin ! »

Quand Louis XIV a voulu être le maître du monde,
pourquoi n'a-t-il pas relu cette belle pensée de Cicéron
sur Rome victorieuse des peuples voisins et de ses
propres passions : « Nous étions les protecteurs plutôt
que les maîtres du monde », cette belle pensée qui
semble être l'épigraphe de l'œuvre politique de Napoléon III ?

Louis XIV, qui avait escaladé le ciel de sa gloire, en
descendit à pas de géant. La journée d'Hochstedt sonna
l'heure des funérailles. Les alliés, commandés par le
prince Eugène, par Marlborough et par le prince de
Bade, taillèrent en pièces l'armée française. Combien

de morts? combien de prisonniers? Toute la fleur de
vie de la nation. La perte était immense. Les canons,
les étendards et les drapeaux étaient tombés aux
mains de l'ennemi : signal de la victoire hier, aujour-
d'hui haillons de la défaite. L'Allemagne secoua en un
moment la domination des Français. Cent lieues de
pays s'enfuirent en quelque sorte sous les pieds de
nos armées. Un jour avait défait l'ouvrage de tant de
travaux, de tant de sacrifices, de tant de batailles, et
du Danube nous jeta sur le Rhin !

Versailles était en fête. On y célébrait par des ré-
jouissances la naissance d'un arrière-petit-fils de
Louis XIV. La terrible nouvelle arriva, secouant sur
tous les fronts la pâleur, l'étonnement, la consterna-
tion. La joie s'éteignit au milieu des lumières. Le roi
ne savait rien encore : qui osera lui dire la vérité ? Il
fallut que madame de Maintenon « se chargeât de lui
apprendre qu'il n'était plus invincible ». Le roi, morne,
surpris, atterré, baissa silencieusement la tête : la
fortune de la France s'inclinait avec cette tête puissante
qui avait porté si longtemps le poids de la monarchie
absolue.

La nation ne se croyait plus invincible ; ses armées
avaient été à plusieurs reprises défaites par Eugène et
par Marlborough ; ses meilleurs généraux étaient morts,
son trésor public était épuisé; le peuple était fatigué
de guerres et d'impôts, et le roi, brisé d'esprit et de
santé, n'était plus que l'ombre du roi qu'on avait
connu. Au milieu de tous ces désastres et de tous ces

abaissements, il conserva pourtant sa grandeur d'âme.
On peut même se demander si Louis XIV n'était pas
plus auguste sous le manteau de l'adversité que sous les
pompes de la jeunesse. Sacré par l'infortune, il avait
maintenant revêtu la seule gloire qui manquât encore
à ses prospérités incroyables, celle des hautes montagnes qui se couronnent au sommet de glaces, de neiges
et de tempêtes.

Les grandes eaux de la défaite étaient montées jusqu'à cette tête souveraine, jusqu'à ce soleil couchant,
mais elles n'avaient rien enlevé à la fierté de son caractère; ces orageux événements avaient, au contraire,
ajouté au rayon de la grandeur mourante la suprême
majesté du malheur.

Le grand roi ressemble maintenant à la voix de Bossuet, cette grande *voix qui tombe,* mais qui n'en est
que plus majestueuse dans sa chute.

Louis XIV cherchait à s'oublier dans les solitudes
du jardin de Versailles avec quelque contemporain de
sa jeunesse, même un serviteur, même un ouvrier.
Ce que j'admire en lui, c'est son amitié, j'ai failli
dire sa fraternité pour tous ceux qui ont travaillé
avec lui au monument de sa gloire. Le dieu se faisait homme à toute heure, quand le parterre des
courtisans n'était plus là pour le rappeler à sa majesté officielle. Le dieu se faisait homme avec une
majesté plus grande quand il disait à Molière, en
déjeunant avec lui, que Racine parlait mieux que
les sept sages de la Grèce, quand il reconnaissait

qu'il n'y avait plus rien à dire si Boileau avait jugé
une œuvre.

Je ne sais rien de plus touchant que ses dernières
promenades avec Mansart et Le Nostre, quand ces deux
grands artistes ne pouvaient plus rien faire pour lui.
On l'a souvent vu à pied entre les deux chaises qui
traînaient ses vieux amis. « Ah ! Sire, s'écria un jour
Le Nostre, mon bonhomme de père doit ouvrir de
grands yeux dans sa tombe en me voyant dans un char,
quand mon roi daigne marcher à pied. Il faut avouer
que Votre Majesté traite bien son maçon et son jardinier. — C'est qu'ils sont chez eux tous les deux, »
répondit Louis XIV.

L'humiliation de Louis XIV était un doux spectacle
pour l'Europe. On se réjouissait de voir ce lendemain
de la puissance et de la gloire. C'était une revanche
pour les affronts que nos armes avaient imposés, durant la première moitié du règne, aux nations étrangères.

La main écrivant les sinistres et mystérieux caractères sur les murs du palais de Balthazar, la trompette
de l'ange annonçant la chute de Babylone, les étoiles,
ces puissances du ciel, tombant une à une sur la terre,
toutes les images de la désolation biblique étaient im-
puissantes à égaler la profondeur et la mélancolie de
cette décadence du règne.

Louis — Louis le Grand — s'écria avec des larmes
de désespoir : « Je ne puis donc faire ni la paix ni la
guerre ? »

La nation, qui s'était habituée, dès les premières
années du règne, à confondre son bonheur dans la
gloire du monarque, considérait en silence l'ancienne
grandeur et la longue prospérité de la France éteinte
maintenant dans une sombre misère.

Louis XIV supporta dignement les coups répétés de
la fortune, ou, comme dit le langage chrétien, ces
croix et ces épreuves. Entouré naguère d'une éblouissante postérité, il vit, grand chêne atteint lui-même
par la foudre, il vit tomber une à une les branches de
sa dynastie. Dans Versailles désolé, il ne restait plus
qu'un vieillard et un maladif enfant au berceau, dont
les jours étaient en danger.

Le peuple ne croyait plus au roi; le roi ne croyait
plus en lui-même. O l'expiation !

Une sainte femme qui était sa femme l'avait longtemps, aux jours mauvais, consolé en Dieu; mais
Marie-Thérèse était allée à Dieu. Il lui restait madame
de Maintenon.

## II.

Je n'ai pas le courage de continuer le martyrologe
des maîtresses de Louis XIV. Qui sait! ce que je
cherche, c'est l'homme : ne le trouverai-je pas encore
dans les femmes qu'il a aimées ?

Le roi aima tout un jour une fille d'honneur de la

reine, madame du Ludre *, que Mignard a peinte cheveux épars. Elle semble, par l'expression que lui a
donnée le peintre, regretter non pas d'avoir péché,
mais de ne plus pécher. Le portrait, gravé par Audran,
était dans la chambre de Ninon de Lenclos, qui y
avait écrit de sa main cette explication : « Elle souffre
comme les damnés qui voient de la voûte des enfers
les joies du paradis. »

A un bal donné par le duc de Vivonne, le roi la
trouva fort belle. Il lui offrit son cœur « tout enchâssé
de diamants ». Elle refusa les diamants. On lui représenta que c'était une sottise, parce que Louis XIV
aimait ce qui lui coûtait cher. Le lendemain, le roi
demeura si longtemps à lui parler à mi-voix devant
toute la cour, qu'on dit à la reine : « En voilà une
encore qui chasse sur vos terres. » La reine, qui ne
pleurait plus, avertit madame de Montespan. La marquise pria la jeune fille de la venir voir. Et quand
mademoiselle du Ludre fut chez elle : « C'est pour y
rencontrer le roi que vous êtes venue ici, mais je
vous défends d'oser si haut. » Madame de Montespan
était si jalouse, qu'elle n'avait plus d'esprit.

---

* Était-ce la même que la chanoinesse de Lorraine ?

> La Vallière étoit du commun ;
> La Montespan est de noblesse,
> Et la du Ludre est chanoinesse :
> Toutes trois ne sont que pour un.
> Mais savez-vous ce que veut faire
> Le plus puissant des potentats ?
> La chose paroît assez claire ;
> Il veut unir les trois états.

Cependant la jeune fille osa; mais après quelques heures de victoire, elle tomba du haut de ses rêves dans un couvent, disant, comme mademoiselle de La Vallière, qu'il n'y avait que Dieu après le roi.

Elle ne prit pas l'habit des religieuses : elle alla tour à tour aux matines du couvent et aux soupers de Ninon de l'Enclos.

La princesse de Soubise avait les cheveux couleur de feu. C'est par là qu'elle prit le roi-soleil, comme s'il eût retrouvé ses rayons. C'était la plus raffinée des coquettes. Elle mettait tout à feu et à flamme, et s'échappait la première de l'incendie. De toutes les maîtresses du roi, madame de Soubise fut la plus odieuse. Ce ne fut pour elle qu'un commerce d'argent. Elle vendit sa jeunesse, elle vendit sa beauté, elle vendit sa vertu, elle vendit tout ce qu'elle n'avait pas, elle vendit les ministres, elle vendit le roi, elle vendit la France, c'est-à-dire que par sa faveur elle obtenait tous les emplois, tous les titres, toutes les grâces, et tout cela sans jamais lever le masque. « Fine, dissimulée et méchante, » c'est ainsi que la peint en trois mots la duchesse d'Orléans. Excepté son mari, personne ne savait à la cour qu'elle était la maîtresse du roi; ce fut la reine qui découvrit le mystère. Quel que fût le nombre de ses maîtresses, le roi couchait toujours avec sa femme; or, une nuit, après avoir trop longtemps attendu, la reine, toute bête qu'elle fût, fit cette réflexion judicieuse, que si le roi n'était allé que chez madame de Montespan, il n'y fût pas resté si tard, car les vieilles amours n'empêchent pas de se coucher de bonne heure. Elle pensa qu'il y avait là-dessous quelque nouvelle galanterie. Elle sonna ses femmes et voulut qu'on cherchât le roi dans tout le château. Ce fut un grand scandale à Versailles; on alla réveiller toutes les dames d'honneur pour leur demander si en leur qualité de dame d'honneur elles n'avaient pas le roi dans leur lit. On alla chez madame de Montespan, qui ne vit là qu'une épigramme, chez madame d'Hudi-court, qui ne vit là qu'un compliment. On alla par-tout, excepté là où le roi était; mais qui eût osé faire cet affront à la vertu de madame de Soubise? Elle fut hypocrite jusqu'à devenir lâche : elle dit que si on eût frappé à une certaine porte on aurait vu sortir le roi. La dame que cette porte désignait se plaignit tout haut. Louis XIV, cette fois indigné, conta tout à la reine : « Quoi! la princesse de Soubise? elle qui se tient à distance pour vous parler? — Oui, dit le roi, mais nous nous entendons sans nous parler; quand elle me donne un rendez-vous, elle m'en avertit en mettant des pendants d'oreille d'émeraude; et moi, de mon côté, pour obtenir un tête-à-tête, je mets un diamant à mon petit doigt*. »

---

\* « Elle avoit passé sa vie dans le régime le plus austère pour conserver l'éclat et la fraîcheur de son teint. Du veau et des pou-lets ou des poulardes rôties ou bouillies, des salades, des fruits, quelque laitage, furent sa nourriture constante, qu'elle n'aban-donna jamais, sans aucun autre mélange, avec de l'eau quel-quefois rougie, et jamais elle ne fut troussée comme les autres

Quelles vaillantes femmes d'ailleurs que toutes ces femmes de la cour! Madame de Montespan eut huit enfants du roi, je ne compte pas celui de son mari, je ne compte pas les fausses couches. Madame de Soubise eut onze enfants de son mari, je ne parle pas de celui du roi, le cardinal de Rohan.

Madame de Montespan compta aussi parmi ses rivales mademoiselle Madeleine de Warignies, je veux dire la comtesse de Guiche, qui eut le tort de se donner avant de se laisser prendre, comme madame de Monaco\*. Et mademoiselle de Guédagny, fille natu-

---

femmes, de peur de s'échauffer les reins et de se rougir le nez. Elle en avoit beaucoup d'enfants, dont quelques-uns étoient morts des écrouelles, malgré le miracle qu'on prétend attaché à l'attouchement de nos rois. La vérité est que quand ils touchent les malades, c'est au sortir de la communion. Madame de Soubise, qui ne demandoit pas la même préparation, s'en trouva enfin attaquée elle-même quand l'âge commença à ne se plus accommoder d'une nourriture si rafraîchissante. Elle s'en cacha et alla tant qu'elle put; mais il fallut demeurer chez elle les deux dernières années de sa vie, à pourrir sur les meubles les plus précieux, au fond de ce vaste et superbe hôtel de Guise qui, d'achat ou d'embellissements, leur revient à plusieurs millions.

» Elle mourut laissant la maison de la cour la plus riche et la plus grandement établie, ouvrage dû tout entier à sa beauté et à l'usage qu'elle en avoit su tirer. Malgré de tels succès, elle fut peu regrettée dans sa famille. Son mari ne perdit pas le jugement. » Saint-Simon.

\* « Pour madame de Monaco, je n'en voudrois pas mettre la main au feu, dit la Palatine. Pendant que le roi étoit amoureux d'elle, Lauzun tomba pour la première fois en disgrâce; il avoit une affaire réglée avec sa cousine, mais en secret. Il lui avoit

relle du duc d'Enghien. « Ce n'est qu'un enfant, disait
Louis XIV à madame de Montespan, pour la modérer
dans sa jalousie. — Oui, mais c'est un enfant de l'a-
mour, et ce sont ceux-là que je crains. » Parlerai-je
de cette douce Élisabeth Hamilton, que le comte de
Grammont avait oublié d'épouser à Londres? de madame d'Harcourt, une Lucrèce? des nièces de madame de Montespan? de la duchesse de Nevers et de
la duchesse de Sforce? Selon madame de Caylus :
« Louis XIV les mettoit de toutes ses promenades, ses
désirs erroient de l'une à l'autre, il aimoit celle qu'il
voyoit, mais celle qu'il ne voyoit pas lui paroissoit la
plus aimable. » Ces deux sœurs étaient fort belles;
toutefois Saint-Simon trouve que la duchesse de Sforce
était trop remarquable par son nez tombant dans une
bouche vermeille, ce qui faisait dire au duc de Vendôme qu'elle ressemblait « à un perroquet mangeant
une cerise ». Madame de Caylus ne doute pas que
madame de Montespan n'ait cherché à jeter la duchesse
de Nevers dans les bras de Louis XIV pour le détacher
de madame de Maintenon.

défendu de voir le roi, et une fois qu'elle étoit assise par terre et
qu'elle entretenoit le roi, Lauzun, qui, en sa qualité de capitaine des gardes, se trouvoit dans la chambre, fut saisi d'une
telle jalousie qu'il ne put se contenir, et que, faisant semblant
de passer, il marcha si rudement sur la main que madame de
Monaco avoit appuyée contre terre qu'il faillit l'écraser; le roi,
qui par là remarqua la chose, le réprimanda; Lauzun répondit
avec arrogance; alors il fut envoyé pour la première fois à la
Bastille. »

## III.

Parisatis, reine de Perse, disait qu'il fallait envelopper les hommes dans des paroles de soie. Ce fut
dans des paroles de soie que madame de Maintenon
enveloppa Louis XIV. Il trouvait doux que, pour le
ramener à la vertu, on le conduisît par un chemin tout
aussi voluptueux que pour aller au vice.

Mignard, qui était un ami de la maison, fit le premier et le dernier portrait de madame de Maintenon
en 1659 et en 1694. De ces deux portraits, c'est malheureusement le dernier qui soit venu jusqu'à nous.
« Nous ne la connaissons que vieille, dit M. le duc de
Noailles; nous nous la figurons toujours dans sa robe
feuille morte et sans sa coiffe, dévote et sévère, ré-
gente de la cour, devenue sérieuse comme elle. »
Mignard l'a peinte en 1694 en Sainte Françoise, noble
et digne, mais sombre et chagrine, sans que le rayon
de la jeunesse éclairât cette face rembrunie. Ceux
que la gloire a touchés au front ne nous apparaissent
que couronnés de lauriers et de cyprès. Il n'y a que
les figures idéales, — ou celles que la mort a mois-
sonnées dans la fleur, — qui nous apparaissent cou-
ronnées de roses et de violettes.

Madame de Maintenon eut l'art d'être femme, cet
art dont les hommes n'ont pas le premier mot. Le sa-

vant qui épouse sa servante est amené à cette extrémité par un jeu qui confond sa science. Il n'y a que
l'amour qui perde les femmes et qui sauve les hommes.
Madame de Maintenon n'avait pas d'amour, si ce n'est
l'amour de Dieu. Louis XIV fut tout à elle.

> Il eut peur de l'enfer, le lâche, et je fus reine.

Mais ne se perdit-il pas pour mieux se retrouver? Si
elle le fit passer sur les devoirs du roi, elle lui enseigna
les devoirs du chrétien. « Sire, lui disait-elle, abandonnez un royaume périssable pour un royaume éternel. »

Madame de Maintenon commença par lui lire la
Bible, mais d'une voix si caressante, qu'il décida que
c'était le seul livre. Un soir elle pâlit, effrayée de la
pâleur du roi. Elle venait de lui lire l'histoire de
David et de Bethsabée : « Rouvrez votre Bible, lui
dit le roi, et recommencez ce que vous m'avez lu. »
Madame de Maintenon obéit :

Il arriva que David, s'étant levé de dessus son lit après midi,
se promenait sur la terrasse de son palais. Alors il vit une femme,
vis-à-vis de lui, qui se baignait sur la terrasse de sa maison; et
cette femme était fort belle.

Le roi envoya donc savoir qui elle était. On lui vint dire que
c'était Bethsabée, fille d'Éliam, femme d'Urie Héthéen.

David ayant envoyé des gens, la fit venir; et, quand elle fut
venue vers lui, il dormit avec elle,

Elle retourna chez elle ayant conçu. Dans la suite, elle envoya
dire à David : « J'ai conçu. »

Urie Héthéen passa la nuit suivante devant la porte du palais
du roi avec les autres officiers, et il n'alla point en sa maison.

David le fit venir pour manger et pour boire à sa table, et il

l'enivra. Mais s'en étant retourné au soir, il dormit avec les officiers du roi, et il n'alla point chez lui.

Le lendemain au matin, David envoya à Joab, par Urie même,
une lettre

Écrite en ces termes : « Mettez Urie à la tête d'un bataillon où
le combat sera le plus rude, et faites en sorte qu'il soit abandonné et qu'il y périsse. »

Louis XIV demeura longtemps silencieux : « C'est,
dit-il, mon histoire avec le marquis de Montespan que
j'ai enterré vif dans son château. »

Madame de Maintenon s'efforçait d'amuser le roi
chez elle par des dîners, des concerts et des jeux, voulant soutenir ainsi la vieillesse de cette majesté défail-
lante. Louis, qui depuis longues années n'allait plus à
la comédie, parut quelquefois à Versailles dans une
tribune du théâtre ; mais il ne restait que pendant un
ou deux actes : il ne se préoccupait plus que du dénoûment de sa vie.

Madame de Maintenon avait été un prodige de la
fortune ; mais, sous les roses dont se couronnait
son ambition, on entrevoyait les épines *. Maîtresse
du roi (dans le sens légitime du mot), elle n'était encore que la première esclave du royaume. Ce qu'il
avait fallu d'adresse, de possession de soi-même, de
profondes intrigues pour conquérir cette position ; ce
qu'il fallait d'étude et de sacrifices pour la maintenir,

---

* Elle ne fut après tout ni la femme ni la maîtresse du roi.
Elle n'osa pas jouir de sa puissance occulte ; aussi disait-elle :
« J'ai été trop loin et trop près des grandeurs pour savoir ce que
c'est. »

est inimaginable. On peut voir dans les *Mémoires de Saint-Simon* à quoi obligeait un honneur envié sans doute par toutes les dames de la cour, détesté en secret par la femme équivoque du roi. Il fallait tout ployer dans son caractère à l'étiquette, conformer ses goûts au bon plaisir d'un maître exigeant, dissimuler jusqu'à ses maladies et sourire à travers la fièvre. Madame de Maintenon devait le suivre dans un carrosse à part, et, accablée des fatigues d'un long voyage, se trouver en quelque sorte sous les armes pour recevoir à des heures réglées les visites du roi, dont tous les actes étaient absolus comme l'horloge de Versailles. C'est à cette dépendance qu'elle devait de gouverner Louis XIV et l'État.

Avec les années, Louis XIV avait revêtu la majesté de l'âge, sans en subir l'outrage ni les infirmités. Sa perruque ne vieillissait pas ; les courtisans et les femmes lui faisaient un rempart de leur jeunesse contre les injures du temps. Un moment on dut croire que la garde qui veille aux barrières du Louvre avait défendu le roi contre les lois de la nature humaine. Celui devant lequel les arbres tombaient pour avoir osé lui déplaire n'était plus un mortel. Louis XIV partagea de bonne foi l'illusion commune. De la tyrannie sur les choses, il passa, par une transition naturelle, à la tyrannie sur les personnes. C'est dans Saint-Simon qu'il faut lire le récit à peine croyable des exigences du vieux monarque. Voyez-vous rouler sur le chemin de Versailles à Paris cette pesante voiture, toute char-

gée de dorures, qui passe dans un nuage de poussière?
C'est la voiture du roi, l'arche qui porte, comme on
disait alors, les destinées de la France. Dans cette ber-
line monumentale dont les chevaux suent et écument
sous le mors, il est un homme, je me trompe, un
dieu entouré de femmes, dont tout l'orgueil est de lui
plaire. L'étiquette veut que la glace de la portière soit
baissée. Ainsi l'ordonne celui dont toutes les fantaisies
sont des lois. Les femmes étouffent de chaleur et de
poussière : il faut rire cependant : le roi n'aime point
les figures chagrines. Malheur à la main assez témé-
raire, fût-elle jeune et charmante, qui oserait s'avancer
sur cette glace abaissée par ordre ; malheur à la délicate duchesse qui oserait pâlir ou s'évanouir, elle serait
exclue à jamais de l'honneur d'accompagner le roi !
Ce n'est pas tout, il fallait manger les gâteaux, les pâ-
tisseries, boire les vins et les liqueurs, sans s'inquiéter
des suites. Le voyage était long : la vapeur avait oublié
de se soumettre à celui que toute la nature s'empressait à servir. Il ne fallait point songer à descendre,
l'usage et les convenances s'y opposaient. La voiture
était d'ailleurs entourée par des gardes à cheval. Calme,
tranquille, souriant, le roi jouissait de la confusion
des unes, de l'embarras des autres, de la dissimulation
de toutes, qui fardaient la souffrance sous la gaieté.
On croirait lire une page de la vie des empereurs
romains.

Si majestueux, si tout-puissant que fût Louis XIV, il
était faible devant Bossuet, devant le père Le Tellier,

son confesseur, devant la crainte de mourir. La dévotion qu'il avait imposée à son peuple comme un frein finit par le dominer. Tout à coup Versailles se change en une chapelle, en un cloître, dont madame de Maintenon est la directrice. Louis se fait ermite; tout le monde le suit; on plaît à Dieu pour plaire au roi. Les arts déclinent : les pompes profanes se transforment en pompes religieuses. Le chemin de la cour, naguère ce sentier couvert et perdu, devient le chemin du ciel. Louis XIV veut sanctifier la fin de son règne : il massacre les hérétiques. Le ciel paraît se venger de la protection qu'on lui accorde : les désastres fondent sur le royaume; les calamités succèdent aux calamités. La France s'abaisse; le roi se relève. Louis XIV oppose au malheur un front soumis et grave. Il avait dominé les hommes, il domine le destin. C'est la grande page de son règne. Supérieur à l'adversité, lui qui n'avait pas supporté la fortune sans vertige, il étonne le monde par sa constance. Grand, il le fut, car le prestige de la grandeur l'avait abandonné, et il se courba sous la main du sort sans s'abaisser.

La coupe de la royauté s'était changée en un calice d'amertume; dans ce calice, il fallut boire jusqu'à la lie.

A toutes les catastrophes de la guerre s'ajoutèrent les calamités domestiques. Cette cour de Versailles, autrefois le séjour de la splendeur et le théâtre de fêtes magnifiques qui avaient excité l'admiration, l'envie, l'étonnement de toute l'Europe, était depuis longtemps

25

obscurcie par un nuage de tristesse qui allait bientôt se
changer en deuil. La mort, ce chauve vautour qui suit
d'un vol lourd et bas la défaite des armées, les calamités publiques et la vieillesse des monarchies, la
mort s'abattit sur la famille du roi avant de prendre
le roi *.

Telle était pourtant l'opiniâtre illusion de cette volonté inflexible, qu'au milieu de ces cruelles leçons
Louis XIV ne reconnut aucune des fautes de son règne.
La dévotion lui prêta des armes pour se couvrir contre
la responsabilité de ses actes. Bossuet lui fit voir dans
la main qui le frappait la main qui gouverne les em-
pires. C'étaient des épreuves, ce n'étaient pas des châtiments. Le roi adopta de bonne foi cette interprétation
qui mettait sa conscience en repos. Il était d'ailleurs
trop tard pour changer de système. Louis XIV avait
fait la royauté: il devait la perdre. Elle lui survécut,
je l'avoue; mais comme le jour survit au coucher
du soleil. Fénelon avait montré les vices du pouvoir
absolu : les philosophes allaient déchirer le voile tout

---

* « Ce fut le sort de Louis XIV de voir périr en France toute
sa famille par des morts prématurées : sa femme à quarante-cinq
ans, son fils unique à cinquante; et un an après que nous eûmes
perdu son fils, nous vîmes son petit-fils, le Dauphin, duc de
Bourgogne, la Dauphine sa femme, leur fils aîné le duc de Bre-
tagne, portés à Saint-Denis au même tombeau, au mois d'avril 1712;
tandis que le dernier de leurs enfants, monté depuis sur le trône,
étoit dans son berceau aux portes de la mort. Le duc de Berry,
frère du duc de Bourgogne, les suivit deux ans après; et sa fille
dans le même temps, passa du berceau au cercueil. » VOLTAIRE.

entier, et les fondements du temple devaient s'ébranler
à leur voix. Louis XIV couronne magnifiquement le
dix-septième siècle : après lui commence le monde
nouveau. Les grands rois historiques sont ceux qui
terminent un ordre de choses, comme les grandes
montagnes célèbres sont celles qui servent de limites
aux États.


## IV.

En sa dernière année, Louis XIV trouva sous son
couvert, en se mettant à table, un billet à peu près
conçu ainsi : « Le roi est debout à la place des Vic-
» toires, à cheval à la place Vendôme; quand sera-t-il
couché à Saint-Denis ? » Louis prit le billet, et, le jetant
par-dessus sa tête, il dit à haute voix : « *Quand il
plaira à Dieu.* »

Il y avait plus d'un an que la santé du roi tombait.
Louis XIV avait ébloui le monde par les merveilles de
son règne : il allait l'édifier par sa mort.

Son dernier horizon fut éclairé d'une lumière inattendue. Celui qui ne savait plus vivre sut bien mourir. Il
n'eut peur ni de la tombe, ni du jugement de Dieu,
ni du jugement des hommes. Une dernière fois il
prouva sa grandeur. Il regarda la mort face à face et
jeta un regard d'adieu mais non de regret sur toutes
les pompes de son palais, cet autre Olympe qu'il avait
créé pour loger ses passions. Il donnait des ordres

25.

comme un homme qui va partir et non comme un roi
qui va mourir. Il semblait qu'il fût revenu des grands
airs solennels. « Il a montré, dit la duchesse d'Orléans, la plus vraie fermeté jusqu'au dernier moment ;
il a dit en riant à madame de Maintenon : « J'avais
entendu dire qu'il était difficile de mourir, je vous
assure que je trouve que c'est chose très-aisée. » Il
se tourna tout à fait vers la mort avant de mourir. En
vain ceux qui lui étaient chers le sollicitaient de leur
parler encore : il n'était plus de ce monde ; il ne voulait plus parler qu'à Dieu. Durant vingt-quatre heures
il se frappa le cœur de grand pécheur repentant, répé-
tant sans cesse : « Mon Dieu, ayez pitié de moi. Je suis
prêt à paraître devant vous, Seigneur. A quoi tient-il
que vous ne me preniez, mon Dieu ! » Mademoiselle de La Vallière n'était pas morte plus humiliée
aux pieds du Christ.

Chaque jour, chaque heure, chaque minute enle-
vait un serviteur au roi mourant, et donnait un courtisan au nouveau règne. Le P. Le Tellier veillait sur
sa proie ; plus le roi déclinait et plus le confesseur
guettait les occasions de se ménager des créatures qu'il
faisait placer dans les dignités inamovibles de l'Église.
Il concluait ainsi des marchés dont le prix n'était
jamais l'argent, dont il n'eût su que faire, mais l'influence. Louis XIV fit un rapide examen de conscience.
Il avoua beaucoup de faiblesses ; mais dans cette confession plus ou moins publique, on s'étonne de ne point
trouver un remords pour les véritables fautes de son

règne. Il ne se reprocha ni l'incendie du Palatinat, ni la révocation de l'édit de Nantes, ni les persécutions contre les jansénistes. Il semble qu'il n'ait pas osé regarder en face la figure menaçante de l'histoire.

Toutes les grandes voix du dernier siècle s'étaient éteintes. Les appuis du trône étaient tombés l'un après l'autre. Le dix-huitième siècle n'était plus son siècle. Il n'était plus le roi de son royaume, il n'était plus qu'un exilé de Saint-Cyr. Louis XIV se coucha le dernier dans la tombe, après avoir promené sur les gloires de son règne un regard triste et profond, comme pour s'assurer qu'il n'y avait plus rien après lui. Il avait compris que de tout son rayonnant cortège il ne resterait que son confesseur pour aller à Saint-Denis.

Ce roi si heureux et si abandonné par la fortune, ce conquérant en présence duquel la terre s'était tue, comme dit la Bible, ce tout-puissant qui était à lui seul l'État et une moitié de l'Église, connut enfin qu'il allait mourir.

Le dimanche 27 août 1715, Mesmes et d'Aguesseau entrèrent dans le cabinet du roi. Louis XIV tira d'un tiroir un grand paquet cacheté de sept cachets. On eût dit que le roi, qui tenait à diviniser tous ses actes, eût voulu imiter le livre aux sept sceaux de l'Apocalypse. « Messieurs, c'est mon testament. Il n'y a qui que ce soit que moi qui sache ce qu'il contient. Je vous le remets pour le garder au parlement. L'exemple des rois mes prédécesseurs, et celui du testament du roi mon père, ne me laissent pas ignorer ce que celui-ci pourra devenir

(le testament de Louis XIII avait été cassé). Mais on l'a
voulu, on m'a tourmenté, on ne m'a pas laissé de
repos, quoique j'aie pu dire. Le voilà, emportez-le;
il deviendra ce qu'il pourra : au moins, je n'en enten-
drai plus parler. » A ce mot, qu'il finit par un coup de
tête fort sec, il leur tourna le dos, passa dans un
autre cabinet, et les laissa, dit Saint-Simon, presque
changés en statues.

Il y a quelque chose dans ces paroles du roi qui
confond l'orgueil humain. Les doutes de cette volonté
toute-puissante, mais qui tremble de ne point être
obéie après sa mort, méritent d'autant plus l'attention
de l'histoire, que l'événement justifia les inquiétudes
de Louis XIV.

Une longue agonie, qui finit le 1$^{er}$ septembre 1715,
termina le plus long règne que l'Europe eût encore vu.
Louis XIV mit dans les derniers moments qui précé-
dèrent sa mort cette majesté qui lui était naturelle et
qui avait accompagné toutes les actions de sa vie. Il
était uniquement occupé de Dieu, de son salut, de
son néant. Il lui échappa quelquefois de dire : *Du temps
que j'étais roi,* comme si déjà pour lui toutes les grandeurs du monde n'étaient plus qu'un rêve devant les
grandeurs de l'éternité.

*Quand j'étais roi!* Et qu'eût-il dit s'il eût rouvert les
yeux à la lumière pour reconnaître sur la route de
Saint-Denis tout ce peuple affamé et en guenilles riant
d'un rire de carnaval, chantant des *De profundis*
obscènes, « pillant des champs d'oignons pour pouvoir

pleurer » cette royauté si grande hier ! Les funérailles
de Louis XIV furent la première descente de la Cour-
tille de la royauté.

Les funérailles des rois qui s'en vont devraient être
la leçon des rois qui viennent. Les funérailles de
Louis XIV ne firent pas peur à Louis XV. Aussi rever-
rons-nous ces mêmes ébattements, sinon sur le chemin de la sépulture, mais dans les cabarets, quand
Louis le Bien-Aimé ira rejoindre Louis le Grand à
Saint-Denis.

Devant ce cercueil qui contenait tant de leçons,
tant de gloire et tant de néant confondus dans un peu
de poussière, tant de bruit et tant de silence, l'éloquence chrétienne ne trouva qu'un mot : « Dieu seul
est grand, mes frères ! »

# XIV.

# LES TOMBES VIOLÉES.

En 1793, je ne sais plus quel jour de vendémiaire, pendant que les commissaires au plomb, surnommés les commissaires aux accaparements, procédaient à Saint-Denis à l'*extraction,* c'est le mot du procès-verbal, du cercueil de Louis XIV, un tourbillon de sans-culottes se ruait au cloître des Carmélites pour *extraire* le cercueil de mademoiselle de La Vallière.

Ne semblait-il pas que le jour du jugement fût venu pour tous les deux? Ils durent se redresser avec indignation, celui-ci dans sa majesté, celle-là dans sa pudeur.

J'ai le « Journal d'exhumation des corps de la ci-devant abbaye de Saint-Denis, » annoté et commenté

par Alexandre Lenoir, fondateur du musée des monuments français, « présent à l'opération précitée ».

C'est le 14 octobre, « après le dîner des ouvriers, »
que Louis XIV sortit de son tombeau, à la même heure
que Louis XIII. On reconnut Louis XIII « à sa mous-
tache; » on reconnut Louis XIV « à ses grands traits,
mais il était noir comme de l'encre. »

Les ouvriers, qui sans doute avaient bien dîné,
promenèrent le grand roi devant les curieux.

Ce n'était donc point assez pour Louis XIV d'avoir
subi en 1715, le jour de ses funérailles, les outrages
de la multitude? Le soir, il s'était du moins reposé
dans sa royale abbaye de cette dernière défaite : il se
croyait désormais inviolable et sacré. Il fut réveillé
brutalement avant l'heure du réveil, comme un voyageur à peine endormi par le tapage de l'hôtellerie.
On le porta gaiement, sans une prière, sans une
larme, sans une sympathie, dans la fosse commune
du cimetière, lui qui avait bâti tant de palais pour
vivre en dehors de son peuple.

Aux Carmélites, dans le cercueil de la maîtresse du
roi, on ne retrouva que des lambeaux de sa robe de
bure et quelques ossements; des mains sacriléges
remuèrent ces restes sanctifiés, croyant y découvrir
les bijoux de Louis XIV. Elles n'y trouvèrent pas
même un anneau d'or. Le dernier bijou de sœur
Louise de la Miséricorde avait été le crucifix d'ébène
qu'elle tenait dans ses mains en rendant son âme
à Dieu.

# MORALITÉ.

La Beauvais, première maîtresse de Louis XIV, mourut folle à Gentilly, dans la seigneurie où le roi l'avait cachée.

Mademoiselle de La Mothe-Houdancourt, maîtresse du roi, fille d'honneur, fit pénitence à Sainte-Marie de Chaillot et à Saint-Cyr, donnant aux pauvres les vingt mille écus du roi.

Olympe de Mancini, aimée du roi, passa la moitié de sa vie disgraciée, et fut surnommée l'empoisonneuse.

Marie de Mancini, maîtresse du roi, mena la vie la plus désolée, et mourut oubliée dans un couvent de Madrid.

Henriette d'Angleterre... *Madame se meurt. Madame est morte!*

Mademoiselle de La Vallière, fille d'honneur, maîtresse du roi, mourut après une pénitence de trente-six années au couvent des Carmélites.

Madame de Montespan, fille d'honneur, dame du palais, maîtresse du roi, mourut humiliée devant son mari, tuée par les jeûnes et les cilices, sans un embrassement de son fils légitime, qui ne vint à son lit de mort que pour déchirer son testament. Ses entrailles furent jetées aux chiens.

Mademoiselle de Fontanges, fille d'honneur, maîtresse du roi, mourut à Port-Royal, à vingt ans, défigurée et repentante.

La princesse de Monaco, maîtresse du roi, mourut jeune, frappée dans sa beauté par toutes les laideurs de l'orgie.

Mademoiselle du Ludre, chanoinesse de Lorraine, maîtresse du roi, mourut ensevelie longtemps avant la mort, dans les ténèbres de son couvent.

La princesse de Soubise, maîtresse du roi, fut deux années à pourrir — c'est le mot de Saint-Simon — dans l'hôtel de Guise qu'elle avait acheté avec sa vertu.

Mademoiselle de Château-Thiers, — vingt autres maîtresses du roi, — périrent toutes frappées en pleine jeunesse, dans la bataille orageuse des passions.

Madame de Maintenon, gouvernante des enfants de France, épouse équivoque du roi, mourut à Saint-Cyr, ensevelie depuis quatre ans déjà dans le tombeau du silence et de l'oubli. Pierre le Grand voyageant sur les ruines du règne, avait dédaigneusement tiré le rideau sur elle.

Marie-Thérèse, femme du roi, était morte de chagrin.

Et le roi, le grand roi, ce soleil dont les rayons devaient toujours illuminer l'horizon du monde, où s'éteint sa postérité ? Elle disparaît ici par le poison, là par l'échafaud, plus loin par l'exil.

Il ne lui fut pas compté d'avoir fait trente ans pénitence sous la veuve de Scarron.

A sa dernière heure, Louis XIV se rappela-t-il cette page de la Bible que lui avait souvent lue madame de Maintenon :

Cependant le roi Salomon, qui avait aimé la fille de Pharaon, aima passionnément plusieurs femmes étrangères, des femmes de Moab et d'Ammon, des femmes d'Idumée, des Sidoniennes, des femmes du pays des Héthéens.

Il eut sept cents femmes qui étaient comme des reines, et trois cents qui étaient ses concubines ; et toutes lui pervertirent le cœur.

Le Seigneur dit à Salomon : Je déchirerai et diviserai votre royaume ; je ne le ferai pas pendant votre vie, à cause de David votre père, mais je le déchirerai lorsqu'il sera entre les mains de votre fils.

# APPENDICE.

## LES OEUVRES

### DE

## MADEMOISELLE DE LA VALLIÈRE.

### I.

RÉFLEXIONS SUR LA MISÉRICORDE DE DIEU.

Ce ne fut qu'en l'année 1673 — la douzième année de sa passion, la sixième du règne de la marquise de Montespan — que mademoiselle de La Vallière se tourna doucement vers Dieu. Ce ne fut pas toutefois sans regarder encore en arrière, tant elle aimait sa chaîne, tant les lianes de la forêt la retenaient sous l'arbre au poison, tant le dragon avait mis la griffe sur « ce corps si tendre ». Elle tomba malade et voulut mourir, mais Dieu la réserva au tombeau des Carmélites : Dieu voulait que ces douze années d'égarement lui fussent payées par trente-six années de pénitence. Il choisit une maîtresse du roi pour donner au monde un exemple des fragilités de l'amour condamné.

Mademoiselle de La Vallière avait dit qu'elle passerait du lit dans la tombe. « Je ne me relèverai que le jour du jugement. »

Mais elle eut peur de l'enfer, que dis-je! elle eut peur d'être
rejetée du sein de Dieu. Elle se résigna à vivre pour expier ses
péchés, pour se donner chaque jour en sacrifice, pour meurtrir
sous le cilice ce corps maudit qui avait perdu son âme.

Elle ne voulait pas retourner à la cour. Elle passait ses heures
de la journée, souvent les heures de la nuit, à écrire ou à prier.
Elle ouvrait son cœur, croyant ne répandre que l'amour divin,
mais retrouvant dans cette source intarissable toutes les lueurs
incendiaires qui dévoraient sa jeunesse. Elle s'était ensevelie sous
elle-même comme une autre Pompéia, mais ses cendres devaient
la consumer encore.

Ce fut alors qu'elle écrivit ses *Réflexions sur la miséricorde de
Dieu*, le livre des âmes qui reviennent à Dieu. L'écrivit-elle tout
d'un trait et sans retouches, comme une femme qui répand son
cœur? Je crois qu'elle y fut éloquente sans souci de vouloir
l'être. Elle ne songeait qu'à éclairer le chemin de son âme, je
veux dire les stations de sa croix, car elle allait partir pour ce
long voyage vers sa rédemption à travers les épines teintes encore
du sang du Christ.

Au début de ses *Réflexions sur la miséricorde de Dieu*, mademoiselle de La Vallière remercie le Seigneur de l'avoir retirée des
portes de l'enfer; mais Dieu ne l'a pas encore entendue, car elle
est encore dans l'enfer de Versailles; elle a beau chercher sa
vraie patrie dans la Bible et l'Évangile, le divin rivage est encore
invisible pour son âme; la blanche colombe trouvera le rameau
sacré, mais combien de traversées! combien de naufrages! combien d'écueils!

Elle jure à Dieu qu'elle va réparer les scandales d'une vie où
elle n'a fait que l'offenser; qu'à force de divin amour, elle fera
oublier là-haut tout son profane amour; elle ne péchera plus
corporellement, elle n'ose dire spirituellement. « Est-ce trop,
s'écrie-t-elle, pour reconnaître votre grâce, que de me priver du
plaisir de pécher? » Mais la pauvre pécheresse qui vient de
quitter le roi pour Dieu, comment va-t-elle parler à Dieu?
N'est-ce pas le même amour qui déborde de ses lèvres? « Est-ce
trop, mon Seigneur, pour me garantir d'une éternité malheu-

reuse, de n'aspirer plus qu'à la félicité éternelle, à la possession
de vous-même, à ce torrent de vos bontés divines dont vous ras-
sasiez vos élus? »

Mon Seigneur Dieu, c'est toujours mon Seigneur le roi.

C'est la fin du livre qu'il faut lire d'abord. La dernière
réflexion donne la raison des autres. Elle avait failli mourir, et
s'était juré à elle-même de ne plus vivre que pour Dieu :

« Seigneur, je reconnais vos grâces dans vos justices mêmes,
et un continuel regard de votre providence sur mon âme dans
tous les accidents de ma vie.

» Car voilà pourquoi vous m'avez affligée, pourquoi vous me
troublez, et changez sitôt mes désirs et tous mes sentiments, que
je ne me reconnais quasi plus moi-même.

» Et voilà ce qui fait aussi qu'après avoir protesté avec une
fidélité inviolable de vous servir, de vous aimer et de mourir
plutôt mille fois que de retomber jamais dans mon égarement,
j'écris ce papier de ma propre main, comme un registre de vos
miséricordes, de mes plus intimes résolutions, et de toutes vos
adorables vérités,

» Afin que toutes les fois que je m'oublierai moi-même, je me
retrouve dans ce crayon que votre grâce me fait tracer sur ce
modèle de ce que je dois être; afin que toutes les fois que ma foi
sera chancelante, mon espérance refroidie et ma charité presque
éteinte, et que je ne sentirai plus dans mon cœur que la corruption de ma nature, je rappelle en mon âme, par la lecture de ce
papier, le souvenir et le sentiment de vos bontés et de votre
grâce;

» Afin que quand les faux brillants du monde m'imposeront
de ces espérances vaines qui m'ont tant de fois trompée, je
vienne m'en désabuser en les pesant au poids de leur juste
valeur, c'est-à-dire en les regardant comme je les regarde présentement, et comme je les regarderai certainement à l'heure de
ma mort;

» Afin que si je puis jamais oublier ce spectacle de mon agonie
et de votre justice, où, ainsi qu'une pauvre criminelle sur l'échafaud, j'avais impatience de voir bientôt finir tous ces apprêts de

mort, je me reconnaisse encore en lisant cet écrit dans ce même
lit où les médecins d'un côté et les prêtres de l'autre parlaient
aussi peu sûrement sur ma vie que sur mon âme, et où, comme
une pauvre bête, je ne pouvais rien pour mon salut.

» Oui, Seigneur, j'écris de ma propre main cet abrégé de vos
miséricordes et de la vérité de vos jugements sur tous les pécheurs, afin d'y pouvoir lire tous les jours l'arrêt de mon éternelle réprobation.

» O Dieu de mon salut, qui tenez mon âme et mon éternité
entre vos mains, qui me couronnez de miséricordes, remplissez
mon âme de tant de saints désirs, afin de la renouveler comme la
jeunesse de l'aigle. »

Sans doute elle lisait beaucoup la Bible.

Toutes les pages la révèlent, toutes les pages marquent les
battements de ce cœur passionné. Qui donc est cette idole du
monde, si ce n'est le roi:

« Est-il juste que n'ayant jamais rien oublié, et ayant toujours
trouvé tout possible pour satisfaire à mes passions qui étaient
de véritables idolâtries, puisqu'elles n'avaient pour objet que les
idoles de la terre, je trouve quelque chose de malaisé ou d'impossible, quand il s'agit de les réparer en vous aimant de tout
mon cœur?

» Enfin, est-il possible que cette âme que vous n'avez formée
que pour être remplie de votre pur amour, après s'être égarée
mille et mille fois de ses voies, ne veuille pas retourner à sa
source, maintenant que la douceur de vos grâces l'y convie et
lui aplanit tous les chemins? Non, Seigneur, cela n'est pas raisonnable, et quelque opposition que je trouve dans la corruption
de la nature à me soumettre au doux joug de votre loi, votre
amour, plus puissant dans mon cœur que celui du monde, de la
créature et de moi-même, m'unira incessamment à vous par l'immense et douce charité de Jésus-Christ,

» Par cette charité qui n'a jamais permis que je trouvasse rien
dans le cœur de la créature qui pût contenter la délicatesse du
mien et de mon amitié, mais, au contraire, une extrême ingrati-
tude et des dégoûts tout particuliers pour m'apprendre, par cette

sorte de punition, que vous êtes un Dieu tendre et jaloux, et qui me demandez par tant de miséricordes la restitution de mon cœur, pour réparer tant de larcins et d'infidélités envers vos grâces. »

Voulez-vous voir passer l'image de madame de Montespan, à qui elle a toujours rendu le bien pour le mal?

« Accordez-moi un cœur qui vous aime, quand il faudra que je vous donne des témoignages de mon amour, par l'amour de mes ennemis, en leur rendant le bien pour le mal; *un cœur qui vous aime et qui se déchire lui-même,* quand il faudra faire céder la créature au Créateur, et étouffez la tendresse de la nature pour n'écouter que la voix de la grâce. »

Voulez-vous la voir elle-même?

« Je suis si faible et si changeante, que mes meilleurs désirs ressemblent à cette fleur des champs dont parle votre prophète-roi, qui fleurit le matin et qui sèche le soir.

» Que la joie que je sens du retour de ma vie ne soit pas une funeste joie qui m'ôte votre grâce et me redonne au monde; que tous ces vains fantômes, qui ne sont pas encore bien effacés de mon esprit, n'y reprennent jamais la place de ces solides vérités que vos miséricordes y viennent de graver!

» Le moyen de vous offrir un sacrifice pur et qui soit agréable à vos yeux avec un esprit tout rempli des vanités du monde et un cœur tout occupé de sa passion? Le moyen de vous loger sans profanation dans la même demeure d'où à peine ai-je chassé pour un moment vos plus cruels ennemis? Enfin, le moyen qu'une pécheresse puisse se présenter sans pénitence et sans amour à la participation des mérites de Jésus-Christ crucifié pour elle, si, au lieu de s'unir avec lui par une communion sainte, elle ne veut commettre un sacrilége épouvantable?

» Inspirez-moi donc un éloignement ferme de tout péché, des résolutions solides de m'abstenir de tout ce qui peut vous déplaire, et des désirs passionnés de vous aimer uniquement. Donnez-moi ce cœur contrit et humilié dont vous ne rejetez jamais les gémissements : je veux dire, Seigneur, inspirez-moi par votre sainte grâce ces mêmes dispositions avec lesquelles la pauvre Cananéenne se vint prosterner à vos pieds.

» Regardez-moi quelquefois, en m'approchant de vous, comme cette humble étrangère; j'entends, Seigneur, comme une pauvre chienne qui s'estime trop heureuse de ramasser les miettes qui tombent de la table où vous festinez vos élus.

» Regardez avec pitié cette pauvre pécheresse qui, encore tout enflammée du feu de ses convoitises, vous demande, comme la Samaritaine, une goutte de cette eau vive avec laquelle vous étanchâtes tout d'un coup dans son âme la source et la soif du péché.

» Mais surtout regardez-moi sans cesse comme Madeleine, et faites que, comme cette sainte pénitente, j'arrose vos pieds de mes larmes, et qu'en tâchant de vous aimer beaucoup j'essaye d'effacer la multitude de mes crimes.

» Au nom de ces trois saintes femmes que l'on peut dire être encore des témoins vivants de vos miséricordes envers nous, et qui nous apprennent quelles doivent être réciproquement nos espérances en votre bonté, accordez-moi, Seigneur, avant que de m'approcher de votre table sacrée et de participer à vos divins mystères, une foi vive, humble et constante, dans laquelle sont renfermés l'accomplissement de votre loi et les fondements inébranlables de mon salut. »

Mademoiselle de La Vallière se comparait souvent à Madeleine. A une des visites de madame de Montespan, comme la gaie et bruyante marquise trouvait la religieuse trop pensive, elle lui demanda ce qui la préoccupait si profondément : « Je songeois à Madeleine pécheresse et à Madeleine pénitente. » Madame de Montespan dit à sa sœur : « Et moi je songerai à la Samaritaine quand j'aurai soif. » Elle eut soif un jour et ne trouva pas, comme la Samaritaine, l'eau vive de l'amour divin.

A chaque page, mademoiselle de La Vallière se tourne vers Dieu, mais à toute heure elle regarde en arrière :

« Faites-moi donc, ô mon Dieu! dans les états d'abattement, de ténèbres et de souffrances, vous regarder incessamment tout déchiré de coups et mourant en croix pour mes péchés, afin de croire en pouvoir obtenir le pardon; et pour m'encourager dans ce laborieux chemin de la croix où vous avez enfermé mon salut, faites-moi lire continuellement dans vos sacrées plaies quels sont les droits que j'ai, comme une grande pécheresse, d'espérer en vos miséricordes. Que l'espérance de la bienheureuse éternité, et que la certitude immuable de vos paroles, détournent les yeux de mon âme de toutes les choses vaines et passagères qui si souvent m'empêchent de voir et d'aspirer aux félicités éternelles.

» Car vous savez, Seigneur, ce que je suis, le peu de stabilité qu'il y a dans mes meilleurs désirs, et comment les images du monde effacent toutes les impressions de votre grâce dans mon cœur;

» Combien l'espérance d'un vain plaisir et d'une bagatelle me remplit et m'occupe, et comment les louanges et l'esprit du monde me font tourner la tête et m'enivrent de leur fumée!

» Je n'attendrai pas, ô mon Dieu! à sortir de mon dangereux assoupissement, que tout le soleil de votre justice soit levé. Aussitôt que l'aurore de votre grâce commencera à poindre, je commencerai d'agir et de travailler à l'œuvre de mon salut; je ne douterai point qu'il ne soit temps de quitter toutes mes vieilles habitudes et de commencer la vie d'une créature nouvelle.

» J'abandonnerai ces nations flatteuses et molles, avec lesquelles j'ai perdu tant de temps; et pour réparer la perte de ce temps, je leur apprendrai que l'inutilité, la paresse et l'oisiveté, dont elles font une si solennelle profession, sont des emplois qui ruinent absolument les affaires de leur salut.

» Il est vrai, Seigneur, que, si l'oraison d'une carmélite qui est retirée dans la solitude, et qui n'a plus qu'à se remplir de vous, est comme une douce cassolette qu'il ne faut qu'approcher du feu pour rendre une odeur très-suave, celle d'une pauvre créature qui est encore attachée à la terre, et qui ne fait proprement que ramper dans le chemin de la vertu, est comme ces eaux bourbeuses qu'il faut distiller peu à peu pour en tirer une utile liqueur. »

A certaines pages, on se prend à douter que mademoiselle de La Vallière soit là. En effet, est-ce bien elle qui a écrit:

« Oui, Seigneur, quelque engagement que j'aie avec ces liber-

tins de profession, qui ne peuvent servir qu'à nous inspirer de
l'irréligion et qu'à flétrir la réputation la plus pure, qu'à nous
donner une présomptueuse opinion de nous-mêmes qui mérite
votre abandon, et qu'à faire honorer le mal et le méchant pour
la vertu même; quelque goût que j'aie pour leur esprit ou pour
leurs personnes, je serai fidèle, ô mon Dieu, à m'éloigner autant
qu'il me sera possible de leur commerce et de leur amitié. Car
n'est-ce pas le moindre que je vous puisse rendre, pour m'avoir
tant aimée, que de haïr la compagnie de ceux qui ne vous
aiment pas ? »

Et cette page qui semble écrite par madame de Montespan :

« Mais comme l'on ne compte pour quelque chose dans le
monde que ces rapines et ces médisances grossières, indignes
même d'un honnête païen, et qu'on y compte au contraire pour
rien ces bons mots qui percent le prochain jusqu'au vif, non plus
que ces détractions délicates qui, sous un air de raillerie, nous
peignent ses défauts et nous l'impriment en ridicule; qu'on y
compte enfin pour rien de perdre sa fortune et de déchirer sa
réputation, pourvu que ce soit en riant, et d'une manière qui
fasse rire et qui nous divertisse : Seigneur, dessillez mes pau-
pières, et faites-moi connoître que ces péchés, que je puis nommer
mes péchés favoris, sont d'autant plus désagréables à vos yeux
qu'ils plaisent davantage aux yeux des hommes, et qu'ils ne sont
proprement que des effets malheureux de mon amour-propre.

» Changez en aversion le malheureux plaisir que je trouve à
m'y laisser séduire, et faites-moi chérir la peine que je sens à
m'en corriger, afin que, comme ils ont été si longtemps le sujet
de mes égarements, ils deviennent présentement la source de mes
larmes.

» Car n'est-il pas bien juste, Seigneur, que je pleure des crimes
qui m'ont fait rire si souvent aux dépens de mes frères et à mes
propres dépens, puisque ces risées étoient suivies de la mort de
mon âme et de la perte de mon Dieu ?

» N'est-il pas juste que, ne pouvant vous donner des marques
de mon amour et de mon repentir en pratiquant de grandes pénitences, je vous en donne au moins de ma fidélité, en m'abste-

nant de toutes les choses qui peuvent contenter la malignité de mon naturel; que je répare, par une retenue qui mortifie mon esprit et mon cœur, les excès d'une langue immortifiée, et qu'en bannissant de moi-même toutes les choses par lesquelles je vous ai tant déplu, je vous rappelle dans mon âme? »

Et ces belles phrases de rhétorique sacrée :

« Une âme dans le monde, sans prières, sans réflexion et sans consulter Dieu sur sa conduite, est comme un vaisseau sans pilote et sans gouvernail au milieu de l'orage;

» C'est une créature qui croit connoître Dieu, avoir la foi, l'espérance et la charité, et qui néanmoins ne connoît point d'autre Dieu que ses passions;

» C'est un voyageur dans une terre étrangère, sans guide et sans boussole, qui ne fait qu'errer et s'éloigner de plus en plus de sa patrie;

» C'est une insensée qui prétend élever un palais magnifique sans fondement. Car le moyen de bâtir l'édifice de votre salut sans penser qu'il y a un Dieu?

» Enfin, le moyen de consolider autrement tout ce qui se fait dans le monde que comme la scène d'une comédie dont il semble que Dieu permet à la fortune d'ordonner tous les personnages, et de distribuer les biens, la gloire et les plaisirs, dans lesquels (pour parler comme celui qui, étant selon le cœur de Dieu, ne parloit que par son esprit) s'endorment la plupart des hommes du monde, pour ne trouver à leur réveil, et à la fin de l'acte, qu'une pure fumée entre leurs mains?

» O mort! que tes approches sont cruelles à celui qui n'a jamais pensé à toi, et qui a mis toutes ses espérances dans les biens de la terre!

» O mort! que ta vue est terrible à celui dont tu finis tous les plaisirs, et dont tu commences déjà les appréhensions et les peines!

» Enfin, mort de tout le bonheur d'un mondain, d'un corps qui étoit son idole, et d'une vie voluptueuse qui remplissoit tous ses désirs, que ta vue est épouvantable à celui qui n'a jamais connu Dieu que pour l'offenser!

» Mais, éternité qui suit une mort si funeste, que ta méditation est amère à celui qui n'a jamais connu de plus grand bonheur que de vivre, et qui n'a jamais pensé à se convertir et à quitter le péché que lorsqu'il n'étoit plus en état de pécher et qu'il n'est plus capable que de peur!

» O éternité! que ta méditation est désespérante à celui qui voit déjà les enfers ouverts pour punir ses crimes, qui n'ose espérer en la miséricorde de Dieu, et qui s'estimeroit trop heureux s'il pouvoit s'assurer d'avoir la destinée d'une bête!

» Enfin, éternité, que ta méditation est épouvantable, dans ce dernier moment, à celui qui voudroit bien qu'il n'y eût point de Dieu, qui ne sauroit l'aimer, et qui ne peut s'empêcher de le craindre!

» Mais, heureuse éternité, que ta méditation est agréable à celui qui a mené une vie innocente et qui a commencé par avance son purgatoire sur la terre!

» Au pécheur qui s'est converti, qui a fait pénitence, et qui espère en la miséricorde de Dieu!

» A celui qui s'est accoutumé à mourir tous les jours et à quitter le monde avant que la nécessité de mourir et de quitter toutes les choses d'ici-bas lui en ait fait une loi!

» Que je ne m'imagine pas, pour ne sentir souvent dans ma prière que le poids de ma corruption, que vous m'abandonnez, puisque je ne puis en cet état former seulement une bonne pensée. Je ne laisse pas de vous regarder et de vous prier comme David, en vous disant avec ce grand roi : Me voilà à vos pieds comme une pauvre bête, sans parole, sans esprit et sans sentiment. »

Cette « pauvre bête sans parole, sans esprit et sans sentiment » est la plus éloquente des créatures.

On a dit que Bossuet avoit corrigé *les Réflexions sur la miséricorde de Dieu*. Pourquoi n'a-t-on pas dit que Bossuet les avoit écrites?

Mais pourquoi douter? Elle a écouté Bossuet, elle a lu la Bible, elle s'est inspirée de son cœur, et elle a écrit ces pages à jamais

consacrées. Selon madame de Caylus, « le style de dévotion con-
venoit mieux à son esprit que celui de la cour, puisqu'elle a paru
en avoir beaucoup de ce genre ». Madame de Caylus veut parler
sans doute des *Réflexions sur la miséricorde de Dieu.*

Mais si nous ne doutons pas que l'auteur du livre ne soit
mademoiselle de La Vallière, à la veille d'être Louise de la Miséricorde, nous ne croyons guère que Bossuet soit l'auteur de ces timides
corrections qui viennent affaiblir cette éloquence désordonnée de
la passion chrétienne. Il semble que Bossuet n'ait voulu effacer
que ce qu'il aurait écrit lui-même.

M. Damas-Hinard a le premier révélé les corrections de Bossuet
sur l'exemplaire de 1688 de la bibliothèque du Louvre. M. Feuillet
de Conches n'y reconnaît ni l'écriture ni le style du grand prédicateur. M. Romain Cornut ne veut pas douter et voit Bossuet
à chaque mot :

« Quelle preuve plus sensible cet illustre évêque, dont la vie
était si pleine et consacrée à de si grands travaux, pouvait-il
donner de son sérieux et délicat attachement à cette sainte amie,
que de se condamner pour elle au long et pénible labeur de la
correction d'un livre, jusque dans les plus menus détails du style
et de la grammaire? Les hommes du métier, qui connaissent la
difficulté de ces retouches littéraires, peuvent seuls bien apprécier
la peine non médiocre de trois à quatre cents corrections à intro-
duire après coup dans une œuvre toute faite, et surtout dans une
œuvre qui nous est étrangère. Ce travail demande autant de
patience que d'art et d'habileté, et toujours plus de temps qu'on
ne pense. Pour consacrer ses loisirs et son génie à un genre
d'escrime qui en semble si peu digne, il ne fallait rien moins à
Bossuet que son dévouement tendre et profond pour la « pauvre
Cananée » qu'il avait conduite lui-même, comme par la main,
de la cour dans le cloître, et, plus encore peut-être, l'espèce de
responsabilité personnelle que lui imposait aux yeux du public
un livre qu'on supposait naturellement écrit par ses conseils et son
inspiration. L'empressement qu'on mit à rechercher ces espèces
de confessions de la royale pécheresse fut aussi, sans aucun doute,
une des raisons qui déterminèrent Bossuet à retoucher lui-même

avec sa savante plume ce livre dont les circonstances faisaient un
précieux moyen d'édification publique. »

Sainte-Beuve, dans son portrait si ressemblant de mademoiselle
de La Vallière, exprime un doute robuste :

« L'exemplaire du Louvre donne lieu à deux questions : 1° Les
corrections sont-elles en effet de Bossuet? 2° Sont-elles dignes
de Bossuet? Je laisse l'examen du premier point aux experts en
écriture; et, sur le second; je réponds sans hésiter pour plus
d'un passage : *Non.* »

Enfin, M. de Sacy, qui reconnaît Bossuet, lui prouve élo-
quemment qu'il n'est plus le vrai Bossuet :

« Il y a, je l'avoue, un certain nombre d'expressions et de
phrases du texte primitif qu'il m'est impossible de ne pas préférer au texte corrigé. Madame de La Vallière, par exemple, en
parlant de la nécessité où elle était encore de rester à la cour,
s'adresse à Dieu et lui dit : « Que si, pour m'imposer une péni-
» tence en quelque sorte convenable à mes offenses, vous voulez
» que par des devoirs indispensables je reste encore dans le
» monde, *pour y souffrir sur ce même échafaud où je vous ai*
» *tant offensé,* ma pénitence vous en sera d'autant plus agréable,
» et à moi plus utile, que j'y aurai moins de goût et de part. »
Bossuet retranche la belle et énergique expression que j'ai souli-
gnée. J'en demande bien pardon au grand écrivain; je suis cette
fois sans aucun scrupule pour sa pénitente. Madame de La Vallière dit encore, en parlant d'une maladie où elle avait manqué
mourir : « Pendant que votre justice (c'est toujours à Dieu qu'elle
s'adresse) *me tenoit le poignard sur la gorge).* Bossuet efface :
n'est-ce pas d'une sévérité excessive? Pourquoi a-t-il passé le
fatal crayon sur cette autre phrase, qui convient si bien, ce me
semble, au style mystique, et que Fénelon aurait gardée :
« Faites, ô mon Dieu, que par des actes continuels de foi, d'es-
» pérance et de charité, *j'accoutume mon cœur à devenir un*
» *oratoire,* où en tous lieux et à tous moments je vous prie. » Et
la phrase suivante, n'est-elle pas digne de Bossuet lui-même :
« *O Dieu! enrichissez la pauvreté de mon amour par la magni-*
» *ficence du vôtre?* » Bossuet l'a pourtant remplacée par celle-ci :

*Enrichissez la pauvreté de mon cœur par la magnificence de vos dons.* Je le dis hardiment : c'est l'expression de madame de La Vallière qui est l'expression éloquente. »

Ne dirait-on pas Bossuet corrigé par mademoiselle de La Vallière.


## II.

### LETTRES DE MADEMOISELLE DE LA VALLIÈRE.


On ne retrouve pas de lettres de mademoiselle de La Vallière en deçà des Carmélites. Louis XIV, dès qu'il fut conseillé par madame de Maintenon, jeta tout son passé au feu ; mais on retrouve des lettres de Louise de la Miséricorde. On m'en a confié un certain nombre où j'ai pu étudier de plus près le style, la physionomie, l'orthographe de la belle pénitente.

Je ne veux pas reproduire toutes ces lettres qui ne disent que ce que nous savons déjà. Quelques-unes sont de simples lettres de recommandation, quelques autres des actes de charité. Dans celles-ci, on avertit qu'on ne s'occupe plus des affaires de ce monde : « Et pourquoi tant nous retourner dans nos inquiétudes ? ce ne sont que buissons ardents ; n'écoutons pas ces vanités criminelles qui nous détournent de Dieu. » Dans celles-là, on laisse échapper un cri du cœur : « Prions que le repentir nous crucifie jusqu'à ce que l'ange rebelle soit mort en nous ! » C'est le vivant souvenir du paradis de Versailles, c'est la chanson des vingt ans toujours chantante, toujours haïe et toujours douce, c'est le cœur qui répand à toute heure « ses oraisons comme les parfums d'une divine cassolette », mais qui ne peut fermer en lui « l'antre des monstres ».

Les lettres publiées par l'abbé Lequeulx, dont j'ai pris tous les beaux passages dans mon récit, me semblent sinon corrigées, du moins dépouillées des détails familiers que je retrouve dans toutes les lettres autographes. Je sais bien que mademoiselle de

La Vallière ne donnait que des nouvelles de son âme et qu'elle laissait déjà derrière elle toutes les choses de ce monde; mais elle a dû parler plus souvent du roi, de ses enfants, de sa rivale, de tout ce qui disputait son cœur à Dieu.

Je donnerai ici deux lettres inédites. La première semble d'une femme qui ne sait pas ou qui ne sait plus écrire; la seconde est dans le style connu.

Ce 7 mars.

### JÉSUS † MARIA.

Ns avons oubliay monsieur de vs demender ce que c'est qu'une eau de pavot que prend Me la pce de Conty comme elle a fait lusage que l'on en doit faire et le bien qu'en peut tirer une personne qui a la poitrine très mauvaise et presentend un grand rume qui lui remplit la poitrine de manière que l'on peut craindre une idropisie de pou.mon, la personne est fort grasse naturellemend. Sy vs la croyez utile dans cet etat vz ns en envoyer quelques prises avec la recepte.

Sr Louise de la Miséricorde,

† Pour monsieur Dodart.

Ce 3 juillet.

### JÉSUS † MARIA.

Ns somme sy persuadée de vre charité mon Rd père et en particulier de vre bonté pr ns que ns osons prendre la liberté daler tout droit à vs crainte de prendre du temps à nre mere Supérieure dont vs connoissés la vertu et le mérite, c'est donc mon Rd pere pr vs suplier très humblement de porter Mr labbé Agnan autant que vs le pourez à dire ce quil sait au ientilhomme qui vs rend ce billet d'une affaire qui est d'une grande consequence à toute sa famille. Mr son frère ainé viens d'épouser ma niesse, il vouloit employer Me la pce de Conty mais il luy assuré que s'il ne faisoit rien à vre prière tout le reste seroit inutile. Ne

† ce 3 juillet
Jesus Maria

nd Comme bien persuadée de vre
charité mon Rd pere et en
particulier de vre bonté jir
nd que nd olons prendre la
liberté daler tout droit avd
crainte de prendre du tems
a vre mere Superieure dans
vd connoissés la vertu et le
merite, c'est donc mon Rd pere
pr vd Supplier trs humblement
de porter Mr l'abbé a quan autre
que vd le pourrés a dire
ce quil scait au ientilhomme

doutant pas mon Rd père qu'il n'ait plus de deference pr vre vertu que pr toutes les grandeurs du monde qui en effet ne sont rien devant Dieu, ns vs suplions aussy de ns obtenir de la patience de J. C. sa divine grace dont iay fait un cy mauvais usage iusque icy, afin que marchant avec ferveur dans la penitence que je suis obligée de faire ie naye pas à répondre au dernier iour sur mes crimes passés et sur mon infidelité présente a suivres les lumieres qui me condamneront cy ie ne comence à les mettre en œuvres.

Ie suis avec respect mon Rd père en nre Sgr, vre très humble et très obéissante fille et servante

Sr Louise de la Miséricorde,

† Au Rd pere

Le Rd pere don Iean Mabillon,

A l'abbaye Saint-Germain.

Un autographophile célèbre me communique ce fragment écrit dans la grande écriture de mademoiselle de La Vallière. C'est une copie de l'Évangile selon saint Luc, suivie d'une invocation :

« Un pharisien ayant prié Jésus de manger chez lui, il entra en son logis, et se mit à table.

» En même temps, une femme de la ville, qui étoit de mauvaise vie, ayant su qu'il étoit à table chez ce pharisien, y vint avec un vase d'albâtre plein d'huile de parfum ;

» Et se tenant derrière lui à ses pieds, elle commença à les arroser de ses larmes, et elle les essuyoit avec ses cheveux ; elle les baisoit et y répandoit ce parfum.

» Ce que le pharisien qui l'avoit invité considérant, il dit en lui-même : « Si cet homme étoit prophète, il sauroit qui est celle qui le touche, et que c'est une femme de mauvaise vie. »

» Alors Jésus, prenant la parole, lui dit : « Simon, j'ai quelque chose à vous dire. » Il répondit : « Maître, dites. »

« Un créancier avoit deux débiteurs : l'un lui devoit cinq cents deniers et l'autre cinquante.

» Mais comme ils n'avoient point de quoi les lui rendre, il leur remit à tous deux leur dette. Lequel des deux l'aimera donc davantage?

» Simon répondit : « Je crois que ce sera celui auquel il a plus remis. » Jésus lui dit : « Vous avez fort bien jugé. »

» Et se tournant vers la femme, il dit à Simon : « Voyez-vous cette femme? Je suis entré dans votre maison, vous ne m'avez point donné d'eau pour me laver les pieds; et elle, au contraire, a arrosé mes pieds de ses larmes, et les a essuyés avec ses cheveux. »

» Vous ne m'avez point donné de baiser; mais elle, depuis qu'elle est entrée, n'a cessé de baiser mes pieds.

» Vous n'avez point répandu d'huile sur ma tête, et elle a répandu ses parfums sur mes pieds.

» C'est pourquoi je vous déclare que beaucoup de péchés lui sont remis, parce qu'elle a beaucoup aimé. »

Voici l'invocation :

« O Seigneur, j'ai beaucoup aimé; j'ai arrosé votre divine croix de mes larmes, j'ai sacrifié mes cheveux coupables à vos pieds; j'ai usé les miens dans le chemin du repentir, mais pardonnerez-vous à mes lèvres criminelles le baiser tardif qui vous a donné mon cœur? O Rédempteur, donnez-moi la grâce de votre miséricorde! »

## III.

### POÉSIES DE MADEMOISELLE DE LA VALLIÈRE.

L'abbé de Choisy affirme que mademoiselle de La Vallière avait peu d'esprit. Je ne crois pas l'abbé de Choisy. Chaque fois que les contemporains la mettent en scène pour la faire parler, elle parle comme une femme d'esprit. Combien de beaux mots sortis de

cette bouche deux fois éloquente! Quand elle va aux Carmélites
remettre sa volonté dans les mains de la grande prieure, quand
elle demande pardon à la reine, quand elle ne veut pas pleurer
la mort d'un fils dont elle n'a pas assez pleuré la naissance,
n'est-ce pas l'esprit du cœur? Selon mademoiselle de Montpensier,
l'esprit lui serait venu par la grâce. « Elle est une fort bonne
religieuse et passe présentement pour avoir beaucoup d'esprit : la
grâce fait plus que la nature, et les effets de l'une lui ont été
plus avantageux que ceux de l'autre. » Mais mademoiselle de
Montpensier n'avait pas bien connu en mademoiselle de La Vallière la jeune fille qui cachait son cœur, — qui cachait son esprit
pour cacher son cœur. — J'ai dit déjà qu'elle s'amusait au jeu
des vers avec Benserade, Saint-Aignan, Quinault et Louis XIV.
Faut-il rappeler les deux beaux sonnets qui lui sont attribués?
Certes, elle a bien pu s'écrier :

> Amour à qui je dois et mon mal et mon bien,
> Que ne lui donniez-vous un cœur comme le mien,
> Ou que n'avez-vous fait le mien comme les autres?

Elle a pu dire aussi :

> Aussi bien mon esprit se passe de mon corps,
> Et voit les vanités, comme pompes funèbres,
> De ceux qui semblent vivre encore qu'ils soient morts.

Elle a paraphrasé en prose mystique ces beaux sentiments,
mais j'ai peine à m'imaginer que dans ses orageuses expansions
elle ait renfermé le lit du torrent dans les rives étroites du
sonnet.

Un très-fin critique, Philarète Chasles, ne semble pas douter que
mademoiselle de La Vallière ne soit poëte en vers comme elle le
fut en prose, comme elle le fut en action. Il a écrit de fort jolies
pages sur les femmes chansonnières de la cour de Louis XIV.

« C'est chose frivole, je le sais, que ces pauvres chansons;
quelques fleurs tombées après le bal, débris d'une fête brillante;
quelques impressions légères, mais vives, des élans de tendresse

ou de colère, exprimés en impromptu. Mais rien de ce qui appartient aux femmes contemporaines de Louis XIV et habitantes de sa cour ne nous semble indigne d'être recueilli. Ce sont des battements instinctifs, des pulsations rapides, des émotions passagères, dont les historiens ne gardent pas le souvenir, mais qui ne sont pas sans intérêt pour quiconque étudie dans l'histoire, non les faits bruts, mais les hommes. »

Voici dix vers qui sont datés de 1667. C'est comme un pressentiment des prochaines infidélités du roi :

> Dans les nouveaux amants, rien n'est plus ordinaire
> Que le vœu solennel d'éternelles amours;
> Cependant, comme on voit, rien n'est plus téméraire
> Que d'espérer qu'on aimera toujours.
> Heureux celui qu'une étoile bénigne
> De ce don d'amour rendra digne!
> Quand l'astre décide autrement,
> Il faut se soumettre et se taire;
> C'est un caprice involontaire
> Qui ne consulte plus les désirs d'un amant.

Avant d'être trahie, mademoiselle de La Vallière se résigne avec un mélancolique sourire. Mais combien ce sourire cache de larmes!

Si je cherche bien, je retrouve un sixain écrit au revers d'un deux de carreau. A Fontainebleau, au jeu de la reine, le roi avait dérobé une carte pour écrire un mot d'amour à mademoiselle de La Vallière. La jeune fille courut le parc tout émue et rapporta la carte après y avoir inscrit ce sixain, qui faillit trahir le secret de leur roman :

> Pour m'écrire avec plus de douceur,
> Il falloit choisir un deux de cœur.
> Les carreaux ne sont faits, ce me semble,
> Que pour servir Jupiter en courroux :
> Mais deux cœurs qui sont unis ensemble
> Ne peuvent rien s'annoncer que de doux.

Voici deux autres sixains *sur l'air des bergers héroïques de Psyché*. Le premier est du roi, qui revient de la guerre; le second est de mademoiselle de La Vallière, qui a pâli en l'attendant. C'est la demande et la réponse :

> Avez-vous ressenti l'absence?
> Êtes-vous sensible au retour
> De Celui que votre présence
> Fait vivre de joie et d'amour,
> Et qui se meurt d'impatience
> Alors que sans vous voir il doit passer un jour?

L'amour ne fait-il pas du roi un poëte? Mais mademoiselle de La Vallière, qui aime mieux, dit mieux encore :

> Je me fais un plaisir extrême
> De penser à vous nuit et jour;
> Je vis plus en vous qu'en moi-même,
> Je meurs sans vous faire la cour.
> Les plaisirs sans ce que l'on aime
> Sont autant de larcins que l'on fait à l'amour.

Madame de Montespan écrivit plus tard un sixain sur le même sujet, mais non pas du même style. Le style, c'est la femme :

> J'entends déjà le bruit des armes
> Et le tambour qui bat aux champs;
> Je sens renaître les alarmes,
> Que vous me causez tous les ans.
> Verserai-je toujours des larmes
> A chaque retour du printemps?

N'est-ce pas que la railleuse marquise écrivait ces vers tapageurs sans laisser tomber une larme dans son encrier?

# IV.

## LETTRES DE MADAME DE MONTESPAN.

« Madame de Montespan, dit Voltaire, écrivait avec une légèreté et une grâce particulières. On voit par là combien est ridicule ce conte que j'ai entendu encore renouveler, qu'elle était obligée de faire écrire ses lettres au roi par madame Scarron; et que c'est là ce qui en fit sa rivale, et sa rivale heureuse. »

On a attribué tour à tour à la marquise de Thianges et à la marquise de Montespan ces vers cavaliers écrits pour rabattre les grands airs de Louis XIV :

> A la cour et dans les gazettes,
> On dit assez ce que vous êtes :
> Ne nous prônez donc plus tant vos exploits;
> Il sied mal aux grands rois
> De conter des sornettes.
> A la cour et dans les gazettes,
> On dit assez ce que vous êtes;
> Et quand on croit les affaires bien nettes,
> Il ne faut point de tambours ni trompettes
> A la cour et dans les gazettes.

M. Feuillet de Conches promet de publier des lettres de la marquise de Montespan. Elles sont fort rares, et ce sera une bonne fortune pour les autographophiles.

Voici en attendant une jolie lettre à madame de Thianges :

« Je compte aller passer la quinzaine de Pâques à Fontevrault;
» m'y accompagnerez-vous ou resterez-vous à la cour? Je serai
» plus libre à l'abbaye qu'à Versailles, ce qui me fait désirer ce
» voyage. J'ai cependant eu une grande peine à obtenir du roi la
» permission de m'absenter; mais j'ai tant fait qu'il y a consenti.
» Colbert a grande raison de dire *que la cour a un quadran*

» *particulier, et qu'il faut en connoître les heures et les minutes*
» *pour ne pas s'y méprendre.* Si la sainte quinzaine ne fût pas
» venue à mon secours, jamais je n'eusse obtenu la permission
» d'aller à Fontevrault. »

Voltaire dit encore : « Madame de Montespan et madame de
Maintenon — la marquise du temps passé et la marquise de maintenant — se voyaient tous les jours, tantôt avec une aigreur
secrète, tantôt avec une confiance passagère, que la nécessité
de se parler et la lassitude de la contrainte mettaient quelquefois
dans leurs entretiens. Elles convinrent de faire, chacune de leur
côté, des mémoires de tout ce qui se passait à la cour. L'ouvrage
ne fut pas poussé fort loin. Madame de Montespan se plaisait à
lire quelque chose de ces mémoires à ses amis, dans les dernières
années de sa vie. »

On a bien voulu me communiquer le fragment autographe
qu'on va lire; n'est-ce point un fragment des mémoires dont
parle Voltaire? L'écriture n'est pas de madame de Montespan,
mais chaque mot révèle l'altière marquise, qui déjà joue à la
résignation.

« Le roi a toujours manifesté un fond de religion, dont il
» avoit des accès fréquents, surtout aux approches de Pâques et
» des autres grandes fêtes de l'année. Cette fois-là, ce fut bien
» pis, il y eut un jubilé, et le roi, sans me le dire, témoignoit
» assez le désir que je m'absentasse de la cour, au moins pendant
» le temps du jubilé. Pour lui plaire, je consentis à aller à Paris,
» où je fis mon jubilé avec une exactitude scrupuleuse. Quand il
» fut fini, selon l'usage de ce temps, les plaisirs succédèrent aux
» actes de dévotion. Mes parents trouvèrent mauvais que je fusse
» aussi longtemps absente de la cour, et me représentèrent que
» ma naissance et ma charge m'astreignoient, me commandoient
» même de reparoître, et que ma qualité de favorite du roi ne
» devoit pas m'exclure des priviléges attachés à ma personne. Je
» consultai monseigneur de Meaux (Bossuet), dans lequel j'avois
» beaucoup de confiance, et il m'assura qu'il ne voyoit aucun
» inconvénient dans mon retour; je voulus cependant prévenir
» le roi, et je chargeai madame de Thianges de cette com-

27

» mission. Le roi répondit que j'étois la maîtresse de venir à la
» cour, et qu'il m'y verroit avec plaisir. Je partis donc, et mon
» devoir me conduisit en premier chez la reine, qui m'accueillit
» avec sa bonté ordinaire. Madame de Richelieu, madame de La
» Mothe et autres, qui croyoient que le jubilé avoit opéré un
» grand changement dans la tendresse que j'avois toujours té-
» moignée au roi, vinrent le soir même me visiter ; j'avois un
» cercle nombreux qui fut bien étonné de voir arriver le roi. Je
» vous avoue que moi-même j'en fus surprise. Après quelques
» moments de silence, occasionné par la présence du roi, Sa
» Majesté me tira dans l'embrasure d'une croisée, me parla
» d'abord avec assez d'indifférence ; mais enfin, lasse de se
» contraindre, elle me pria de passer dans mon cabinet. Le roi
» alors m'assura de nouveau de toute sa tendresse, et je redevins
» encore la souveraine du souverain.

» Quelques jours après, j'appris que la cabale jésuitique étoit
» courroucée de ma réunion avec le roi, que madame de Main-
» tenon en vouloit beaucoup à Bossuet, et qu'elle disoit « qu'il
» étoit un fourbe ou une dupe ; qu'il avoit beaucoup d'esprit, mais
» n'auroit jamais celui de la cour ; qu'a-t-il fait ? il vouloit les
» convertir, disoit-elle, et il les a raccommodés ! Je ne suis pas
» plus contente du père La Chaise ; il n'y a pourtant que lui qui
» puisse faire la rupture, mais il temporise beaucoup trop ; vingt
» fois, avec moi, il a déploré les égarements du roi, et il n'a
» pas le courage de porter les grands coups ; les demi-conversions
» n'aboutissent à rien ; il faut qu'il refuse à Sa Majesté les sacre-
» ments, s'il veut véritablement travailler à son salut. Le père de
» La Chaise est, je crois, un honnête homme ; mais l'air de la
» cour gâte la vertu la plus pure et adoucit la plus sévère. »

» Furieuse au récit de ces discours, j'en portai mes plaintes
» au roi, qui m'autorisa à expulser madame de Maintenon. J'y
» étois bien déterminée, quand cette hypocrite, à qui je ne pus
» cacher mon indignation, sut intéresser de nouveau madame de
» Thianges en sa faveur. Ma sœur me fit envisager que M. du
» Maine, que le roi aimoit tendrement, ne pourroit s'accoutumer
» avec une autre gouvernante ; que la santé de cet enfant étoit

» foible ; que celle de M. de Vexin n'étoit pas plus rassurante, et
» que, les liens qui m'attachoient le roi étant rompus, je ne devois
» pas croire à sa constance, surtout ayant éprouvé son penchant
» pour toutes les femmes, et sa foiblesse pour les craintes que
» son confesseur lui inspiroit à volonté. Je me rendis ; mais une
» sorte de répugnance, qui a bien justifié que, seule, j'avois
» raison, me fit tenir en garde contre madame de Maintenon.

  » Le roi tantôt venoit avec plaisir chez moi, et tantôt me
» témoignoit des scrupules ; madame de Maintenon, n'osant
» pas parler ouvertement contre moi, se donna pour auxiliaire
» le *converti* Pélisson. J'avoue que j'avois pour Pélisson une es-
» time sans bornes, surtout quand je me le représentois, n'étant
» encore que commis de Fouquet, souffrir des maux inouïs pour
» les intérêts de son maître, et, du fond de sa prison, élevant
» sa voix contre l'injustice qu'on faisoit à Fouquet, ne parlant
» de lui que lorsqu'il étoit nécessaire qu'il se mît en avant pour
» faire briller l'innocence de Fouquet.

  » J'appris bientôt qu'on avoit établi Pélisson dispensateur des
» gratifications qu'on donnoit à chaque réformé pour le con-
» vertir. Vous vous rappelez, sans doute, que la dévote madame
» de Richelieu ne put s'empêcher de rire à l'inspection des listes
» qu'on distribuoit avec profusion, et qu'en baissant les yeux,
» elle dit « que l'éloquence dorée de Pélisson étoit moins savante
» que celle de Bossuet, mais qu'elle étoit bien plus persuasive ».

  » Comptez-vous pour rien la persévérance de madame de
» Maintenon à persécuter les gens de la religion que ses pères
» ont professée, qu'elle a abjurée deux fois, dont une très-volon-
» tairement, lorsqu'il fut question d'épouser Scarron ? Je suis
» persuadée que jamais le roi n'auroit pensé à être dévot, si des
» motifs aussi perfides qu'ambitieux n'eussent guidé madame de
» Maintenon. Croiriez-vous que madame de Richelieu eut la har-
» diesse de dire devant moi, quelque temps avant la naissance
» de M. de Toulouse, que « madame de Maintenon assuroit que
» le roi n'étoit pas aussi éloigné de son salut que toute sa cour
» le pensoit, et qu'il avoit de fréquents retours vers Dieu ».

  » Je sentis bien que la duchesse, affectant de faire part des

27.

» espérances de madame de Maintenon en ma présence, n'avoit
» d'autre but que de me pressentir sur la chute de ma faveur. Je
» ne pus cacher à la duchesse combien j'étois courroucée de sa
» conduite. « Vous êtes donc, madame, lui dis-je, initiée dans
» la cabale dont toutes les actions tendent à déshonorer le roi et
» à obscurcir sa gloire? — Quoi! madame, répondit madame de
» Richelieu, croyez-vous que le roi se déshonoreroit en suivant
» les conseils qu'on peut lui donner pour son salut? Le roi, ma-
» dame, tient son royaume de Dieu, et il doit faire pour sa
» gloire tout ce qui est en son pouvoir; aussi Sa Majesté pense-
» t-elle sérieusement à convertir tous les hérétiques, et dans peu
» l'on y travaillera tout de bon. »

    » Je ne répondis à madame de Richelieu que par un geste
» méprisant, et j'appris quelques jours après que, dans le cercle
» moliniste qui s'étoit tenu chez madame de Maintenon, l'on
» avoit tancé vertement la duchesse de découvrir les secrets de la
» cabale.

    » Cette querelle qu'on lui fit me persuada que le roi rendoit
» compte à madame de Maintenon des conversations que nous
» avions ensemble; car, un moment après que j'eus congédié
» madame de Richelieu, le roi étant venu chez moi, je mis tant
» de feu pour lui persuader qu'on cherchoit à obscurcir sa gloire,
» en le rendant l'esclave d'un moine qui se flattoit de gouverner
» en son nom, qu'il fut un moment ébranlé et me promit de ne
» rien faire dont il dût se repentir. Peut-être n'eut-il pas l'inten-
» tion de rendre mes discours, et peut-être aussi n'étoit-ce que
» des reproches qu'il adressoit à cette cabale; mais ce sont des
» gens qui vont toujours à leur but, telle mortification qu'ils
» éprouvent.

    » J'ai beau voir cette femme à la place qu'elle a usurpée, je
» me surprends quelquefois à me dire : Quoi! c'est cette femme
» sortant de la maison de Scarron, sortant de ma maison, c'est
» cette femme qui a su vaincre l'orgueil de ce roi tout-puissant
» et l'obliger à lui donner la main! Qui peut, après cela, se
» flatter de connoître l'esprit humain? J'imaginois pourtant avoir
» pénétré dans les plus secrets replis du cœur du roi. J'avois bien

» découvert en lui un mélange de galanterie et de religion, de
» dignité et de foiblesse; mais jamais je n'eusse osé penser que
» cette gloire, à laquelle il attachoit un si grand prix, seroit
» flétrie par une telle union. Si j'eusse été libre, et que le roi
» m'eût aimée assez tendrement pour m'offrir sa main, je prends
» l'honneur à témoin que je l'eusse refusée. Cela vous paroît
» peut-être étrange; mais je suis intimement persuadée que la
» femme qui déshonore son amant se couvre d'opprobre; et ma-
» dame de Maintenon est plus coupable à mes yeux d'avoir exigé
» que le roi l'épousât, que je ne la trouve coupable envers moi
» d'avoir abusé de mes bontés et de s'être servie de ma faveur
» pour me prendre mon bien. »

Je pense que madame de Montespan ne lisait pas ses mémoires
à madame de Maintenon.

La lettre suivante n'est donnée que pour montrer l'orthographe bizarre des grandes dames du grand siècle. Le sens de
l'épître m'échappe; je ne sais de quelle intrigue il s'agit, ni
pourquoi ces lettres données à Lauzun et montrées à Colbert.

### A St Germain à une heure.

« Mr Colbert est à Versaille, et je me disposest à l'y aler
» chercher, mais comme il parlest de mon voiage le roy a dit qui
» li menet la reyne aprest demain et quil ni alet que se qui seret
» dans son entourage. Vressanblablement je devrois avoir place
» mais il ni a point de régle sur se quy a raport a moy, insy il
» faust attandre jusque a demain au soir que doit venir Mr Colbert
» pour que je lui puise parler, et comme vous croiez que nulle
» vous redemandera ses letres je vous les renvoie mais sy vous
» pouvest les ravoir il serest bon que vous me les renvoiassiez
» demain pour que je les y puise montrer. Je crois bien fort
» ce que vous demandez, et vous devez croire que je pense tout
» comme vous la dessus. »

## V.

On a beaucoup écrit sur mademoiselle de La Vallière, mais combien peu de pages sont dignes d'être signalées! Le plus souvent, on a défiguré cette adorable physionomie. Les portraits à la plume ne me semblent pas pour la plupart plus vrais que les portraits au pinceau. J'ai voulu tout étudier, jusqu'au plus mauvais livre; ceux qui voudront suivre comme moi les amoureux méandres de la cour de Louis XIV devront lire d'abord les poëtes du temps, les mémoires ensuite, ceux de l'abbé de Choisy, de madame de Motteville, de La Fare, de mademoiselle de Montpensier, de Brienne, de Saint-Simon — ce grand historien en robe de chambre, dont il faut pourtant se défier. — Il faudra lire aussi les lettres de Bussy, celles de la duchesse d'Orléans, princesse palatine, celles de madame de Caylus, celles de madame de Maintenon; il faudra relire celles de madame de Sévigné.

On pourra s'aventurer aussi dans l'*Histoire amoureuse des Gaules* et dans la *France galante*. J'ai déjà dit que Sandraz écrivait souvent sous la dictée de Bussy; tout pamphlétaire qu'il soit, il est plus près de la vérité que certains historiens officiels. On pourra feuilleter les recueils de chansons et d'épigrammes volantes, les gazettes de Hollande plus ou moins recueillies par les compilateurs, comme Sautereau de Marsy, *Nouveau siècle de Louis XIV;* comme Gayot de Pitaval, *les Délices de Versailles;* comme Anquetil, *Louis XIV, sa cour et le Régent.*

Faut-il citer encore les quatre volumes de la *Galerie de l'ancienne cour;* les *Fastes de Versailles,* par Hippolyte Fortoul; *Versailles ancien et moderne,* par le comte de Laborde?

Je veux rappeler au passage quelques autres livres plus ou moins curieux.

PRISE D'HABIT DE MADAME DE LA VALLIÈRE. — Paris, 1675, in-12.

VIE DE LA DUCHESSE DE LA VALLIÈRE, où l'on voit une relation de ses amours et de sa pénitence. — Cologne, 1695. — Paris, 1708.

LA VIE DE LA DUCHESSE DE LA VALLIÈRE. — Cologne. — Jean de la Vérité. — 1695, in-12.

ABRÉGÉ DE LA VIE ET DE LA MORT DE MADAME LA DUCHESSE DE LA VALLIÈRE, religieuse carmélite. — 1710, in-8°.

VIE DE MADAME DE LA VALLIÈRE. — Rouen, 1742, in-16.

LETTRES DE MADAME LA DUCHESSE DE LA VALLIÈRE, *morte religieuse carmélite,* avec un Abrégé de sa vie pénitente, par l'*abbé Claude Lequeulx.* — Paris et Liége, MDCCLXVII. — Édition ornée d'une gravure d'après la Madeleine de Le Brun.

L'abbé Lequeulx dit dans la préface : « Nous nous proposons singulierement ici de peindre ce que la grace de Dieu a fait en elle, pour y retracer son image, que le démon avoit si étrangement défigurée. »

Il y a dans le livre de l'abbé Lequeulx plus d'une belle page à lire. Mais toutes les pages sont-elles vraies? par exemple, ce songe n'est-il pas un songe de l'auteur : « Quelques années avant qu'elle quittât la cour, et dans le temps même qu'elle étoit le plus fortement attachée au monde, elle rêva une nuit qu'étant dans une église qu'elle ne connoissoit pas, elle voyoit dans une espèce de tribune fort élevée plusieurs religieuses vêtues de blanc qui alloient à la communion avec des cierges allumés, et que tout ce lieu étoit éclairé d'une grande lumière. Quoique endormie, elle s'occupoit du bonheur de celles qu'elle croyoit voir, et demeura à son réveil fort frappée de ce spectacle qui s'étoit passé dans son imagination. Mais elle fut encore plus surprise lorsque la première fois qu'elle entra aux Carmélites à la suite de la Reine, elle reconnut ce même lieu qu'elle avoit vu en songe. »

Toutes les favorites ont eu leur songe, comme dans la tragédie. « J'ai rêvé, dit madame de Maintenon, que madame de Montes-

pan descendoit seule le grand escalier et que je montois l'autre
rampe avec toute la cour. »

LETTRES DE MADAME DE LA VALLIÈRE A LOUIS XIV, par *Blin de
Sainmore*. Une vraie héroïde de Colardeau. — Londres et Paris.
Lejay, 1773, in-8°.

HISTOIRE AMOUREUSE DE MADAME DE LA VALLIÈRE, racontée par les
auteurs du temps. — Paris, Pigoreau, an XIII (1804), in-12.

*Crawfurd*. — NOTICES SUR MESDAMES DE LA VALLIÈRE, MONTESPAN,
FONTANGES ET MAINTENON. — Paris, 1818, in-8° (avec portraits).

*Quatremère de Roissy*. — HISTOIRE DE MADAME DE LA VALLIÈRE. —
Paris, 1823, in-8°.

*Brizeux*. — MÉMOIRE DE MADAME DE LA VALLIÈRE. — Paris, 1827,
2 vol. in-8°.

Est-ce du poëte Brizeux? C'est le négligé de la poésie, le vers
qui se fait prose.

L'abbé de Choisy dans ses mémoires peint à vif, donne la
vraie lumière. Je l'ai cité plus d'une fois, j'aurais dû ne pas
oublier cette page :

« Le marquis de Vardes fut confident du goût du roi pour
madame de La Vallière. On sait que des intrigues de cour le
firent chercher à perdre madame de La Vallière, qui par sa place
devoit avoir des jalouses, et qui par son caractère ne devoit point
avoir d'ennemis. On sait qu'il osa, de concert avec le comte de
Guiche et la comtesse de Soissons, écrire à la reine régnante une
lettre contrefaite, au nom du roi d'Espagne son père. Cette
lettre apprenoit à la reine ce qu'elle devoit ignorer, et ce qui ne
pouvoit que troubler la paix de sa maison royale :

» Le roi se précipite dans un dérèglement qui n'est plus ignoré
que de Votre Majesté. Mademoiselle de La Vallière est l'objet de
cet indigne amour. C'est un avis que de fidèles serviteurs donnent à Votre Majesté. Vous déciderez si vous pouvez aimer votre
époux dans les bras d'une autre, ou si vous voulez empêcher une
chose dont la durée ne vous peut être glorieuse. »

Dans les Mémoires de Brienne on voit que mademoiselle de La Vallière était une Madeleine prédestinée, puisque même avant son péché on la peignait sous la figure de la divine pénitente.

« La cour fut à Fontainebleau; le roi y devint amoureux de mademoiselle de La Vallière, fille d'honneur de Madame. Je la trouvois fort aimable; je lui disois toujours quelques douceurs en passant; elle m'écoutoit assez favorablement, mais je n'en étois pas amoureux; peut-être le serois-je devenu. Or il arriva que, voulant avoir le portrait de Sa Majesté, je fis venir à Fontainebleau Lefebvre de Venise, célèbre faiseur de portraits en petit; Nanteuil y étoit aussi, et travailloit au portrait du roi en pastel. Sa Majesté m'accorda la grâce que je lui demandai de faire peindre son portrait par Lefebvre. Un jour que j'étois chez Madame, le roi y vint pour voir sa nouvelle maîtresse, et il me trouva dans l'antichambre avec elle. Il nous demanda ce que nous faisions; je lui répondis fort simplement, parce que c'étoit la vérité, que je proposois à mademoiselle de La Vallière de me permettre de la faire peindre par Lefebvre en Madeleine; et non content de cela, je dis avec la même ingénuité : « C'est que son visage, qui a quelque chose de l'air des statues grecques, me plaît fort. » Elle rougit, et le roi passa sans répondre. Le soir même de cette aventure, je m'aperçus de leurs amours. Le roi parloit avec beaucoup d'attention et de vivacité à sa nouvelle maîtresse, et moi de penser à l'heure même à ma bévue; mais j'avois l'esprit fort présent : je pris mon temps, comme il la quittoit et s'éloignoit de la fenêtre où s'étoit passé ce doux entretien, pour demander devant lui à mademoiselle de La Vallière si elle étoit toujours dans la résolution de se faire peindre en Madeleine. Le roi revint sur ses pas, et me dit : « Non, il faut la faire peindre en Diane; elle est trop jeune pour être peinte en pénitente. » J'entendis trop bien ce langage, mais je ne fis semblant de rien, et le lendemain, qui étoit un jour de conseil, je me levai de fort bonne heure, car je n'avois pas fermé l'œil de toute la nuit, tant la rencontre du jour m'avoit éveillé et alarmé tout ensemble. Sa Majesté, me voyant entrer si matin dans sa chambre, dont toutes les entrées m'étoient permises, même de sa

garde-robe, où j'entrois en tout temps sans avoir eu besoin de
brevet d'affaires, elle vint à moi, entra dans le cabinet de
Théagène et Chariclée, et ferma la porte au verrou. Cela m'émut
un peu, car le roi n'avoit pas accoutumé d'en user ainsi. Alors
s'approchant de moi d'un air sérieux, mais honnête, il me dit
sans la nommer : « L'aimez-vous, Brienne ? — Qui, sire ?
répondis-je, mademoiselle de La Vallière ? » Le roi dit : « Oui,
c'est elle dont j'entends parler. » Alors je me remis, et me possédant extrêmement, je repartis avec une présence d'esprit admirable : « Non, pas encore, sire, tout à fait; mais je vous avoue
que j'ai beaucoup de penchant pour elle, et que si je n'étois pas
marié, je lui ferois offre de mes services. — Ah! vous l'aimez!
Pourquoi mentez-vous ? » dit le roi fort brusquement et presque
en soupirant. Je répondis avec beaucoup de respect : « Sire, je
n'ai jamais menti à Votre Majesté. J'aurois pu l'aimer; mais je
ne l'aime pas encore assez, quoiqu'elle me plaise, pour dire que
j'en suis amoureux. — C'est assez, et je vous crois. — Mais,
sire, puisque Votre Majesté me fait tant d'honneur, lui dis-je,
me permettra-t-elle de lui découvrir ingénument ma pensée ? —
Oui, dites, je vous le permets. — Ah! sire, dis-je en faisant
un gros soupir, elle vous plait encore plus qu'à moi, et vous
l'aimez ! — Oh bien! dit le roi, que je l'aime ou que je ne
l'aime pas, laissez là son portrait, et vous me ferez plaisir. —
Ah! mon cher maître, dis-je en lui accolant la cuisse, je vous
ferai un plus grand sacrifice : je ne lui parlerai de ma vie, et
suis au désespoir de ce qui s'est passé. Pardonnez-moi cette
innocente méprise de mes yeux, à laquelle mon cœur n'a point
eu de part, et ne vous souvenez jamais de ce que j'ai fait. — Je
vous le promets, dit le roi en souriant; mais tenez-moi votre
parole et ne parlez de ceci à personne. — Dieu m'en préserve!
personne n'a plus de respect que moi pour Votre Majesté! » Je
ne pus achever ces paroles sans m'attendrir, et je versai quelques larmes, car j'ai les yeux et le cerveau fort humides. Le roi
s'en aperçut, et me dit : « Vous êtes fou; à quoi bon pleurer?
L'amour t'a trahi, mon pauvre Brienne : avoue la dette! — Je
m'en garderai bien, lui dis-je; je pleure de tendresse pour vous;

elle n'y peut avoir aucune part. — Oh bien, soit! n'en parlons plus; je t'en ai trop dit. — Votre Majesté m'a fait trop d'honneur; mais j'espère que je ne tomberai plus dans une faute semblable. »

ŒUVRES DE BOSSUET. — Édition générale de Lebel. In-8°. 43 volumes.

(T. XXXVII, p. 55 : Entretiens que Bossuet avait avec La Vallière pour l'affermir dans ses bonnes dispositions, etc., etc., jusqu'à la page 66 ; — t. XXVII, p. 258 : Notice sur La Vallière ; p. 262 : Sermon pour sa profession.)

Il n'y a pas autre chose dans le courant des Œuvres ; mais à la fin du tome XLIII et dernier, il y a des lettres inédites importantes, dont l'une (la lettre III) concerne précisément mademoiselle de La Vallière.

(La lettre XXXIII, p. 25 ; la lettre XXXIV).

LA DUCHESSE DE LA VALLIÈRE, par madame de Genlis.

« L'apparition d'un livre contribua tout à coup à reporter les idées du public vers l'époque la plus brillante du règne de Louis XIV : ce livre était *Madame de La Vallière,* roman historique que publia, à l'époque du Consulat, madame de Genlis, récemment revenue en France. Bonaparte le lut, et l'on m'a dit depuis qu'il en fut très-satisfait; mais il ne m'en parla pas. Ce ne fut que quelque temps après qu'il se plaignit de l'effet que cela produisoit dans Paris, surtout à cause des gravures, qui retraçoient des scènes de la vie de Louis XIV, et que l'on regardoit avec empressement dans les étalages. » *Mémoires de Bourrienne.*

JOSEPH DE MAISTRE, *Lettres et Opuscules inédits,*, édition Charpentier :

1° T. Ier, p. 72 : Opinion défavorable à propos du roman de madame de Genlis.

Toutes les femmes, en 1804 et 1805, l'avaient sur leur table de nuit et rêvaient le rôle d'une La Vallière à la cour de Napoléon. Le passage des Mémoires de madame d'Abrantès est curieux.

2° T. II, p. 413 : Opinion favorable à propos de ce que dit madame de Sévigné.

Manuscrit de la bibliothèque de Saint-Pétersbourg, indiqué par M. Léouzon-Leduc dans ses *Études sur la Russie.*

« Cette fille est d'une taille médiocre et fort mince ; elle marche d'un méchant air, à cause qu'elle boite. Elle est blonde, blanche, marquée de petite vérole ; les yeux bruns, les regards languissants et passionnés, et quelquefois aussi pleins de feu, de joie et d'esprit ; la bouche grande, assez vermeille ; les dents pas belles, point de gorge, les bras plats, qui font mal juger du reste du corps. Son esprit est brillant, beaucoup de feu et de vivacité. Elle pense les choses plaisamment ; elle a beaucoup de solide, sachant presque toutes les histoires ; aussi a-t-elle le temps de les lire. Elle a le cœur grand, ferme, généreux, tendre et pitoyable. Elle est de bonne foi, sincère et fidèle, éloignée de la coquetterie, mais plus capable que personne d'un fort engagement. Elle aime ses amis d'une ardeur inconcevable, et il est certain qu'elle a aimé le roi plus d'un an avant qu'il la connût. Elle disoit souvent qu'elle voudroit qu'il ne fût pas roi. »

Réflexions sur la Miséricorde de Dieu, publiées avec les *corrections de Bossuet,* par M. Damas-Hinard.

Voici comment le poétique savant annonce sa découverte : « Parmi les raretés que possède la bibliothèque du Louvre, il existe un livre qui est, selon nous, le plus précieux joyau de son trésor. C'est un petit volume in-18, d'assez pauvre apparence, intitulé : *Réflexions sur la Miséricorde de Dieu, par une dame pénitente. — Cinquième édition, augmentée,* 1688. Feuilletez ce petit volume : toutes les marges, sur le côté, en haut, en bas, sont couvertes de corrections tracées à la main, d'une écriture du dix-septième siècle, ferme, énergique, rapide. L'auteur de ce livre, qui a voulu se cacher sous le voile d'*une dame pénitente,* c'est madame de La Vallière. L'auteur des corrections marginales, c'est Bossuet. »

Les Confessions de madame de La Vallière, par M. *Romain Cornut,* édition Didier, 1854.

Livre très-étudié, éloquent en plus d'une page, mais où ne

respire que l'idée chrétienne. C'est mademoiselle de La Vallière vue au pied de sa croix.

Voici les premières lignes, le point de départ, le point de vue de l'historien :

« Le livre que nous donnons au public contient avec vérité, sous un titre créé par nous, les Confessions de madame de La Vallière repentante, réellement écrites par elle-même la dernière année qu'elle passa à la cour, avant son entrée aux Carmélites. Ces Confessions existent déposées dans deux sortes d'écrits authentiquement sortis de sa plume : Les RÉFLEXIONS SUR LA MISÉRICORDE DE DIEU, et ses LETTRES. Nous ne publions proprement rien d'inconnu, bien peu du moins, comme texte; mais nous croyons offrir aux esprits attentifs et aux âmes tendres quelque chose de nouveau, de curieux, d'attachant peut-être, comme interprétation psychologique et historique. Il y a moins de bonheur et plus de peine à trouver le sens d'un livre que le livre lui-même. Là où on n'avait guère vu qu'un touchant récitatif de prières, une suite de *Réflexions* pieuses, nous avons cherché et nous avons cru trouver un précieux monument d'histoire intime, écrite à l'heure même de l'émotion : l'histoire d'une âme faible et généreuse, qui se débat dans les suprêmes angoisses d'une conversion longtemps disputée, et accomplie enfin avec un mélancolique mais inébranlable courage.

» Nous avons cru y découvrir aussi à travers la transparence des allusions, sous l'enveloppe des généralités, ou derrière le huis clos des réticences, comme une traînée de faits lumineux qui jettent du jour sur le fond du théâtre, à demi éclairé pour le public, où se déroula ce drame douloureux, et sur les personnages qui s'y trouvèrent mêlés, à des titres divers, comme obstacles ou comme secours, amis ou ennemis de la patiente héroïne, ses consolateurs et ses guides ou ses persécuteurs et ses « bourreaux », comme elle les appelle elle-même. D'un côté, les noms de madame de Montespan et de Louis XIV, du triomphe insultant et de l'amour rassasié; de l'autre, ceux du pieux maréchal de Bellefonds, de Bossuet, de la célèbre prieure carmélite la mère Agnès, de l'abbé de Rancé, du père Bourdaloue, dont la

calme figure apparaît un instant et jette un doux rayon à l'extrémité du tableau. Cette phalange d'amis chrétiens se serre avec
une sympathique inquiétude auprès de la nouvelle convertie
chancelante encore, et fait la garde autour de son âme assaillie
de toute part. »

LES CAUSERIES DU LUNDI, tome III.

M. Sainte-Beuve a peint avec toute sa pénétration et toute sa
délicatesse de touche cette figure qui était une âme :

« Des trois femmes qui ont véritablement occupé Louis XIV,
et qui se sont partagé son cœur et son règne, madame de
La Vallière, madame de Montespan et madame de Maintenon,
la première reste de beaucoup la plus intéressante, la seule vraiment intéressante en elle-même. Fort inférieure aux deux autres
par l'esprit, elle leur est incomparablement supérieure par le
cœur : on peut dire qu'à cet égard elle habite dans une autre
sphère, où ces deux femmes d'esprit (et la dernière qui fut de
plus une femme de raison) n'atteignirent jamais. Toutes les fois
qu'on voudra se faire une idée d'une amante parfaite, on pen-
sera à La Vallière. Aimer pour aimer, sans orgueil, sans coquetterie, sans insulte, sans arrière-pensée d'ambition, ni d'intérêt,
ni de raison étroite, sans ombre de vanité, puis souffrir, se
diminuer, sacrifier même de sa dignité tant qu'on espère, se
laisser humilier ensuite pour expier; quand l'heure est venue,
s'immoler courageusement dans une espérance plus haute, trouver
dans la prière et du côté de Dieu des trésors d'énergie, de tendresse encore et de renouvellement; persévérer, mûrir et s'affermir à chaque pas, arriver à la plénitude de son esprit par le
cœur, telle fut sa vie, dont la dernière partie développa des res-
sources de vigueur et d'héroïsme chrétien qu'on n'aurait jamais
attendues de sa délicatesse première. Elle rappelle, comme
amante, Héloïse ou encore la Religieuse portugaise, mais avec
moins de violence et de flamme : car celles-ci n'eurent pas seulement le *génie de la passion,* elles en eurent l'emportement et la
fureur; La Vallière n'en a que la tendresse. Ame et beauté, toute
fine et suave, elle a plus de *Bérénice* en elle que ces deux-là.

Comme religieuse, comme carmélite et fille de sainte Thérèse, ce n'est point à nous à nous permettre de lui chercher ici des termes de comparaison. Disons seulement, de notre ton le moins profane, que, quand on vient de relire l'admirable chapitre V du livre III de *l'Imitation*, où sont exprimés les effets de l'amour divin, qui n'est dans ce chapitre que l'idéal de l'autre amour, madame de La Vallière est une de ces figures vivantes qui nous l'expliquent en leur personne et qui nous le commentent le mieux. »

J'indiquerai aussi le drame de sir Henri Bulwer, qui a su voir de près dans les lointains de l'histoire celle qui a des sœurs en Angleterre.

## VI.

### AUTOGRAPHES.

J'ai déjà parlé de la rareté des autographes de mademoiselle de La Vallière; ceux de madame de Montespan sont presque introuvables. Dans les ventes publiques rien n'est plus recherché; on les couvre d'or. En revanche, on a presque pour rien les lettres de Marie-Thérèse.

Je donne la liste de tous les autographes de mademoiselle de La Vallière qui ont été inscrits dans les ventes publiques.

### CATALOGUE CHARON.

Vente du cabinet de M. L***, 8 avril 1844, n° 301 bis.

Lettre autographe signée (2 pag. in-8°) à madame Bouvin de la Haye, à Orléans, le 15 octobre (vendue 150 fr.).

Elle lui témoigne ses regrets de ne pouvoir faire ce qu'elle lui demande, ne pouvant se mêler, dit-elle, de ces sortes de choses.

### CATALOGUE CHARON.

Vente du 8 déc. 1845, n° 233.

Lettre autographe signée *Louise de la Miséricorde*, à monseigneur l'évêque d'Avranches (vendue 250 fr.).

Très-belle lettre, 4 pag. gr. in-4°. Elle commence ainsi :

« La lettre que vous nous avez fait l'honneur de nous écrire, monseigneur, est sy pleine de bonté que je ne puis exprimer la reconnoissance que j'en ay...

» La petite plainte que uous nous faite est mesme si obligeante, qu'il est je croy de mon deuoir de me justifier en quelque manière auprès de uous, disant auec sincérité que je suis sy persuadée que le plus grand avantage qui me puisse ariver est d'estre oubliée ; que je dois désirer que tout le monde le face ainsy... »

CATALOGUE CHARON.

Vente du 5 fév. 1844, n° 263.

Lettre autographe signée, à monseigneur l'évêque de Soissons (vendue 400 fr.).

Dans cette précieuse lettre, de trois pages in-8°, d'une parfaite conservation, elle lui témoigne combien elle est touchée, étant dénuée de crédit, de ne pouvoir seconder sa charité, et lui assure que ce serait pour elle une véritable consolation de pouvoir aider ces pauvres demoiselles....

CATALOGUE LAVERDET.

Vente du 20 avril 1855, page 181.

Manuscrit de chansons satiriques de Bussy-Rabutin, sur les principaux personnages de la cour de Louis XIV, ses maîtresses, et principalement mademoiselle de La Vallière, 46 pag. pleines, autographes in-4°. Prix du vol., 600 fr.

CATALOGUE LAVERDET.

28 août 1853, n° 605.

Réflexions pieuses de mademoiselle de La Vallière, dix lignes autographes, un quart de page in-4° (vendu 78 fr.).

A cette lettre est jointe une lettre de mademoiselle d'Épernon, son amie intime, carmélite au même couvent sous le nom de sœur Anne-Marie de Jésus.

CATALOGUE LAVERDET.

Vente du baron de Trémont, 9 déc. 1852, n° 804 (vendue 196 fr.).

Lettre à M. de Verneuil, pour recommander Souvant, écrivain du roi, placé déjà par M. de Seignelay.

CATALOGUE CHARON.

Vente des 10 et 11 mai 1847, n° 114.

Lettre autographe signée, à monsieur.... Ce 22 mai. Très-jolie lettre, 2 pages in-8° (vendue 70 fr.).

Elle lui envoie une lettre qu'il ne sera pas fâché de voir. Mademoiselle de La Reynie, nièce du prélat qui l'a écrite, étant persuadée de son goût exquis, est bien aise qu'elle lui soit montrée. Ce prélat n'admet point dans son diocèse la religion aisée du père Lemoine, ni le Traité de l'art d'expédier une confession....

Lettre autographe signée *Louise de la Miséricorde* à madame l'abbesse de Notre-Dame, ce 13 mars. 2 pages in-4°, cachet (vendue 132 fr.).

Félicitations à l'occasion de la conclusion d'une affaire qui l'empêchait de se livrer à ses saints exercices.

La s. *Louise de la Miséricorde* à M. Desmarets, ce 23 janvier. 4 pages in-4° (vendue 162 fr.).

Sur des affaires d'intérêt concernant madame la princesse de Conti.

En 1699, sœur Louise de la Miséricorde n'écrivait plus. Une sœur du couvent écrivait ses lettres et ne les signait pas, ainsi que le témoigne un précieux autographe que me communique M. Charavay, datée « des Carmélites du faubourg Saint-Jacques, ce jeudy 21e de may 1699 ».

« Ma Sr Louise de la Miséricorde est si persuadée, monsieur, que vous ete acoutumé à ces importunitée quelle croi mesme qu'il seroit inutile de vous en faire de compliments n'etant point dans la volonté de sens corigé dans les occasions imprevues qui

28

arriverons ou elle a besoin de vostre secours. Monsieur si elle avoit pu prévoir, hier, quand elle eu l'honneur de vous voir ce qui est survenus de ce matin, elle auroit profité du temps que vous lui donnate pour vous en parler, mais elle ne pouvoit pas deviné qu'elle auroit besoin que vous ayés la bonté de luy donner une petite visite tout le plus tost que vous pourray monsieur, car ceci presse beaucoup. »

Les amis de mademoiselle de La Vallière étaient morts ; il ne restait plus rien de son passé, si ce n'est sa fille, qu'elle ne voyait pas. Son seul ami, depuis longtemps, c'était Dieu. Quel était donc cet événement qui venait troubler cette profonde solitude ? Quel était donc ce grand cœur qui se voulait rattacher à cette belle âme ?

FIN.

# TABLE.

FIN DE LA TABLE.

Imprimé en France
FROC031528230919
22213FR00015B/173/P

9 782329 321042